第2版

# 新しいLinuxの教科書

三宅 英明
Hideaki Miyake
大角 祐介
Yusuke Osumi

SB Creative

# はじめに

本書は、これからLinuxを学ぼうとしている初心者に向けたLinuxの入門書です。

Linuxについては、皆さんも一度は聞いたことがあるでしょう。Windowsなどと同じOS（オペレーティングシステム）の一種で、Webサービスやメールサービスなどを提供するためのサーバ用途から、家電製品や情報機器の組み込み用途など、多くの環境でLinuxが利用されています。また、Linuxはオープンソースソフトウェアとして無償で配布されていることから、プログラミングやコンピュータの動作を知るための学習環境としても優れています。

本書では、Linuxを学び始めた初心者を対象として、Linuxの基本操作について解説しています。また、合わせて「Linuxらしい考え方」についても紹介しています。Linuxをインストールしてみたものの、どのように使えば良いかわからないと困っている人でも、本書を読めばLinuxをLinuxらしく使えるようになることでしょう。

既に多くのLinux入門書が出版されていますが、本書では対象としてCLI（コマンドラインインタフェース）という、キーボードを利用した操作に絞って解説しています。そのため、GUI（グラフィカルユーザインタフェース）による、マウスを利用した操作はほとんど解説していません。これは一見、物足りなく感じるかもしれませんが、CLIを利用したシェルの活用こそがLinuxを使う上での重要な基礎となっています。そのため本書で得た知識は、これから先もずっと役立つものとなるはずです。実際、著者の我々がはじめてLinuxを学んだのは20年以上も前のことですが、当時学んだCLI操作の知識がLinuxを利用するさまざまな仕事に今もそのまま活用できています。

本書の初版ではCentOSを利用しました。今回の第2版では、その後継であるCentOS Streamを利用して実行例を示し、Ubuntuでは差異があるケースのみ適宜解説を追加するという形式で記述しています。ただし、本書で扱う範囲の内容はどのLinuxであっても基本的に共通ですから、あまり利用するLinuxの種類にこだわる必要はありません。CentOS StreamやUbuntuなどのLinuxディストリビューション間の違いではなく、もっとLinuxの本質的な部分を学んで欲しい、というのが我々著者の思いです。

また本書はLinux入門書という位置付け上、Linuxをサーバとして利用するための運用管理の手法や、PHPやRubyなどを利用したLinuxでのアプリケーション開発については扱っていません。本書で学んだ知識を元に、読者の興味に合わせてそれらの分野に進んでもらえればと思います。読者が今後Linuxを利用してどのような分野に進むにしても、本書で解説していることは間違いなく必要となります。そのため本書の内容をきちんと理解しておけば、今後の学習もスムーズに進むことでしょう。

なお、最後に1つ言っておきたいことがあります。ここまで「学習」など堅苦しい言葉が続きましたが、Linuxは使っていてとても楽しく、面白いものです。本書の著者らも、Linuxを毎日とても楽しく使っています。ですから「Linuxを勉強する」というよりも、「Linuxを楽しく使う方法を知る」と考え、リラックスして気軽に本書を読んでいただければと思います。そして本書の内容が、読者のLinux理解への助力となれば幸いです。

最後に、本書を執筆するにあたっては伊能隆之氏にレビューを行っていただき、数多くのご指摘をいただきました。この場を借りてお礼を申し上げます。

2024年3月
三宅 英明
大角 祐介

## サンプルファイルのダウンロード

本書のCHAPTER12、13、14では、Linuxでテキストファイルを扱うさまざまな方法を紹介しています。この際、本文中で利用しているサンプルファイル群については、以下のURLからダウンロードすることができます。

URL https://ozuma.sakura.ne.jp/linux/sample.tar.gz

自分でサンプルファイルを作るのが大変だと感じる方は、上記URLよりファイルをダウンロードして利用してください。

なお、Linuxでインターネット上のファイルをダウンロードするには、curlコマンドを使います。これは「curl -L -o <ファイル名> <URL>」の形式で利用します。次のように入力することで、sample.tar.gzというファイル名でダウンロードすることができます。

▼アーカイブファイルのダウンロード

```
$ curl -L -o sample.tar.gz https://ozuma.sakura.ne.jp/linux/sample.
tar.gz
```

また、サンプルファイル群はtar.gzというファイル形式で配布しているため、ここからサンプルファイルを取り出すために、次のようにtarコマンドを実行してください。

▼展開の実行

```
$ tar xzf sample.tar.gz
```

このtarコマンドについて、詳しい使い方はCHAPTER18で解説しています。この操作により、展開されるファイルは以下のとおりです。

・file1
・file2
・file3
・drink.txt
・drink2.txt
・number.txt
・example.txt
・score.csv
・score.txt

# Contents

## Chapter 07
# テキストエディタ



## Chapter 08
# bashの設定

## Chapter 11
# 標準入出力とパイプライン 185



## Chapter 12
# テキスト処理 203

## Chapter 13
# 正規表現 223



## Chapter 14
# 高度なテキスト処理 239



## Chapter 15
# シェルスクリプトを書こう 259

# Chapter 01 Linuxを使ってみよう

この章ではLinuxを学ぶために必要な基礎知識を解説し、続いて学習用のLinux環境を構築します。また、ログイン・ログアウトなどLinuxを使うためのもっとも基本的な操作を学習します。

Linuxを学ぶ際、本を読んでいるだけではなかなか知識は身につきません。自分の手でコマンドを入力してみてその結果を確認したり、何かエラーが表示されたらその原因を考えるといったように、実際に手を動かしてみないとわからないことはたくさんあります。本章の内容を参考に、学習用のLinux環境をぜひ用意してみてください。なお、既にLinuxが動く環境が手元にあるという方は、そちらをそのまま利用していただいてかまいません。

# 01 Linuxとは

本書を手にしている読者の多くは、自宅や職場などでWindowsかmacOSのどちらかを利用していることと思います。Linuxもこれら OSの一種であり、コンピュータを操作するための基本ソフトウェアである、ということ自体には何も変わりはありません。しかし、LinuxはWindowsやmacOSにはない多くの特長を持ち、サーバ用から組み込み機器用、学習用やデスクトップ用など、幅広い用途に使われています。

本章ではまずLinuxの特長と基礎知識を理解し、Linux環境を準備することまでを目的とします。既にLinuxにログインして作業できる環境があるならば、この章はざっと読むだけでかまいません。

なお本書では、Linuxの歴史や、「OSとは何か」などについて詳しく述べることはしません。これらについて興味のある方は、書籍などに多くの情報がありますからそちらを参照してください。Linuxについて知るには「習うより慣れよ」、まずは使ってみることが一番です。

## Linuxの特長

Linuxがサーバ向けによく使われているということは、聞いたことがある読者も多いでしょう。これは、Linuxが以下のような特長を持つためです。

- オープンソースであり、誰でも自由に無償で利用できる
- 品質の高い多くのソフトウェア（WebサーバのApache HTTP Serverや、データベースシステムのMySQLなど）が利用できる
- 世界中でサーバ用途として広く利用されているため、信頼性が高い
- 操作を自動化するための仕組みが用意されており、サーバの運用が行いやすい

読者がふだん使っているさまざまなWebサービスも、その裏側では多くの場合Linuxが使われています。たとえばWebシステムに必要なサーバとしては、Webブラウザからのアクセスを受け付けるWebサーバ・ソフトウェアを実行するアプリケーションサーバ・処理内容を記録するデータベースサーバなどが必要ですが、これらサーバのOS環境にLinuxを使うのが、現在ではきわめてポピュラーで基本的な構成です。

ですから、これからITエンジニアとして仕事をしていくならば、Linuxの基礎知識は必須と言ってよいでしょう。また読者が学生ならば、Linuxに若い頃から慣れておくのは、将来きっと何かの役に立つとても有意義な経験となります。

またLinuxは、サーバ向けだけではなく、個人での学習用やプログラミング環境としても優れています。これには、次のような理由が挙げられます。

- 開発環境が無償であり、プログラミング環境が整えやすい
- オープンソースで自由に利用できるためブラックボックスな部分がなく、OS内部の動作までも確かめることができる

学習環境として、オープンソースであることは重要です。たとえばWindowsでは、メモリ管理やネットワーク周りの詳しい挙動を知りたくても、ソースコードが公開されていないため外から見た動きから内部の実装を推測することしかできません。Linuxならば直接ソースコードを読んで、どのように処理されているのか、どのようなコードを書けばよいのかを確かめることができます。

またオープンソースであることは、Linuxの各種設定ファイルやコマンドなどを、わざと変わった動きをするように改造してみる、といったことも可能にします。このようにいろいろな実験ができることもLinuxの醍醐味の1つです。

なお、最後に強調しておきたいことがあります。それは、**「Linuxはとても便利」**で、しかも**「使っていてとても楽しい」**ということです。これから本書でLinuxを学び、ぜひ便利に楽しくコンピュータを使っていく方法を身につけていただければと思います。

## Linuxの欠点

特長ばかり述べるのは不公平(?)ですから、Linuxの欠点についても挙げておきましょう。

WindowsやmacOSに比べると、Linuxには商用アプリケーションがあまり存在しません。このことでもっとも困るのは、Microsoft Officeが動作しないということでしょう。WordファイルやExcelファイルを編集するためにはLibreOfficeなどの互換ソフトを利用することになりますが、安定性や互換性の面を考えると、本格的にOfficeファイルを扱う作業はLinuxには不向きです。また、画像・音楽・動画などのマルチメディア系ファイルを編集する処理も、やはりLinuxで行うには不向きな作業です。

日本語対応がされていない部分が多いことも欠点の1つです。これは以下のような問題となるでしょう。

- ドキュメントやヘルプなどが、英語版しかないことがある
- ソフトウェアによっては、日本語を利用することにより文字化けを起こす

特に英語については、Linuxが英語圏で作られている以上、あきらめざるを得ません。もっとも、ソフトウェアのヘルプなどは技術文書であって、難しい文学表現などはありませんから、そんなに高度な英語能力は必要ありません。英語を勉強するというよりは、英語ドキュメントに対する抵抗をなくすことを頑張っていただければと思います。

# 02 Linux環境を用意する

## ディストリビューションとは

Linux環境を用意するには、まず自分がどのLinuxディストリビューションを利用するかを決めなくてはいけません。この「ディストリビューション」という言葉について、はじめに解説しましょう。

ここまで「Linux」という言葉を何気なく使ってきましたが、本来はLinuxとは「Linuxカーネル」のみを指す狭義の言葉です。このLinuxカーネルとはOSの中核となる部分で、コンピュータのハードウェア制御を行うソフトウェアのみを指すため、実際にユーザが使うツールやアプリケーションは含まれません。

それだけでは不便ですから、Linuxカーネルに加えて基本的なコマンド群やアプリケーションなどを含めて、ユーザがそのまま利用できるようにパッケージングしたものが提供されています。これを広義に「Linux」と呼びます。この**広義のLinuxが、すなわちLinuxディストリビューション**と考えてよいでしょう。

現在、一般的にLinuxと言えばこの広義の意味を指すため、本書でも単に「Linux」と書いた場合は、ツールやアプリケーション群を含んだLinuxディストリビューションを指すこととします。本書内でカーネルを明示的に指したい場合は、「Linuxカーネル」と表記します。

Linuxディストリビューションはとてもたくさんの種類がありますが、現在の主流はRed Hat系とDebian系の2系統です。

表01-01 Linuxディストリビューションの種類

| 系統 | ディストリビューション |
|---|---|
| Red Hat系 | Red Hat Enterprise Linux, CentOS Stream, Fedora |
| Debian系 | Debian GNU/Linux, Ubuntu |

本書ではこのうち、Red Hat系のCentOS Streamを使用して解説しています。Red Hat系の代表的なディストリビューションとして、商用のRed Hat Enterprise Linuxとそれをベースとした無償のCentOSがありました。特にCentOSは個人の学習用から大規模Webサービスのためのエンタープライズ用途まで、幅広く使われていました。しかしCentOSは2024年にサポート終了となって、現在では代わりに同じく無償のCentOS Streamというディストリビューションが開発されています。

CentOS StreamはRed Hat Enterprise Linuxの上流にあたるディストリビューションで、Red Hat Enterprise Linuxの新しいバージョンの事前検証を行う場と位置づけられています。そのため更新の頻度が比較的高く安定しているとは言えないので、企業がエンタープライズ用途で使うにはあまり向いていません。一方で、無償で手に入り更新をいち早く受け取れるというメリットもあるので、個人の学習目的で使うためには十分利用できます。そのため読者がこれからLinux環境を用意するならば、本書ではCentOS Streamの選択をお勧めします。

ただし本書で扱う内容は、**どのLinuxディストリビューションであっても基本的に共通である部分がほとんど**であるため、読者の好みに応じて、Ubuntuなど他のディストリビューションを選択してもかまいません。

## 仮想化ソフトウェアでのLinux環境

本書を読む際、手元のLinux環境で実際に手を動かしながら動作を確かめてみると理解が深まります。そのため、まずは現在お使いのコンピュータ上に学習用のLinux環境を用意してください。

読者がふだん利用しているWindowsマシンなどに、ハードディスクを分割することで追加のOSとしてLinuxをインストールすることはできますが、それはなかなかハードルが高い作業です。また、インストール時に誤って既存の環境を丸ごと消してしまう危険性もあります。そのため本書では、仮想化ソフトウェアという、コンピュータ上に仮想的なコンピュータ（仮想マシン）を構築できるアプリケーションを利用して学習用のLinux環境を構築することをお勧めします。

図01-01　仮想化ソフトウェアとは

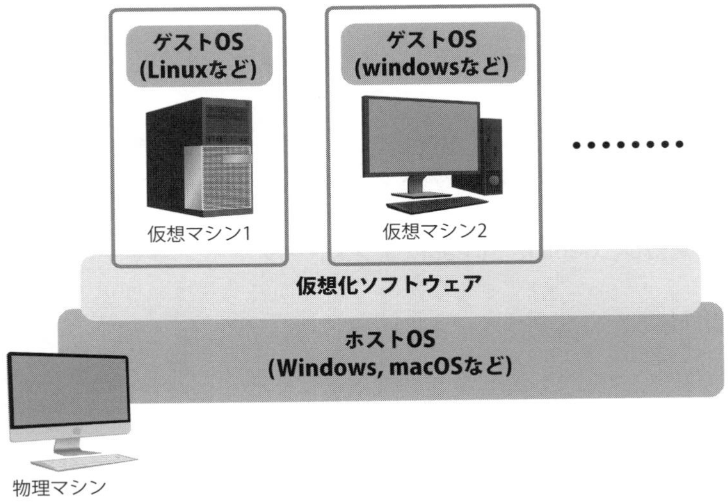


仮想化ソフトウェアを動作させているOSをホストOS、仮想化ソフトウェアによって実行する仮想的なOSをゲストOSと呼びます。仮想化ソフトウェアでは、ゲストOSの再インストールや環境のコピーが容易です。これからLinuxを学んでいくにあたり、誤って環境を壊してしまったため再インストールしたいという場面もあることでしょう。仮想化ソ

フトウェアを利用していれば、そのようなケースにも簡単に対応できることも大きなメリットです。

仮想化ソフトウェアとしては、Oracle社の提供している**Oracle VM VirtualBox**が有名です。オープンソースソフトウェアとして公開されており、無償で利用できます。また、WindowsでもmacOSでも動作します。こちらを使ってLinux環境を構築することをお勧めします。

ただし、本書執筆時点ではApple SiliconのMac（M1、M2などのチップを搭載したモデル）に対応したVirtualBoxは正式にリリースされていません。開発版としてはリリースされていますが、性能や安定性の面で難があります。Apple SiliconのMacを使用している読者は、代わりにUTMというソフトウェアを使うと良いでしょう。

**UTM**

URL https://mac.getutm.app/

UTMはmacOS向けの仮想化ソフトウェアで、Apple SiliconのMacで動作します。UTMには有償版と無償版がありますが、学習目的であれば無償版で特に困ることはないでしょう。本書ではUTMについての解説はこれ以上行いません。Apple Silicon Macを使っている読者は別途ウェブサイトなどで確かめて使用してください。なお、Apple SiliconでないMac（Intel Mac）であればOracle VM VirtualBoxが正式に対応していますから、これから紹介する手順で利用できます。

本書ではOracle VM VirtualBoxに、CentOS Stream 9をインストールして学習環境を構築します。

ここでは、次のような手順でインストールを行いましょう。

①Oracle VM VirtualBoxのインストール
②CentOS Streamのイメージファイルのダウンロード
③VirtualBoxで仮想マシンを作成
④仮想マシンを起動し、CentOS Streamをインストール

なお、本書執筆時には以下のバージョンを用いました。

表01-02 本書の実行環境

| 役割 | 製品名およびバージョン |
|---|---|
| ホストOS | Windows 11 Home |
| 仮想化ソフトウェア | Oracle VM VirtualBox 7.0.12 |
| Linuxディストリビューション | CentOS Stream 9 |

読者の皆さんが本書を手に取っている際には、これらがバージョンアップされていて、ここで紹介する画面と若干異なるメニューが表示されるかもしれません。しかし基本的な

作業の流れは同じですから、本書と画面の指示をよく読み、インストールしてみてください。

## Oracle VM VirtualBoxのインストール

まず、仮想化ソフトウェアであるOracle VM VirtualBoxをダウンロードしましょう。

**Oracle VM VirtualBox**
URL https://www.virtualbox.org/

本書執筆時点では、公式ページのメニュー「Downloads」リンクをたどり、「VirtualBox platform packages」からダウンロードできました。Windows向けの「VirtualBox 7.0.12 for Windows hosts」とmacOS向けの「macOS / Intel hosts」がありますから、読者のOS環境に合わせてダウンロードしてください。

インストール自体は、難しいことはありません。通常のアプリケーションと同様にダウンロードしたセットアップファイルを起動し、後は画面の指示に従い「Next (次へ)」をクリックしてください。すべての設定はデフォルトのままでかまいません。インストールの途中でネットワーク接続に関する警告メッセージが表示されることがあります。これは、VirtualBoxのインストール中にネットワーク接続が一時的に途切れることを伝えるメッセージです。問題なければYesをクリックしてください。ネットワーク接続を必要とする作業を別途行っている場合は、それが終わってからVirtualBoxをインストールすると良いでしょう。

また、Python Coreとwin32apiが見つからないという警告メッセージが表示されることがあります。VirtualBoxにはPythonというプログラム言語で操作する機能が備わっています。その機能を使う場合は事前にPythonとwin32apiをインストールする必要があるので、まだインストールしていない場合は警告メッセージが表示されます。その機能を使わない場合は事前インストールは不要なので、そのままYesをクリックしてください。

なおVirtualBoxのWebページとインストーラは英語ですが、ソフトウェア自体は日本語化されています。そのため、インストール後に起動すれば、次の図のように日本語で表示されます。

図01-02　Oracle VM VirtualBoxマネージャー

## CentOS Streamのイメージファイルのダウンロード

VirtualBoxにCentOS Streamをインストールするために、続いてCentOS Streamのイメージファイル（ISOファイル）をダウンロードする必要があります。ISOファイルとはCDやDVDのディスクイメージをファイル化したもので、VirtualBoxではこのようなディスクイメージファイルを用いて物理ディスクを使わずにOSのインストールを行うことができます。

以下のCentOS Projectの公式ページから、イメージファイルを入手しましょう。用途によりいくつか種類がありますが、ここではもっとも一般的な「DVD ISO」イメージを利用します。

**CentOS Project**
URL https://www.centos.org/

本書執筆時点では、公式ページトップの「CentOS Stream」からダウンロードページに移動し、「x86_64」というリンクからISOイメージをダウンロードできます。こちらからCentOS-Stream-9-latest-x86_64-dvd1.isoというファイルをダウンロードしました。なお、ISOイメージは元はDVDディスクであるため、約10GBほどとかなりの容量があることに注意してください。

## VirtualBoxで仮想マシンを作成

CentOS Streamのイメージファイルがダウンロードできたら、続いてVirtualBox上にCentOS Streamを動かすための仮想マシンを作成しておきましょう。VirtualBoxを起動すると「VirtualBoxマネージャー」が起動しますから（図01-02）、画面上部の「新規(N)」ボタンより仮想マシンを作成します。

図01-03　仮想マシンの作成

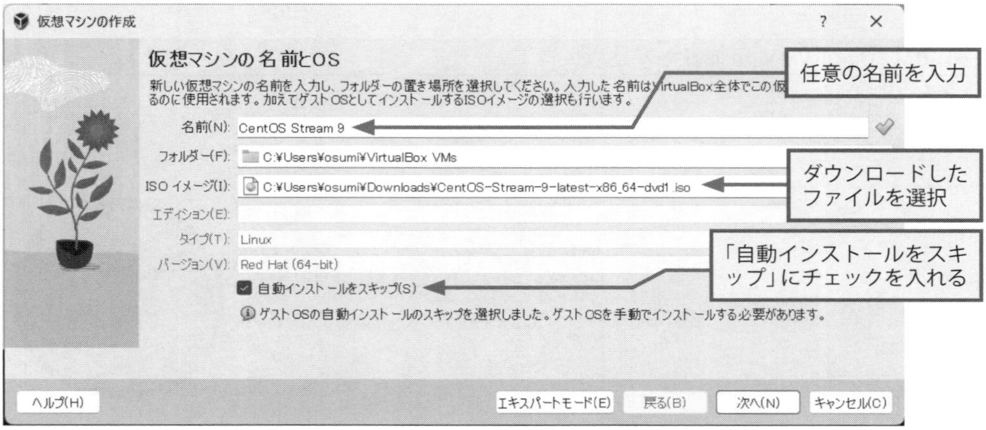

仮想マシンの名前は好きに付けて構いませんが、ここでは「CentOS Stream 9」としました。ISOイメージの欄では、先ほどダウンロードしたCentOS StreamのISOイメージファイルを選択します。タイプとバージョンは「Linux」「Red Hat(64bit)」が自動的に選ばれるので、そのままにしておきます。その下に「自動インストールをスキップ」というチェック欄があるので、そこにチェックを入れます。

以降は、「次へ」ボタンを押しながら、表示される項目を設定していきます。以下ではポイントのみを解説します。

次の「ハードウェア」の画面では、仮想マシンに割り振るメモリを設定します。筆者環境でのデフォルトではメモリ2048MBとなっていました。このままでもかまいませんし、作成した仮想マシンの中で多くの作業を行いたい場合は4096MB(4GB)程度に増やしても良いでしょう。

その次の「仮想ハードディスク」の画面では、「仮想ハードディスクを作成する」を選択し、ディスクサイズを指定します。デフォルトで20GBとなっていて、このままの設定でもかまいません。たくさんアプリケーションをインストールしたりファイルを作成したりする予定があれば、必要に応じて値を増やしてください。

最後の「概要」画面で、これまでの設定内容が表示されます。問題なければ「完了」ボタンを押してください。これで新しい仮想マシンが作成されます。

## CentOS Stream 9 のインストール

先ほど作成した新しい仮想マシンを選んで「起動(T)」で仮想マシンを起動すると、イメージファイルからCentOS Stream 9のインストーラが起動します。これより仮想マシンにCentOS Stream 9をインストールしてみましょう。

CentOS Stream 9のインストーラは、まずはじめに次のようなテキストメニューが表示されます。最初は「Test this media & install CentOS Stream 9」がデフォルトで選択されています。物理的なディスクならばキズの有無などを確認するためにこのメディアテストを実施した方がよいのですが、仮想マシンにISOイメージからインストールする場合には不要でしょう。テストをスキップするため、一番上の「Install CentOS Stream 9」を矢印キーで選択してEnterキーを押してください。

図01-04 インストーラの起動画面

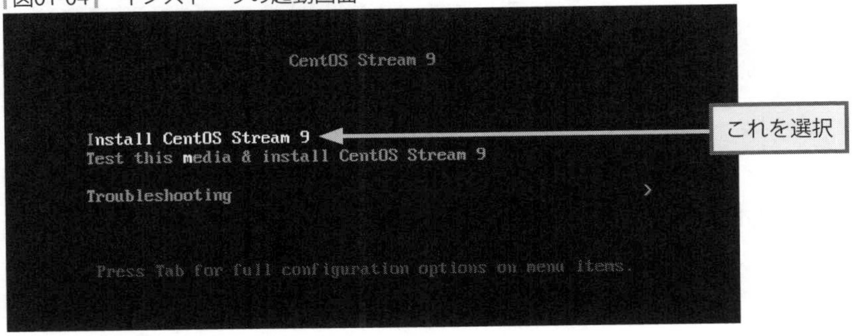

しばらく待つとインストールメニューが表示されます。なおここで一点注意ですが、VirtualBoxでは仮想マシンのウィンドウ内をクリックすると、仮想マシン内のOSにマウスとキーボードの制御が奪われてしまい、その後は仮想マシン内でしかマウスカーソルを動かせません。この状態を解除するには、「ホストキー」を入力する必要があります。デフォルトのホストキーは、Windowsならば**右Ctrlキー**、macOSならば**左Commandキー**です。仮想マシン内からいったんマウスカーソルを外に出したい場合は、このホストキーを押してください。また、仮想マシンに戻る場合は仮想マシンのウィンドウ内でクリックします。

それでは以下、順を追ってCentOS Streamのインストール手順を述べましょう。わかりにくい部分にはスクリーンショットを補っています。

### 言語の設定

はじめに、利用する言語の設定画面が表示されます。最初は日本語が選ばれています。通常はそのままで良いので、右下の「続行(C)」ボタンをクリックしてください。

### インストールの概要

続いて、「インストール概要」画面が表示されます。ここでは「インストール先(D)」「root パスワード(R)」「ユーザーの作成(U)」を設定する必要があります。

図01-05 インストールの概要（未設定）

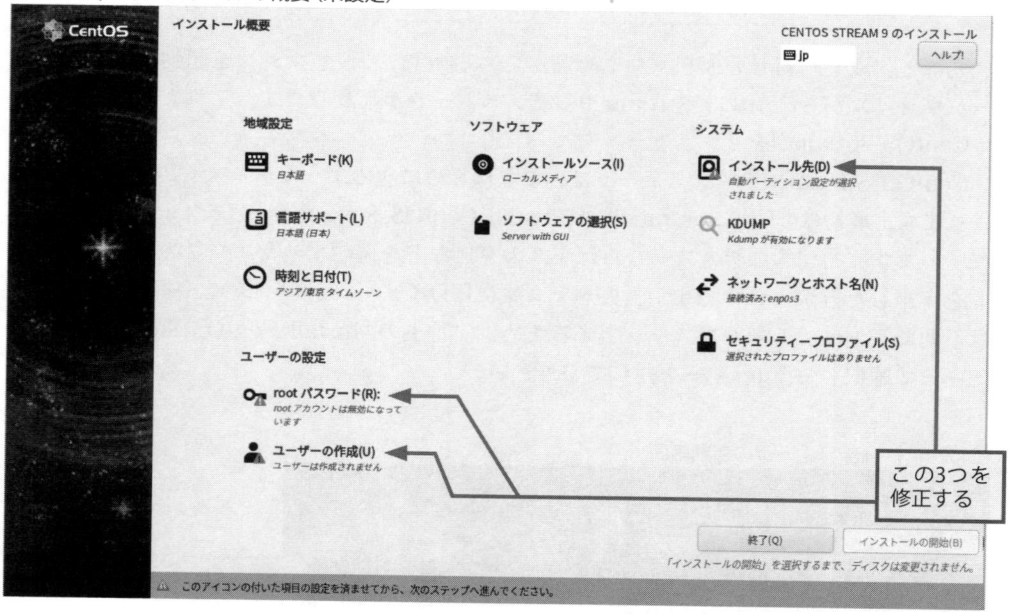


まず、Linuxをインストールするディスクを選択する「インストール先(D)」をクリックします。ここでは既に、仮想マシン作成時に作ったハードドライブ(ATA VBOX HARDDISK)が選択されています。そのため、このハードドライブにチェックが入ってい

ることだけ確認して、サブメニューを「完了(D)」ボタンで抜けます。その他のストレージオプションなどは設定する必要はありません。

続いて、「rootパスワード(R)」をクリックします。これは、Linuxの管理者であるrootユーザ(スーパーユーザ)のパスワードを設定する画面です。このスーパーユーザについてはCHAPTER09で詳しく解説しますから、ここではスーパーユーザとはLinuxの管理者となる重要なユーザである、ということだけ理解しておいてください。この画面でスーパーユーザのパスワードを設定して、左上の完了ボタンをクリックします。なお、簡単すぎるパスワードを設定した場合には確認メッセージが表示されるため、完了ボタンを2回押す必要があります。今は練習環境のためある程度シンプルなパスワードでも構いませんが、実際のLinux環境ではrootパスワードは非常に重要なものですから、文字数の長い、ランダムなパスワードを設定するようにしてください。

続いて、「ユーザーの作成」を行います。これは皆さんが実際に利用するアカウントの設定です。好きなユーザ名とパスワードを入力してください。また、「このユーザーを管理者にする」にチェックを入れておいてください。なお、ここで入力したrootパスワードと、作成したユーザのパスワードは後で必要になるので、**きちんと覚えておいてください。**

図01-06 ユーザの作成画面

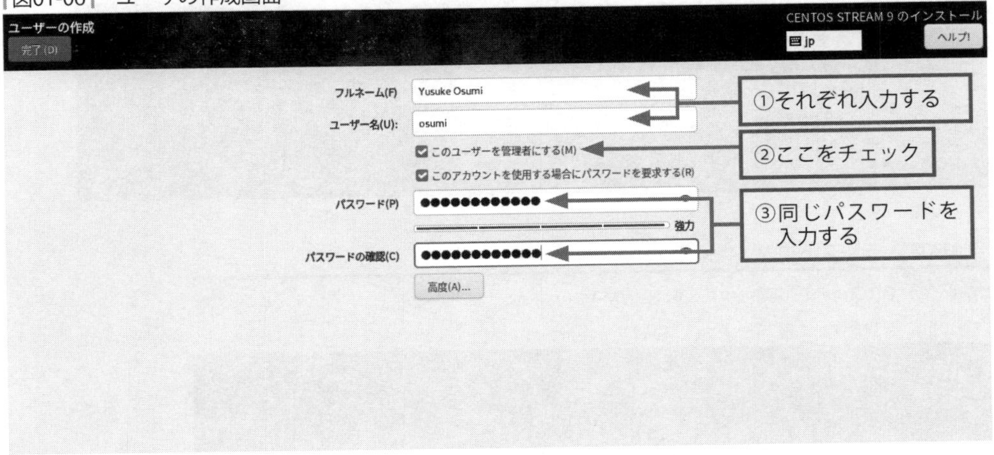


これで設定は終わりましたから、「インストール概要」の右下にある「インストールの開始(B)」をクリックします。インストールが始まるので、完了するのを待ちましょう。インストールが完了すると右下に再起動ボタンが表示されるので、これをクリックして再起動すればCentOS Stream 9が起動します。

# 03 ログイン、ログアウト、シャットダウン

## ログイン

Linuxを使うためには、マシンが起動した後にまずはログインする必要があります。これは、Linuxが複数のユーザが同時に利用することを前提としたシステムであるため、これからどのユーザとして利用するのかをログイン処理によってLinuxへ伝えるためです。

図01-07　グラフィカルログイン画面

図01-08　テキストログイン画面

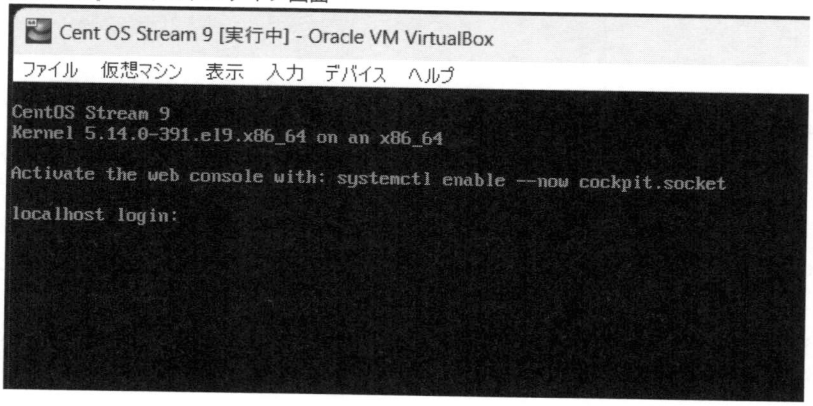


読者の環境によって異なるでしょうが、図01-07のグラフィカルログイン画面か、図01-08のテキストログイン画面のどちらかが表示されていると思います。本書で紹介した手順でVirtulboxにCentOS Stream 9をインストールした場合はグラフィカルログイン画面になります。

これらは本質的には同じ「ログイン」処理ですから、読者の環境がどちらであっても、ログイン時にやることは同じです。**インストール時に設定した、ユーザ名とパスワードを入力**してみましょう。

具体的には、ユーザ名を入力してからEnterキーを押し、続いてパスワードを入力して再度Enterキーを押してください。これでログイン完了です。なおCentOS Stream 9の場合は、ユーザ名はキーボードから入力するのではなく一覧からマウスで選択し、パスワードだけを入力します。またCentOS Stream 9ではログイン画面に「フルネーム」が表示されますが、Linuxでは基本的にユーザを特定する名前として「ユーザ名」を使うことに注意してください。

テキストログインの画面では、以下のようにパスワードを入力しても何も表示されません。

▼テキストログインでのパスワード入力

```
localhost login: osumi
Password:          ←ここに入力しても何も表示されない
```

これは、背後から画面を覗き見されたときなどに、今打ち込んでいるパスワードがわからないようにするための処理です。きちんとキー入力はされていますから、気にせず入力を終えてEnterキーを押してください。なお本書では、ユーザ名として「osumi」をサンプルとして用います。読者の環境に合わせてこのユーザ名は読み換えてください。

ログインが完了すると、テキストログインの場合は次のようにシェルが起動してプロンプト($)が表示されます。

▼プロンプトの表示

```
[osumi@localhost] $
```

ここで「シェル」など新しい言葉が出てきましたが、これらの用語はCHAPTER02で説明します。また、上の例で表示されている文字列や記号は、ディストリビューションやログインしたユーザ名によって多少変わるため、一字一句同じとはなりません。この例と多少違っていても、気にする必要はありません。

一方、グラフィカルログインの場合には、ログイン後にデスクトップ画面が表示されます。初めて起動した際には「CentOS Streamへようこそ」という画面が表示されることがありますが、無視して構いません。CentOS Stream 9の場合はマウスを利用して、メニューの【アクティビティ】から【端末】を起動してください(なお、ディストリビューションによってメニュー名は多少異なります)。するとテキストログインのときと同様、シェルが起動してプロンプトが表示されます。

図01-09　グラフィカルログインの場合は端末を起動する

本書では基本的にマウスを利用したグラフィカル環境は利用せず、**この端末（ターミナル）内でのみ操作**します。読者の環境がグラフィカルログインの場合には、ターミナルを起動してから操作することを忘れないようにしてください。

## GUIとCLI

グラフィカルとテキストの2つのログイン画面の話が出てきたところで、グラフィカルユーザインタフェース（GUI）とコマンドラインインタフェース（CLI）について、ここで解説しておきましょう。

GUIとは、WindowsやmacOSなど、現在の一般的なOSにおいて採用されているインタフェースです。GUIでは、マウスやタッチパッドなどのポインティングデバイスを用いて、画面上のメニューやアイコンをクリックしてさまざまな操作を行います。

一方のCLIとは、キーボードからコマンドなどを入力し、文字列として結果を出力するインタフェースです。たとえばファイルa.txtをb.txtというファイル名でコピーするケースを考えてみましょう。GUIならば、マウスでファイルアイコンをクリックしてコピー操作を行います。一方、CLIならばファイルをコピーするためのcpコマンドを用いて、以下のような文字列をキーボードから入力します。

▼CLIでのファイルコピー

```
$ cp a.txt b.txt
```

多くの人がCLIを「時代遅れ」とか「使いにくい」と評しますが、これは大きな誤解です。CLIは使いこなせば非常に便利ですし、扱いやすいものです。たとえば現在においても、Linuxサーバを扱う際は基本的にCLIが用いられており、GUIが使われることはあまりありません。

本書でも、ログイン・ログアウトなど一部の操作以外はすべてCLIを使うこととして、GUIは利用しません。先ほどログイン後にターミナルを開いてもらうよう紹介しましたが、このターミナル内で世界は完結します。

本書がCLIを推奨する理由は数多くありますが、以下に、(1)作業効率がよくなる、(2)GUIの操作を覚えてもあまり意味がない、(3)プログラムの連携がしやすい、(4)処理の自動化がしやすい、という4点に絞って簡単に紹介しましょう。

### 作業効率がよくなる

たとえば、「あるディレクトリから、ファイル名がaから始まるファイルすべてを選択する」という処理を考えてみます。GUIでは、ファイルブラウザに表示されているファイル一覧を目で見て、ファイル名がaで始まるファイルを1つ1つクリックしていく必要があります。ファイルが10個程度ならばそれでもいいでしょうが、100個になったらどうでしょう。そしてファイルが10000個もあったら、クリックすることを考えるだけでも大変です。

一方、LinuxのCLIでは、以下のように`a*`と書くことでaで始まるファイル名のファイル選択を行うことができます。この例では、lsというコマンドを用いてファイル一覧を表示しています。

▼コマンドの実行対象ファイルをまとめて指定する

```
$ ls a*
```

このようにCLIならば、ファイル名を1つ1つ目で見てクリックしていくGUIのような苦労は不要ですし、見落としによる対象ファイルの漏れも起きません。日常的な作業の多くは、CLIの方が作業の効率は上がるはずです。

### GUIの操作を覚えてもあまり意味がない

GUIはあくまで部品にすぎないため、その操作方法を覚えてもあまり意味がないという点も理解しておいた方がよいでしょう。

現在のLinuxでは、GUIを用いて多くの処理が行えます。しかしボタンやメニューをクリックしたその裏側では、実はコマンドが動いていたりテキストで書かれた設定ファイルを書き換えていたりと、内部ではCLIによって処理されているのです。ですからその内部の処理であるCLIを学んだ方がより本質的ですし、基礎知識としてずっと役に立ちます。

GUIの進化は早いため、「まずメニューのAを選択して、次にBというボタンを押して……」というやり方を学んでも、数年も経てばインタフェースは変わってしまい役に立たない知識となってしまいます。これはLinuxに限らず、WindowsやmacOSでもよく起きることです。

一方、LinuxのCLIの世界では、10年以上も前に書かれた書籍の内容が今でもそのまま役に立つということが多々あります。これは**LinuxにおいてCLIこそが本質であり、基礎である**ことと無関係ではありません。本書で学ぶLinuxのCLIは、一度学べば何十年も役立つ知識となることでしょう。

### プログラムの連携がしやすい

Linuxでは、たくさんの小さなプログラムが部品として振る舞って、連携することによ

り大きなシステムを作り上げています。たとえば、入出力をプログラム間でやりとりする一例としてパイプ|があります。

▼パイプの例

```
$ grep abc sample.txt | sort
```

上の例は、grepというコマンドとsortというコマンドを利用して、sample.txtというファイルからabcという文字列を検索し、その出力結果をソートするものです。grepコマンドとsortコマンドをパイプ|でつなぐことで、簡単にプログラムの連携が行えます。また、CHAPTER15で紹介するシェルスクリプトではCLIを利用して、あらかじめ記述したコマンド群を処理することができます。このようにLinuxのCLIでは、たくさんの小さなコマンドを組み合わせて、複雑な処理を簡単に記述できます。

一方GUIでは、このようにプログラム間で入出力を連携することが大変苦手です。このようにプログラムの連携を考えると、CLIはGUIに比べて非常に優れています。

### 処理の自動化がしやすい

CLIでは実行したいコマンドを文字列として入力し操作を行いますが、コマンドはキーボードから手で入力するだけでなく、ファイルに書いて実行させることもできます。このようなコマンドが書かれたファイルを再利用することで、定型的な操作を毎回素早く正確に行うことができます。

一方GUIでは、繰り返し操作はその都度手動で行う必要があります。どんなにマウスの操作が速い人でもCLIで自動化された操作にはかないませんし、作業ミスを起こすこともあるでしょう。

また先ほど挙げた「プログラムの連携がしやすい」という特長を利用して、複数のコマンドを組み合わせて自分だけのコマンドを作ることもできます。これはCLIの大きなメリットといえるでしょう。

CLIの世界はとっつきにくいことは事実ですが、一度慣れてしまえばLinuxをとても便利に、そしてとても楽しく使うことができるようになります。ぜひ本書を元に、CLIの世界に慣れていってください。

## ログアウト

ログイン操作の逆がログアウトです。これはLinuxに対して「これで作業は終わりです」と伝えるための、さようならの挨拶です。作業が終わったのにログアウトせずに放っておくのは、避けてください。余計なリソースを使うためコンピュータ資源の無駄ですし、あなたのログイン後の画面を誰かに不正利用される危険もあります。

テキストログインの場合にログアウトするには、次のように**exitコマンド**を利用します。なお、本書で掲載するコマンドラインの実行例では、みなさんが入力する部分を太字で表記します。次の例では「exit」と入力してから、Enterキーを押してください。

▼ログアウトする

```
$ exit
```

元々exitコマンドは現在のシェルを終了させるという意味のコマンドですが、シェルが終了することにより自動的にログアウトされます。これとは別にlogoutコマンドがありますが、logoutコマンドは現在のシェルがログインシェルである場合しか動作しません。

▼logoutコマンドで終了できない

```
$ logout
bash: logout: ログインシェルではありません: `exit' を使用してください
```

そのためlogoutコマンドは基本的に使わず、常にexitコマンドを利用した方が面倒がなくてよいでしょう。なお、ここで出てきたログインシェルという言葉やexitコマンドについては、CHAPTER02で詳しく解説します。

一方、グラフィカルログインの場合は、「端末」でexitコマンドを実行しても「端末」が終了するだけで、ログアウトすることができません。これは端末がログインシェルではないからです。グラフィカルログインでは、メニューから操作するのが一般的で、たとえばCentOS Stream 9の場合は、画面右上から【ログアウト】を選択します。

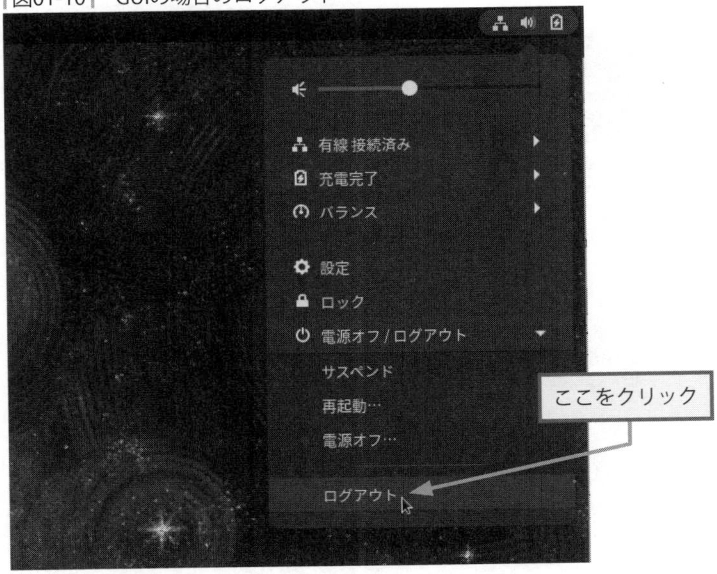


図01-10　GUIの場合のログアウト

ログアウトをしても、それはひとりのユーザが利用を終えただけですから、Linuxは起動したままになっています。ログインとログアウトを何度か繰り返して、操作に慣れてみてください。Linuxを利用する上で、これから何百回、何千回とログイン・ログアウトを繰り返すことになるでしょう。

## シャットダウン

コンピュータの電源を切るために、OSを完全に停止させることをシャットダウンと言います。Linuxに限らず、コンピュータを利用する際には、シャットダウンせずにいきなり電源を切るようなことはしないでください。誰もログインしていない状態でも、バックグラウンドでさまざまなプログラムが動いているためです。

Linuxをシャットダウンするには、**shutdownコマンド**を利用します。このshutdownコマンドは、rootという管理者権限を持つスーパーユーザでしか実行できません（ただしディストリビューションによっては、一般ユーザでも利用できるようカスタマイズされている場合もあります）。ここでは、管理者権限で実行する例を見てみましょう。

まずは今、既にログインしているならばいったんログアウトしてから、ユーザ名にroot、パスワードにインストール時に設定した「rootパスワード」を入力してログインし直してください。GUI環境のCentOS Stream 9の場合は、ログイン画面で「アカウントが見つかりませんか？」をクリックして、ユーザ名（root）とパスワードを入力してください。

もしくは、次のようにsuコマンド（→P.162）を利用してrootユーザになることもできます。この場合も、パスワードにはインストール時に設定した「rootパスワード」を入力します。

▼suコマンドでrootユーザになる

```
[osumi@localhost ~]$ su
パスワード: ◀────── rootパスワードを入力する
[root@localhost osumi]#
```

rootユーザになると、プロンプトの記号が$から#に変わります。この状態で次のようにshutdownコマンドを入力して、電源が切れることを確認してください。

▼シャットダウンの実行

```
# shutdown -h now
```

ここでshutdownコマンドの-hオプションは、電源断を意味します。代わりに次のように-rオプションを指定すると再起動（Reboot）しますから、これも試してみてください。

▼再起動の実行

```
# shutdown -r now
```

なお、環境によっては次のようにエラーが表示されることがあります。

▼shutdownコマンドのエラー

```
# shutdown -h now
-bash: shutdown: コマンドが見つかりません
```

このときは代わりに/sbin/shutdownと入力してください。

▼shutdownコマンドをフルパスで指定

```
# /sbin/shutdown -h now
```

なお、-hや-rオプションの後ろには何分後にシャットダウンするかを指定できますが、先の例のようにnowを指定して、今すぐシャットダウンするのが普通です。

### Ubuntuの場合

Ubuntuを利用している場合には、デフォルトでは**rootで直接ログインすることができません**。代わりに、root権限を利用するためのコマンド、sudoコマンド(→P.163)を利用してshutdownコマンドを実行してください。

▼Ubuntuでshutdownコマンドを利用するにはsudoを利用する

```
osumi@localhost:~$ sudo shutdown -h now
[sudo] password for osumi:
```

sudoコマンドを利用する際にも、パスワードを入力する必要があります。ここで入力するパスワードは、rootパスワードではなく、現在ログインしているユーザのパスワード(上図ではユーザosumiのパスワード)です。

なお、ここで出てきたrootユーザと一般ユーザの違いや、suコマンド、sudoコマンドについて、詳しくはCHAPTER09の「03 スーパーユーザ」で解説します。

### Linuxとシャットダウン

通常、Windowsパソコンなどを利用する際には、使い終わったらシャットダウンするのが普通です。しかしLinuxでは、ログアウトはするがシャットダウンはしないで動かし続けるという利用シーンが多く見られます。特に、業務用サービスを提供しているLinuxサーバでは、何年もの間シャットダウンせずに動かし続けるということも決してまれではありません。そのようなLinuxサーバをシャットダウンするのは、メンテナンスや障害対応などの必要最小限のシーンに限られます。

今は学習のためにシャットダウン操作を練習してもらいましたが、現場の運用においてはシャットダウンはとても「重い」操作であり、軽々しく行うものではない、ということは理解しておいてください。もちろん本書の中では自分ひとりの練習用環境ですから、好きなだけシャットダウンを繰り返してかまいません。

## Column　ターミナルエミュレータの設定

本書のようにLinuxをCLIで操作していると、ターミナルエミュレータを長時間使うことになります。ターミナルエミュレータは特に複雑な設定を行わなくても使用できますが、それでもいくつかカスタマイズしたほうがよいポイントがあるので、ここで設定のヒントを紹介します。

設定できる項目はいくつもありますが、まずはフォントの種類とサイズを指定しましょう。ターミナルエミュレータではすべてが文字で表現されるため、読みやすいフォントにすると目にもやさしく、作業もしやすくなります。また、フォントの種類によってはlと1（小文字のエルと数字の1）、oと0（小文字のオーと数字の0）など紛らわしい文字が区別しやすいように工夫されているものもあるので、そちらを使うのもよいでしょう。

文字と背景の色も重要な項目です。lsコマンドやgitコマンドなどは結果を色付きの文字で表示できますが、特に背景を黒色にしていると青色の文字が読みにくいことがあります。そのため、青色を少し水色に近い色に調整しておくとよいでしょう。また、ターミナルエミュレータの種類によっては、背景を半透明にすることもできます。このようにすると、重なって後ろに隠れているウィンドウの内容も読み取れるようになるので便利です。

他には、起動したときの画面の大きさを設定できるものもあります。最近のディスプレイの大きさに比べると、デフォルトでは小さめの設定になっていることが多いでしょう。これを変更しておくと、毎回手動で大きくする必要がなくなります。

このような見た目に関わる設定は個人の好みによるところが大きいので、実際に使いながらいろいろと試してみるとよいでしょう。

---

**おわりに**

この章では、本書を読み進めるにあたり必要となる基礎知識と、学習に必要なLinux環境の解説を行いました。

次章以降に進む前に、今、読者の目の前にLinux環境があり、以下のようなプロンプトが表示されているでしょうか。GUIのターミナル内や、テキストログインの環境、sshによるリモートログイン、どの方法でもかまいません。

```
[osumi@localhost ~]$
```

なお、上の例でosumiとlocalhostはそれぞれユーザ名とホスト名であるため、読者の環境ごとに異なります。ここの表示が違っていても気にする必要はありません。

それでは次章以降は、このCLIでの操作を解説していきましょう。

# Chapter 02

# シェルって何だろう？

この章では、Linuxを操作する上でもっとも重要となるシェルについての基礎知識を学び、いくつかの簡単なコマンドを実行してみます。

WindowsやmacOSなどのOSでは、マウスを使ってさまざまな操作を行います。しかしLinuxでは、キーボードを使ってコマンドを入力することが基本操作となります。このとき、Linuxとユーザの橋渡しをしてくれるのがシェルです。シェルにもさまざまな種類がありますが、本書ではbashというシェルについて解説します。

# 01 シェルとコマンド

無事にLinuxにログインできたところで、試しにさっそく何かコマンドを実行してみましょう。以下のように、表示されている$記号の後ろに、キーボードから`date`と入力して最後にEnterキーを押してみてください。

▼dateコマンドの実行

```
[osumi@localhost ~]$ date
2014年  8月 30日 土曜日 18:35:23 JST
```

すると、このように現在の日時が表示されます。これはdateという、日時を扱うコマンドの実行結果が出力されたためです。

別のコマンドも試してみましょう。**echoというコマンド**は、コマンドの後ろに指定した文字列を表示することができます。ここではHelloと表示してみましょう。

▼echoコマンドの実行

```
[osumi@localhost ~]$ echo Hello
Hello
```

Linuxにはこのように多くのコマンドが用意されており、これらのコマンドを使いこなすことでさまざまな処理が行えます。最小構成でインストールしたLinuxでも、使えるコマンドは何百個とあります。しかし、一般的によく使われるコマンドはそう多くはありませんし、すべてを暗記する必要もありません。まずは必要最小限のところから覚えていきましょう。

また、ある作業を行いたいときにぴったりのコマンドがなければ、コマンドをいくつか組み合わせて処理をするというのがLinuxのやり方です。1つ1つは単純なコマンドでも、それらを組み合わせることでとても複雑な仕事をこなすことができます。

## エラーについて

先ほどは正常にコマンドを実行できましたが、存在しないコマンドを入力するとどうなるでしょうか。試しに、`abcxyz`というでたらめなコマンド名を入力してみましょう。

▼エラーメッセージの例

```
[osumi@localhost ~]$ abcxyz
-bash: abcxyz: コマンドが見つかりません
```

エラーメッセージが表示されました。abcxyzという名前のコマンドは存在しないため、見つからずにエラーとなっています。なお設定によっては、次のようにエラーメッセージが英語で表示されるかもしれませんが、言われていることは全く同じです。

▼英語環境でのエラーメッセージ

```
[osumi@localhost ~]$ abcxyz
-bash: abcxyz: command not found
```

これから本書の内容を試していくと、タイプミスや勘違いなどで多くのエラーが発生することでしょう。そんなとき、「なんだかうまくいかないな」で終わりにしてはいけません。表示されるエラーメッセージをよく読んでください。そこにエラーの原因が書かれているはずです。

**エラーメッセージをよく読み、その内容をきちんと理解して対処することが、Linuxを使いこなすためには重要なポイント**です。

## シェルの役割とLinuxカーネル

この章のテーマである「シェルとは何か」について解説する前に、少し細かい話になりますが、Linux内部でコマンドが実行される仕組みについて詳しく見ておきましょう。

先ほどdateなどいくつかコマンドを実行してもらいましたが、このときLinuxの中では次のような処理が行われています。

① キーボードから入力された、dateという文字列を受けとる
② dateという名前のコマンドを探す
③ 見つかったコマンドを実行する
④ 実行した結果として得られた日時の文字列を画面に表示する

このうち、③の**コマンドを実行する部分は、Linuxの本体であるLinuxカーネルが行います。**カーネルとはOSの中核となる部分であり、CPUやメモリなどのハードウェアを管理するとともに、コマンド実行を処理するプロセス管理も行っています。

図02-01　Linuxカーネルとハードウェア

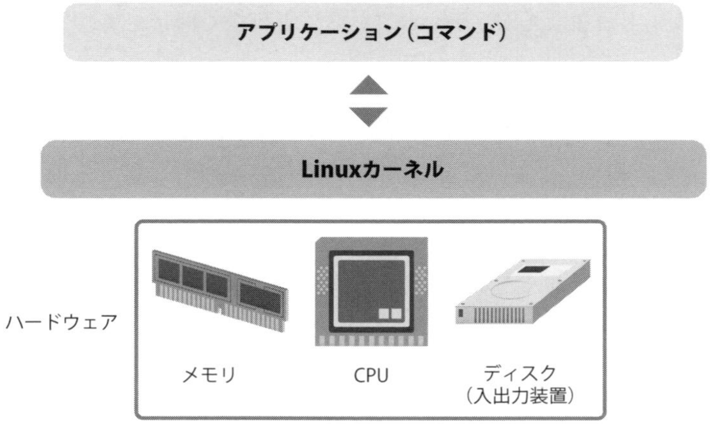


さて先ほどの例で見ると、ユーザはdateという文字列をキーボードから入力してEnterキーを押しました。しかしこれは、ユーザが直接Linuxカーネルを操作してdateコマンドを実行したわけではありません。

Linuxカーネルは直接人間が操作できるようにはなっていないため、ユーザとカーネルの間に、「コマンドを実行する」「入出力を指定する」など何かしらのユーザインタフェースを持つソフトウェアが必要になります。今まで何度か出てきた**「シェル」**という言葉は、この、**カーネルのインタフェースとなっているソフトウェア**のことです。

先の例で見ると、まずシェルは「date」というキーボードからの入力を受け取って、それを「dateというコマンドを実行せよ」というユーザからの指示だと解釈します。シェルは、dateという文字列が指すコマンド（具体的には/usr/bin/date）を探し出し、そのコマンドを指定してLinuxカーネルに実行を依頼します。Linuxカーネルがコマンド実行を終了すると、シェルはその結果を受け取ってユーザの画面に出力してくれます。

図02-02　シェルはユーザとLinuxカーネルの橋渡しを行う

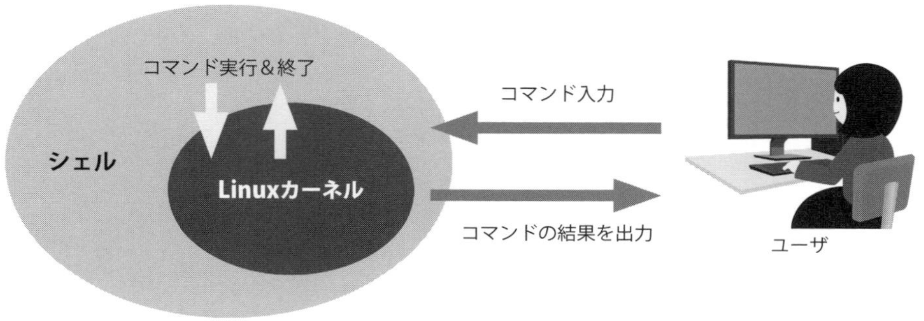

このように、シェルはLinuxカーネルを包み込むように動作します。英語のshellとは「殻」という意味を持っていることから、この名前が付いているようです。もっとも実際の機能を考えると、殻というよりは、ユーザからLinuxカーネルへのさまざまな依頼を取り次いでくれるメッセンジャーや秘書のようなもの、と考えた方がわかりやすいかもしれません。

ユーザがLinuxを操作するには、今まで見てきたように基本的にシェルを通して行います。本書で扱う操作も、すべてシェルを使います。ですから**Linuxを扱うには、シェルの使い方を十分に理解する必要があります**。

## なぜカーネルとシェルが分かれているのか

ここまでの話を聞いて、「はじめからLinuxカーネルの中に、シェルのような、キーボードからコマンド操作できる機能を取り込んでおけばよいのに。そうすれば、わざわざシェルなんてものを別に用意する必要もないだろう」と思った方もいるでしょう。なぜカーネルとシェルが別々に提供されているのでしょうか。これは、以下のようにLinuxカーネルとシェルを分離しておいた方がよい点が多々あるためです。

- Linuxカーネルには手を入れずに、シェルだけを自分好みのものに変更することができる
- Linux以外のOS（FreeBSDやNetBSD、Solarisなど）を利用する際も、シェルが移植されていれば操作を同様に行うことができる
- シェルがエラーや高負荷状態になってクラッシュしたとしても、OS本体であるLinuxカーネルへの影響を最小限に抑えることができる

ここには、Linuxの「1つのプログラムには、1つのことをうまくやらせる」という考え方を見て取ることができます。1つのプログラムにあれもこれもと機能を詰め込まず、機能ごとにプログラムを分離しておくことが、ソフトウェア開発においては重要なことなのです。

# 02 プロンプト

さて、先ほどまでコマンドを入力していた画面には、以下のような表示がされていました。

```
[osumi@localhost ~]$
```

ユーザ名（osumi）　ホスト名（localhost）

これは、**シェルが表示しているプロンプト**（prompt）です。promptという単語を英和辞典で引いてみると、「促す」とか「鼓舞する」と書かれています。つまりプロンプトとは、「い

ま、コマンド入力を待ち構えていますから、何かコマンドを入力してください」ということを、シェルが意思表示している記号のことです。

なお上の例でプロンプト内の`osumi`や`localhost`の部分は、それぞれユーザ名とホスト名が入るため、環境によって値が違うことは問題ありません。また、プロンプトの**$**記号より前の部分も、シェルの設定によって変えることができます。たとえばUbuntuで、ユーザ名がmiyake、ホスト名がtoyonakaの場合、デフォルト設定されるプロンプトは以下のようになります。

▼Ubuntuでのプロンプト表示

```
miyake@toyonaka:~$
```

プロンプトの詳しいカスタマイズ方法は、CHAPTER08で解説します。

## プロンプト記号

これから本書では、コマンドの使い方などを紹介するときに、多くのプロンプトを例示します。この際、毎回ユーザ名とホスト名を表記するのは煩わしいため、プロンプト全体を見せる必要がない場合には、以下のようにプロンプトを**$**の1文字で省略して表記します。

▼一般ユーザの場合のプロンプト

```
$ <コマンド>
```

なお、一般ユーザではなくスーパーユーザ（root）の操作の場合には、プロンプトは#記号で表記します。このスーパーユーザとrootについてはCHAPTER09で詳しく解説します。

▼スーパーユーザの場合のプロンプト

```
# <コマンド>
```

上記のように、**「一般ユーザでは$、スーパーユーザ（root）では#」**でプロンプトを例示するのは、本書に限らず多くのLinuxのドキュメントで使われている記法です。ぜひ覚えておいてください。

## ログインシェル

先ほどまでの例では、Linuxにログインすると明示的に起動することなしにシェルがはじめから用意されていました。これはユーザのログイン時に、Linuxが自動的にシェルを起動してくれるためです。**このようにログイン時に最初に起動されるシェル**のことを、**ロ**

**グインシェル**と呼びます。

自分が使っているログインシェルは何なのか、次のコマンドで確認してみましょう。

▼ログインシェルの確認

```
$ echo $SHELL
/bin/bash
```

/binというディレクトリにあるbash (バッシュ) がログインシェルであることがわかります。Linuxでは、明示的に指定しない限りログインシェルにはこのbashが利用されます。その他のシェルの種類については、後ほど紹介します。

## 対話型操作とシェルスクリプト

ここまでは、キーボードからコマンド名を入力してEnterキーを押すことで、シェルを操作してきました。このように、ユーザがキーボードと画面を利用して直接シェルを操作する方法を対話型(インタラクティブ)操作と呼びます。

これに対して、実行したいコマンド群を事前にファイルに記述しておき、そのファイルをシェルに指定することで一連のコマンドをまとめて実行することもできます。このような、**一連の操作の流れを記述したファイルのことをシェルスクリプト**と呼びます。シェルスクリプトはコマンドなどを並べた単なるテキストファイルですから、以下のように簡単に中身を見ることができます。

リスト02-01　シェルスクリプトの例

```
#!/bin/sh

today=$(date '+%d')

if [ "$today" -eq 20 ]; then
  echo '今日は20日です。月次〆処理を開始してください'
fi
```

上記のシェルスクリプトの例では、まだ見慣れない記号などが出てきていますが、今は「さまざまな命令やコマンドを並べるだけで、シェルスクリプトを作ることができる」ということだけ見て取っていただければ十分です。

シェルスクリプトは、「小さなプログラム(コマンド)を組み合わせて複雑な処理が行える」というLinuxの考え方をそのまま実現できる、とても強力な機能を提供しています。シェルスクリプトを使いこなせるようになることが、本書の後半の目的となります。

シェルスクリプトを書くには、まずシェルの基本的な知識をしっかりと身につける必要があります。そのため本書では、まずシェルの対話型操作について学んでから、CHAPTER15よりシェルスクリプトの書き方について学習していきます。

# 03 シェルの種類

先ほど、ログインシェルとしてbashを利用していることを確認しました。しかしLinuxではこのbash以外にも、さまざまなシェルを使うことができます。どのシェルも、図02-02で見たようにカーネルとユーザの橋渡しをするという点で違いはありませんが、開発された時代や作者の考え方によって、それぞれのシェルの特徴も違います。

シェルはとてもたくさんの種類があるため、ここでは代表的なものに絞って紹介します。

## sh

AT&Tベル研究所のStephen R. Bourne氏によって開発されたことからBourneシェル（あるいはもっと短くBシェル）と呼ばれ、もっとも古くから存在するシェルです。Linuxに限らず、FreeBSDやSolaris、HP-UXやAIXなど、多くのOSで利用できます。

shは長い歴史を持ち、標準シェルとしての地位を確立しているため、シェルスクリプトを書く際にはshを利用するのが現在でも一般的です。ただし古いシェルであるため機能が少なく、特に対話的に使うには非常に不便です。そのため、ログインシェルとして使われることは現在ではほとんどありません。

## csh

これも古くからあるシェルの1つで、Cシェルと呼ばれます。shに比べ、対話型操作が便利になる機能を実装したことで人気がありました。ただし、シェルの文法がshと大きく異なり、特にシェルスクリプトを書く上では欠陥があるため適していません。

現在ではcsh後継のtcshがあるため、ほとんど使われることはありません。

## bash

shを基本として、機能を拡張したシェルです。shと後方互換性を持つため、単純にshを置き換える用途でも利用できます。対話型操作を行う上で十分な機能を持ち、多くのLinux環境でデフォルトのログインシェルとして使われています。シェルスクリプトを書くのにも向いています。

## tcsh

cshの後継として開発された、Cシェル系のシェルです。特に対話型操作で便利な機能を多く持っています。しかしcshと同じく、シェルスクリプトを書くには向いていません。

なおtcshなどのCシェル系では、一般ユーザのプロンプト記号として$ではなく%が一般的によく使われます。

▼Cシェル系では、一般ユーザのプロンプト記号に%が使われる

```
osumi@freebsd:/ % echo $SHELL
/bin/tcsh
```

tcshは現在でもFreeBSDのログインシェルとしてよく利用されていますが、徐々に利用者は減りつつあるようです。また、macOSもバージョン10.2 (Jaguar) まではデフォルトのログインシェルにtcshが採用されていました。

### zsh

比較的新しいシェルで、bashやtcshを初めとした他のシェルの機能を積極的に取り込み、さらに独自の拡張を加えたシェルです。非常に多くの機能を持ち、マニュアルだけでも17セクションもあるなど、機能面では他のシェルを圧倒しています。

すべての機能を使いこなすには時間がかかりますが、一度慣れれば非常に効率よく作業できることから人気が高いシェルです。Macでは、macOS Catalinaからデフォルトのログインシェルとしてこのzshが使われています。

### fish

ユーザにとって分かりやすいこと、使いやすいことを目指したシェルです。今回紹介したシェルの中ではもっとも後発で、他のシェルが持っている便利な機能を備え、逆に必要のない機能は意図して取り除かれています。使い始めるための設定がなるべく少なくなるように考慮されており、初心者でも使いやすいことが特徴です。

文法面でも、他のシェルの分かりにくい構文がfishでは別の書き方に置き換えられています。そのため、他のシェルと文法の互換性はありません。

## 04 どのシェルを選ぶか

多くのシェルを紹介しましたが、Linuxを学習していく上で、どのシェルを選べばよいのでしょうか。

結論から先に言うと、**bashを利用することを強くお勧め**します。これ以降、本書の記述も読者がbashを利用していることを前提とします。bashを使う利点は以下のように数多くありますが、欠点は皆無であることがその理由です。

- Linuxでデフォルトのログインシェルとして採用されており、利用する機会が多い
- 対話的に使うにも、シェルスクリプトを利用するにも、ともに十分な機能を持っている
- shとの後方互換性を持つため、既存のsh用のシェルスクリプトをそのまま利用できる
- Linux以外にも、FreeBSD/Solarisなど多くの環境に移植されている
- 利用者が多く、書籍やWebから情報を集めやすい

また、shも重要なシェルです。shは歴史の長いシェルであり、移植性が高いというメリットもあります。そのため、過去にshで書かれたシェルスクリプトは数多く、その利用のためにshは現在もよく使われます。たとえば、Linuxの起動処理では多くのshシェルスクリプトが使われていますし、コマンドと思っていたものが実はshシェルスクリプトだった、というシーンもよく見られます。

逆に、cshやtcshなどのCシェル系は、シェルスクリプトを書くために用いるには致命的な欠陥がいくつもあるため、過去のスクリプトを修正するなど一部のケースを除いて使うべきではありません。純粋に対話型シェルとして利用したい場合も、現在はさらに高機能なzshがありますから、今から改めてtcshを使い始める理由はないでしょう。

## シェルを一時的に切り替える

カーネルとシェルの説明のところで、「シェルを自分好みのものに変更できる」という利点を挙げました。試しに別のシェルに切り替えてみましょう。

**シェルも1つのコマンドにすぎない**ので、単に使いたいシェルの名前を指定すれば起動することができます。ここでは、デフォルト状態で入っているshシェルを起動してみましょう。**sh**というコマンドを実行するだけです。

▼シェルを一時的にshに切り替える

```
[osumi@localhost ~]$ sh
sh-4.2$
```

プロンプトが**sh-4.2**と変わり、shシェルが起動しました。では、さらにここからbashを起動してみましょう。やはり、shのプロンプトから**bash**と打つだけです。

▼さらに、シェルを一時的にbashに切り替える

```
sh-4.2$ bash
[osumi@localhost ~]$
```

なんだか単に元に戻ってきただけのように見えますが、今のこの状態は、bash→sh→bashを起動した状態となっています(図02-03)。ここまで切り替えるという言葉を使ってきましたが、実際は多重に起動しているため、重ねている、という言い方が正しいかもしれません。

図02-03 ログインシェルとは別のシェルを一時的に利用する

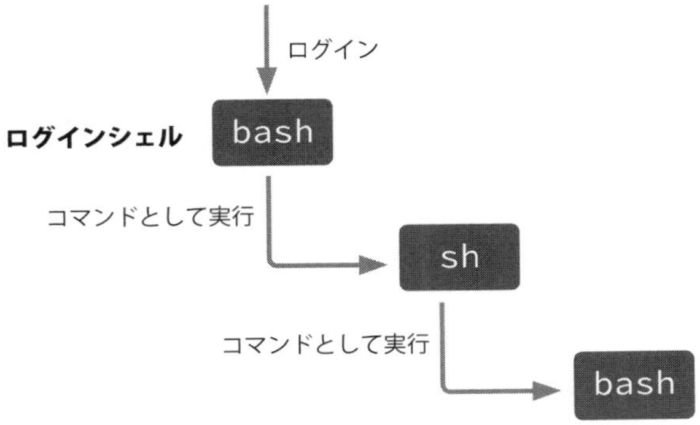


一時的に起動したシェルは、ログインシェルではなく、ただのシェル(非ログインシェル)です。そのため次のように、logoutコマンドでログアウトしようとするとエラーになります。

▼非ログインシェルはlogoutコマンドで終了できない

```
[osumi@localhost ~]$ logout
bash: logout: ログインシェルではありません: `exit' を使用してください
```

このような非ログインシェルから抜けるには、CHAPTER01で見たようにexitコマンドを使います。この例では、元に戻るにはまずbashを抜け、次にshを抜ける必要があるので、exitコマンドを2回打つ必要があります。

▼exitコマンドで非ログインシェルを終了する

```
[osumi@localhost ~]$ exit
exit
sh-4.2$ exit
exit
[osumi@localhost ~]$
```

これで元のログインシェルに戻ってきました。「ふだんのログインシェルはbashだが、一時的にtcshやzshを利用したい」というときには、このようにコマンドとしてシェルを起動するとよいでしょう。

なおログインシェル自体を変更するには、chshというコマンドを用います。しかしこのコマンドは滅多に使うことがありませんし、操作を誤るとログインできなくなる可能性があるため、本書では扱いません。ログインシェルは、よほどの理由がない限り、そのままデフォルトのbashとしておいてください。

# 05 ターミナルとは

本章の終わりに、ここまで何度か出てきた端末（ターミナル）という言葉と、シェルの関係について解説しておきましょう。どちらも直接ユーザが操作するソフトウェアであることから、混同されやすいものです。

ターミナルとは、ユーザがコンピュータへ入出力する際に利用する専用のハードウェアのことを指します。ターミナルの入力装置にはキーボードが、出力装置としてはディスプレイが主に使われます。読者の中には、データセンターなどで「ダム端末」という、ディスプレイにキーボードが付いた古めかしいパソコンのような機器を見たことがある方もいるかもしれません。

しかし現在のLinuxを利用する際に、ハードウェアとしてのターミナルが使われることはほとんどありません。その代わりに、物理的なターミナルをソフトウェアによって実装した、ターミナルエミュレータが利用されます。ターミナルエミュレータは、Linuxマシン上で直接動作させることもできますし、WindowsやmacOSなど一般的なパソコン上でアプリケーションとして利用することもできます。

図02-04　ターミナルエミュレータをWindows上で起動し、Linuxマシンを利用する

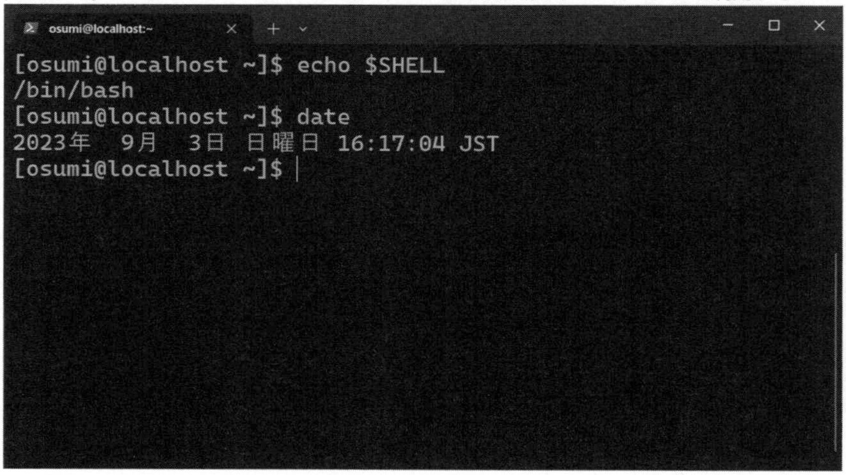


図02-04は、Windowsマシンからターミナルエミュレータを用いてLinuxマシンを操作している例です。ターミナルエミュレータは、物理的なターミナルと同様に、入出力のためのインタフェースを提供します。現在では、単にターミナルと言えば、このターミナルエミュレータのことを指す場合も多くなりました。

なお、日本語では「端末」と「ターミナル」は同じことを指すため、ターミナルエミュレータを「端末エミュレータ」とも呼びます。またWindowsなどでは1つのウィンドウ内で

動作することから、「端末ウィンドウ」と呼ぶこともあります。

OSごとに多くのターミナルエミュレータが開発されており、それぞれ特徴を持ちます。それ以外にもクロスプラットフォームと呼ばれる、複数の主要なOSで動作するアプリケーションもあります。代表的なものを以下に挙げておきますが、最近はどれを選んでも十分な機能を持っているため、どれでも読者の好みで選んでかまいません。

表02-01　主なターミナルエミュレータ

| OS | ターミナルエミュレータ |
|---|---|
| Windows | Windows Terminal, PuTTY, Tera Term |
| macOS | ターミナル, iTerm2 |
| Linux | GNOME端末 (GNOME Terminal) , Konsole |
| クロスプラットフォーム | Alacritty, WezTerm |

## ターミナルとシェル

**ターミナルエミュレータとシェルは、全く違うソフトウェア**ですから混同しないように注意してください。たとえばWindowsマシンからリモートログイン (→P.414) してLinuxを利用する場合、ターミナルエミュレータはWindowsマシン上で、シェルはLinuxマシン上で動作しています。

図02-05　ターミナルエミュレータの中でシェルが動く

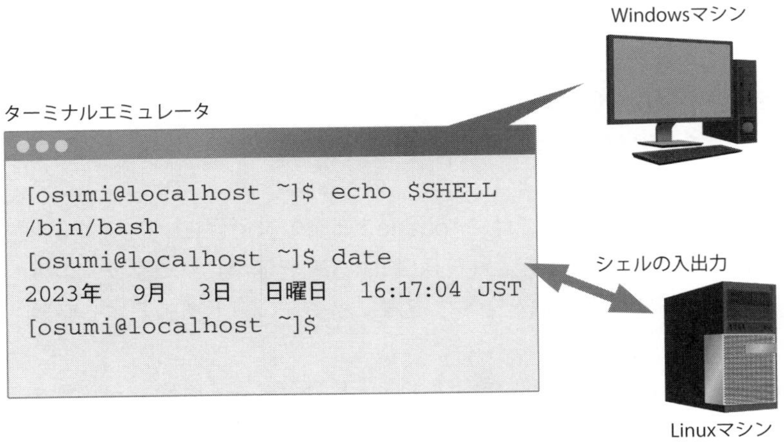


ターミナルエミュレータは、入出力の画面を提供するだけのソフトウェアです。上図のように、ターミナルエミュレータというウインドウの中で、Linuxマシンのシェルが動いていることになります。

## Column ソフトウェアライセンス

ここでは、Linuxとソフトウェアライセンスについての話をしましょう。

皆さんはソフトウェアライセンスというと、パッケージソフトを購入した際に同梱されている、「同時に何台のPCまでインストールして良いか」「コピーして再配布することの禁止」などの、そのソフトウェアを利用するにあたって守らなければいけない事項が記載された文書を想像することでしょう。

Linuxなどのオープンソースソフトウェアでも、ソフトウェアライセンスとして利用者が守らなければいけないことを示した文書（利用許諾書）があるという点では同じです。しかし、このようなオープンソースソフトウェアは、一般に販売されているパッケージソフトとは大きく異なるライセンス形態を取っています。

具体的には、LinuxカーネルはGNU GPLというライセンスを採用しています。このライセンスでは、利用者はプログラムの複製や、改変したプログラムの配布を自由に行うことができます。Linuxはオープンソースであり誰もが自由に無償で利用できますから、そのライセンスも、誰もが自由にソフトウェアを利用できることを主眼に置いたものを採用しているわけです。

ライセンスとしてGNU GPLを採用しているソフトウェアは、プログラムを複製したり改変して配布する際に同一のライセンス（GNU GPL）で配布すること、さらにその際には派生物においてもソースコードを合わせて配布しないといけないという規定を設けています。これにより、プログラムが「不自由な」環境に置かれることをなくそうというのがGNU GPLの狙いです。

Linuxを利用してプログラミングをしたり、あるいはLinux自体のソースコードを読んでそこに修正を加えたい場合など、単純に利用者としての立場ならばこのようなライセンスはとても自由なものです。しかしGNU GPLは、派生物を作成して配布する場合にはそのソースコードも公開しなければいけないという強い制約を持つため、ソースコードを公開したくない企業などからは敬遠されることが多いのも事実です。

GNU GPLよりも寛容なライセンスとしては、Apacheライセンスや修正BSDライセンス、MITライセンスが広く使われています。これらはGNU GPLと同様にプログラムの複製・改変を行うことができ、さらに派生物を配布する際にソースコードを公開する必要の無いライセンスです。

これらのライセンスは、単に個人的にLinuxを楽しむぶんにはほとんど意識する必要はありません。しかし皆さんがLinuxを使ってソフトウェアを作成し、それを第三者に配布する場合には、ライセンスについて十分注意する必要があります。

**おわりに**

この章では、シェルの役割と簡単なコマンドの入力方法について解説しました。次の章では、もう少し便利なシェルの操作方法を紹介します。

Chapter

# 03

# シェルの便利な機能

これからLinuxを操作していく中で、いろいろなコマンドを入力し使いこなしていく必要があります。GUI環境ならば、マウスを利用してメニューやアイコンをクリックすることでコマンドを実行することもできます。しかし本書が対象とするCLI環境では、コマンドはキーボードから文字列として入力し実行することになります。このようなことを聞くと、「なんだか大変そう」とか「何を入力したらいいかわからない」と思ってしまう人もいるかもしれません。

でも、心配する必要はありません。シェルはコマンド入力を効率よく行うためのさまざまな機能を持っています。シェルの機能をうまく利用すれば、長いコマンドをキーボードからいちいちすべて入力する必要はありませんし、前に実行したことのあるコマンドを簡単に呼び出すこともできます。

Linuxの操作をこれから本格的に学んでいく前に、キーボード操作でつまずくことのないよう、まずはシェルからコマンドを入力する方法をここできちんと確認しておきましょう。ちょっぴり覚えてもらうことが多いかもしれませんが、ここでキーボードの操作をしっかりと練習しておけば、皆さんがコマンドを入力する手間をずいぶんと減らすことができます。

# 01 コマンドラインの編集

コマンドは、プロンプト記号（$）の後ろに入力します。このコマンド入力部分のことを、**コマンドライン**と呼びます。

図03-01　プロンプトとコマンドライン

コマンドラインにコマンドを入力していく際、タイプミスを修正したり、直前に打ったコマンドから内容をちょっとだけ変えたいということがよくあります。bashなどのシェルは、このようなときに便利なコマンドライン編集機能を持っています。この機能を使えば、ユーザは素早くカーソルを移動してコマンドを修正できます。

コマンドライン編集にはとてもたくさんの機能が用意されていますが、本章ではその中でも特に利用頻度の高い「カーソル移動」と「文字の削除」について解説します。この2つを覚えておくだけでも、コマンド入力がずいぶんと楽になるはずです。

## カーソルの移動

まずは基本の操作ということでカーソル移動の練習をしてみましょう。コマンドラインに図03-02のように入力し、Enterキーはまだ押さないでください。

図03-02　ミスタイプをしてしまった

どうやらHelloと打つはずが、Hlloと打ち間違えてしまったようですね。カーソルを移動して、Hの後ろにeを挿入してみましょう。

今は行末にカーソルがあるので、まずはカーソルを後ろに戻す必要があります。ここで、コントロールキー（キーボードにより多少違いますが、一般的には「Ctrl」と刻印されているキー）を押しながら、bキーを押してください。

図03-03　Ctrl＋bでカーソルを後退

```
$ echo Hllo
```

カーソルが1文字ぶん、後ろに移動しました。もう2文字ぶん戻す必要がありますから、コントロールキーを押しながらもう2回bキーを押します。文字を挿入したい位置にカーソルが戻ったら、そこでeを入力します。

図03-04　カーソルを移動して文字を挿入

```
$ echo Hello
```

これで正しいコマンドとなりました。Enterキーを押してコマンドを実行してみましょう。

▼コマンドライン修正後のコマンド実行

```
$ echo Hello
Hello
```

正しく実行することができました。なお、この練習でカーソルを戻しすぎてしまった場合には、コントロールキーを押しながらfキーを押すことで、カーソルを前に移動することができます。bは「Backward」、fは「Forward」の略です。

カーソルは、これ以外にもカーソルキー（矢印キー）を使うことでも移動させることができます。しかし、カーソルキーはキーボードの隅の方にあるため、キー入力の際にどうしてもホームポジションから手を大きくずらすことになってしまいます。カーソルの移動という基本的な操作のたびにホームポジションを崩していると、効率的なキーボード操作が行えません。ですからカーソルキーはなるべく使わず、**コントロールキーを利用したキー入力をお勧め**します。Linuxのシェルを使っている間は、カーソルキーは存在しないものと思って操作するとよいでしょう。

## コントロールキーの使い方

先ほどカーソルを動かすためにコントロールキーを利用しましたが、Linuxではこのキーを大変よく使います。この際、「コントロールキーを押しながらbキーを押す」などといちいち書いていては大変ですから、このキーボード操作は一般的には**Ctrl + b**と記述されます。本書でも、以降はこの記法を用います。なおドキュメントによってはもっと省略して、「C-b」と書かれることもあります。

Ctrl + bは、「コントロールキーを押しながらbキーを押す」であり、「コントールキーとbキーを同時に押す」ではありません。普通は、コントロールキーを押しっぱなしにしたまま、bキーを必要な回数だけ押してカーソルを後退させるというキー入力を用います。このように、「Ctrl+」のキー入力を続けて行う場合、いちいちコントロールキーを打ち直す必要はありません。

## 行頭・行末へのカーソル移動

先ほどは1文字ずつカーソルを移動しましたが、一気にコマンドラインの行頭にカーソルを移動したい場合もあるでしょう。

図03-05　コマンドの先頭文字を入力忘れ

```
$ cho Hello
```

図03-05は、echoコマンドを誤って**cho**と入力してしまいました。Ctrl + bを連打して行頭に戻ることもできますが、もっとスマートな方法があります。**Ctrl + a**を入力すれば、行頭に直接カーソルを移動できます。

図03-06　Ctrl + aで行頭にカーソルを移動

```
$ cho Hello
```

ここでeを入力すれば、正しくechoコマンドが入力できます。これとは逆に、行末にカーソルを移動するには**Ctrl + e**を入力します。

なお、コマンドを実行するEnterキーを入力する際には、カーソルキーはどこにあってもかまいません。そのため、実行時にわざわざCtrl + eで行末にカーソルを戻す必要はありません。

ここまで出てきたキー入力を、次の表に示します。

表03-01　カーソル移動コマンド

| コマンド | 内容 |
|---|---|
| Ctrl + b | 後方に1文字ぶん移動する |
| Ctrl + f | 前方に1文字ぶん移動する |
| Ctrl + a | 行頭に移動する |
| Ctrl + e | 行末に移動する |

見ているだけではなかなか覚えられませんから、実際にコマンドラインでカーソルを移動して、練習してみてください。

## 単語単位でのカーソル移動

カーソルの移動に慣れてきたら、もう少し高度な操作も使ってみましょう。1文字ずつではなく、単語単位でカーソルを移動する方法を次の表に示します。

表03-02　単語単位でのカーソル移動

| コマンド | 内容 |
|---|---|
| Meta + b | 後方に単語1つぶん移動する |
| Meta + f | 前方に単語1つぶん移動する |

ここで「Meta + b」とは、Metaキーを利用した操作を指します。しかし**一般的なパソコンのキーボードにはMetaキーがない**ため、次のどちらかの操作で代用します。どちらでも、入力しやすい方でかまいません。

- エスケープキー（Escキー）を押してから、bキーを押す
- Altキーを押しながら、bキーを押す

Escキーで操作する場合は、Ctrlキーとは違って、「押しながら」ではなく「押した後に」という操作となることに注意してください。またAltキーは、Windowsではアプリケーションのメニュー操作に用いるキーであるため、直接シェルに入力することが難しいケースが多くあります。この場合、ターミナルエミュレータのキー設定で、AltキーをMetaに割り当てることでMetaキーとして認識させることができます。

では、単語単位のカーソル移動を実際に試してみましょう。

図03-07　単語単位のカーソル移動

```
$ echo Hello World
```

図03-07のように入力して、カーソルが行末にある状態で**Meta + b**を押してみてください。

図03-08　単語単位で1つ前に移動した

```
$ echo Hello World
```

一気に、Worldの「W」に移動することができました。もう一度Meta + bを入力すれば、Helloの「H」に移動できます。逆に1単語前に進むには、**Meta + f**を入力します。

こうして、Ctrl + bとCtrl + fでは1文字単位で移動していたところが、Metaに置き換えると単語単位で移動できるようになりました。これで少し大きな単位でカーソルを移動することができます。

## 文字の削除

続いて、文字を余計に打ってしまったときに削除する方法について紹介します。次の表に示すように、単に1文字削除するだけでなく、単語単位での削除などさまざまな機能が用意されています。

表03-03　削除コマンド一覧

| コマンド | 内容 |
| --- | --- |
| BackSpaceキー、またはCtrl + h | カーソル位置の後方に1文字削除する |
| Deleteキー、またはCtrl + d | カーソル位置の1文字を削除する |
| Ctrl + w | 後方にスペース区切りで1単語ぶんを削除する |

さっそく、これら削除の操作もコマンドラインから練習してみましょう。

図03-09　削除するコマンドライン

```
$ echo Hello World█
```

図03-09の状態から、**BackSpace**キーを押すと、次のように1文字削除されます。

図03-10　1文字削除した

```
$ echo Hello Worl█
```

なお、**BackSpaceキーの代わりに、Ctrl + h**でも同じように削除することができます。Ctrl + hの方が、ホームポジションから簡単に押すことができるため便利です。ただしCtrl + hは、キーボードやターミナルエミュレータの設定によっては、使用できないこともあります。

**Deleteキーまたは Ctrl + d**での削除はBackSpaceキーと違い、カーソル位置の後方ではなくカーソルがある文字そのものが削除対象となります。なお、コマンドラインに何も入力していない状態でCtrl + dを入力すると、bashはこれをログアウト操作とみなしてしまいます。Ctrl + dでログアウトしてしまった場合は、再度ログインしてください。

単に1文字削除するのではなく、**1単語丸ごと削除したいときはCtrl + w**を使います。これはカーソル位置から後方に向かって、スペースが現れるまでの文字列をまとめて削除します。たとえば先ほどの図03-09の状態から**Ctrl + w**を入力すると、次の図のようになり、`World`を一気に削除することができます。

図03-11　"World"の1単語が削除された

```
$ echo Hello █
```

このようにCtrl+wは、現在入力している単語をいったん消して再入力したいときによく使われる便利な機能です。

## カットとヤンク

コマンドライン編集の機能として、最後にカットとヤンク（ペースト）について紹介します。

表03-04　カットとヤンクのコマンド一覧

| コマンド | 内容 |
|---|---|
| Ctrl + k | カーソル位置から行末までを削除する |
| Ctrl + u | カーソル位置から行頭までを削除する |
| Ctrl + y | 最後に削除した内容を挿入する |

Ctrl + kとCtrl + uは、コマンドラインの内容をまとめて削除する際に用いられます。たとえばコマンドを入力して実行する直前にはカーソルが行末にあるため、そこでCtrl + uを押せば、今入力した内容を丸ごと削除できるわけです。

こうして削除した内容はシェルに記憶されていて、後から取り出して使うことができます。つまり、Ctrl + kやCtrl + uは単純な削除ではなく、切り取り（カット）を行う操作です。これはWindowsやmacOSでは「カット＆ペースト」という呼び方をしていますが、bashではペーストのことを「ヤンク」と呼びます。

次のように、実際に何かコマンドを入力してから、**Ctrl + u**を押してコマンドラインを消去し、続けて**Ctrl + y**を入力して削除した内容が復元されることを確認してみてください。

▼カットとヤンクの練習

```
$ echo Hello World    ◀── コマンド入力後、Enterを押す前に行末でCtrl + uを押す
$                     ◀── コマンドラインが削除された。続いてCtrl + yを押す
$ echo Hello World    ◀── カットした内容がヤンク（ペースト）された
```

# 02 トラブル時には

コントロールキーを使ってシェルでさまざまな操作をしていると、何かの拍子に、キーボード操作を受け付けないとかプロンプトが返ってこない等のおかしな状態になることがあります。初心者のうちはこのような事態に出くわすと、「何かを壊してしまったのでは」と思いがちですが、ほとんどの場合はユーザの単純な操作ミスが原因です。ここでは、そんなトラブルへの対処方法について説明します。

## キーボードからの操作を一切受け付けない

突然、キーボードから文字を入力しても画面に一切表示されなくなることがあります。これは、画面への表示をロックするCtrl + sを誤って押してしまうと発生します。**Ctrl + qを押せばこのロックは解除できます。**

表03-05　画面表示のロックと解除

| コマンド | 内容 |
|---|---|
| Ctrl + s | 画面表示をロックする |
| Ctrl + q | 画面表示のロックを解除する |

なお、Ctrl + sでロック中にも、打ち込んだ文字列は受け付けられています。画面に何も表示されなくなったからと慌ててでたらめなキー入力をしないで、まずは落ち着いてCtrl + qを入力してみてください。

## コマンドが終了せず、プロンプトが返ってこない

Linuxの一部のコマンドは、実行した後は明示的に終了操作をしない限り、動き続ける仕組みになっているものがあります。このようなコマンドはプロンプトが返ってこないため、自分で終了させないといけません。**実行中のコマンドを強制終了させるには、Ctrl + c**を入力します。

▼Ctrl + cによるコマンド終了

```
$ ping 192.168.2.67
PING 192.168.2.67 (192.168.2.67) 56(84) bytes of data.
64 bytes from 192.168.2.67: icmp_seq=1 ttl=64 time=0.016 ms
64 bytes from 192.168.2.67: icmp_seq=2 ttl=64 time=0.042 ms
^C   ←ここでCtrl + cを押した
--- 192.168.2.67 ping statistics ---
```

```
2 packets transmitted, 2 received, 0% packet loss, time 999ms
rtt min/avg/max/mdev = 0.016/0.029/0.042/0.013 ms
$
```

上の例では、pingコマンドというネットワークの疎通を調べるコマンドを実行しています。このコマンドは1秒に1回の確認を永遠に実行し続けるため、2回めでCtrl + cを押して終了させました。なお、画面上の**^C**というのがCtrl + cを入力した部分で、このようにシェル上では「Ctrl + キー」の入力を「^キー」のように**^記号で表現**します。

Ctrl + cは、コマンドを実行したけど途中で処理を止めたいなど、プログラムの動作がおかしいため強制終了したいというケースにも利用できます。そのようなときには、Ctrl + cを押せばシェルのプロンプトに戻ります。

また、コマンドラインの途中まで入力したところで入力内容の誤りに気がついたときに、Ctrl + cを入力することで、現在の入力内容を破棄して新しいコマンドラインに移ることができます。

▼Ctrl + cによる入力内容の破棄

```
$ echo Hello  ◀── ここまで入力したところで、最初から入力し直すためCtrl + cを押す
$             ◀── 入力内容が破棄され、新しいコマンドラインとなった
```

## プロンプトが文字化けしている

画像ファイルなどのバイナリファイルをシェル上で表示させた後など、プロンプトが文字化けしてしまうことがあります。このような場合は、画面を消去するCtrl + lを利用してみてください。

表03-06　画面を消去する

| コマンド | 内容 |
| --- | --- |
| Ctrl + l | 画面を消去する |

**Ctrl + l**は画面に表示している内容をすべて消して、カーソル位置を画面左上に移動させます。また、clearコマンドも同じ機能を持っています。不要な情報などを消して画面の内容をいったんきれいにしたいときに役に立ちます。

なお、Ctrl + lを利用してもやはり文字化けしたままのことがあります。このような場合にはresetコマンドを使用します。resetはその名のとおり端末を初期化するコマンドで、端末の表示に問題が発生したときに使用します。それでも直らない場合はターミナルエミュレータのメニューから端末を初期化するか、いったんログアウトして再度ログインすれば直ります。

# 03 補完機能

CLI環境でコマンドを実行するには、コマンドをキーボードから文字列として入力する必要があります。しかし、長いコマンドを毎回入力するのはなかなか大変ですし、打ち間違いによるミスも起きることでしょう。本書をここまで読んできて、「Linuxを使うのは、なんだか大変そうだな」と、早くも不安に思ってしまった方もいるかもしれません。

実はbashには、コマンド入力の手間を省く「補完機能」という仕組みが用意されています。この機能を利用すると、コマンド名をすべて入力する必要がなくなり、最初の数文字だけ覚えておけば後は自動入力させることができます。周りにLinuxの熟練者がいれば、そのキーボード操作を見せてもらうとよいでしょう。多くの場合、熟練者ほど補完機能をよく利用しており、皆さんが想像するほどコマンドを自分で打ち込んでいるわけではないことがわかると思います。

**bashの補完機能は、Tabキーを押すことで使用**できます。さっそく試してみましょう。CHAPTER02で出てきたechoコマンドの、先頭のecだけを入力して、Tabキーを押してみてください。

▼Tabキーによるコマンド名の補完

```
$ ec      ← ここでTabキーを押すと……
$ echo    ← echoと自動表示される
```

このように、**ec**までしか入力していないのに、自動的にechoと表示されました。これが補完機能です。

今はたまたま、ecで始まるコマンドがechoコマンド1つしかないため、正常に補完できました。では、補完候補が複数ある場合はどのようになるでしょうか。試しに、先頭のeだけ入力してTabキーを押してみてください。

▼複数候補ある際の、Tabキーによるコマンド名の補完

```
$ e    ← ここでTabキーを押しても、ベルが鳴るだけで何も起こらない
```

端末の設定にもよりますが、通常は、警告音(「ベルが鳴る」と言います)のみでシェル上は何も変化がないように見えたことでしょう。これは、複数候補があるため補完できません、というbashからのメッセージです。ここで、さらにもう一度、Tabキーを押してみてください。はじめの状態から数えると、2回連続でTabキーを押すことになります。

▼複数候補の一覧表示

```
$ e  ←ここでTabキーを2回押す
e2freefrag          echo          era_invalidate
e2fsck              egrep         esac
e2image             eject         ethtool
  ...(省略)...
```

今度はコマンドのリストが表示されました。これは、eで始まるコマンドをbashが探してきてくれた、補完候補のリストです。ユーザは、この中から実行したいコマンドを探して入力すればよいわけです。たとえばejectというコマンドを実行したいなら、この候補リストを見ながらejまで入力し、再びTabキーを押しましょう。

▼複数候補リストを閲覧後のTabキーによるコマンド名の補完

```
$ ej      ←ここでTabキーを押すと……
$ eject   ←ejectと自動表示される
```

今度はejで始まる候補は1つしかないため、ejectコマンドが補完されました。

このように補完機能を利用すると、**いちいちコマンドをすべて入力する必要はありません**し、コマンド名をはっきり覚えていなくてもはじめの数文字さえわかっていれば正しく入力することができます。シェルに自動入力させるということは、手で入力するのに比べて人によるタイプミスが防げるということも重要です。補完機能は非常に便利ですから、ぜひ積極的にTabキーを押して使ってみてください。

なお、コマンド名だけでなくファイル名も補完機能の対象としてよく扱われますが、これはCHAPTER04で詳しく解説します。

# 04 コマンド履歴

Linuxを使っていると、以前に実行したことのあるコマンドラインを呼び出して再び実行したいということがよくあります。また、以前のコマンドをちょっとだけ修正して再利用したい、というケースも多いでしょう。

bashは、一度入力したコマンドラインの内容を自動的にコマンド履歴として記録しています。そのため、この**コマンド履歴を活用すれば、以前入力したコマンドをいちいち手で打ち直すことなく簡単にコマンドライン上に呼び出すことができます**。

コマンド履歴の操作方法を、次の表に示します。この他にも多くの履歴操作が行えますが、まずはこの3つだけ覚えておけば十分でしょう。

表03-07　コマンド履歴の操作

| コマンド | 内容 |
|---|---|
| Ctrl + p、または↑キー | 1つ前のコマンド履歴に移動する |
| Ctrl + n、または↓キー | 次のコマンド履歴へ移動する |
| Ctrl + r | 履歴を遡ってインクリメンタル検索する |

Ctrl + pとCtrl + nで、コマンド履歴を遡ったり進んだりすることができます。pはPrevious（前）、nはNext（次）と覚えておくとよいでしょう。特にCtrl + pはよく使う操作で、間違えて実行したコマンドを修正して再度実行するときに役に立ちます。

たとえば、echoコマンドを実行しようとして、次のように間違えて**cho**と打ち込んで実行してしまったとします。

▼コマンド名を間違えた

```
$ cho Hello
-bash: cho: コマンドが見つかりません
$
```

この直後に**Ctrl + p**を押すと、次のように直前の入力内容がコマンドラインに復元されます。

▼直前のコマンドの復元

```
$ cho Hello
```

Ctrl + pで復元される

後は、Ctrl + aで行頭にカーソルを移動させてeを追加入力すれば、正しいコマンドとなります。このようにコマンド履歴は、直前に打ったコマンドを修正して再度実行するときに大変役に立ちます。もっと前の履歴に戻りたければ、Ctrl + pを押すたびに、さらに1つ前の入力内容を呼び出すことができます。なお、これらのコマンド履歴操作はカーソルキーを使うこともできますが、なるべくホームポジションに近いCtrl + pとCtrl + nを使うことをお勧めします。

## コマンド履歴の検索

多くの作業を行った後、1000行も2000行もあるようなコマンド履歴から、あるコマンドを呼び出すにはどうすればよいでしょうか。Ctrl + pを何百回と押して、目で確認しながら探すのはちょっと大変ですね。こんなときは、**コマンド履歴を検索するCtrl + r**が役に立ちます。

この検索機能は試してみないとなかなかわかりにくいので、まずはCtrl + rを押してみてください。プロンプトが次のように変わり、**「インクリメンタル検索」**というちょっと特殊な検索モードに変わります。

▼インクリメンタル検索時のプロンプト

```
(reverse-i-search)`':
```

このインクリメンタル検索は逐次検索とも呼ばれ、1文字入力するごとに履歴を検索するモードです。そのため、ユーザは一般の検索エンジンのように「検索」ボタンを押して検索実行を明示的に指示する必要はありません。単に検索したい語を入力するだけで、自動的に検索されます。

たとえばここで、**e**と入力してみましょう。読者の環境によって違うでしょうが、たとえば筆者の環境では直前に実行したenvというコマンドが表示されました。

▼1文字入力するすると補完される

```
(reverse-i-search)`e': env
```

続けて、**c**を入力します。これでコマンド履歴から「ec」が含まれるものを再び検索することになります。

図03-12　インクリメンタルサーチと検索文字

上図のように、これで過去のコマンド履歴から自動的に「echo Hello」というコマンドラインが検索されました。ここでさらにCtrl + rを押せば1つ前の検索結果へ移動します。現在の検索結果をそのまま実行したい場合はEnterキーを、コマンドラインを修正して実行したい場合はEscキーを押します。

Ctrl + rによるインクリメンタル検索中の操作を、次の表にまとめておきます。

表03-08　インクリメンタル検索時の操作

| コマンド | 内容 |
| --- | --- |
| (文字の入力) | 検索語を追加して再検索 |
| Ctrl + r | 1つ前の検索結果へ移動 |
| Enterキー | 現在の検索結果をそのまま実行 |
| Escキー | 現在の検索結果を表示したまま、コマンドラインに戻る |
| Ctrl + g | 検索結果を破棄し、プロンプトに戻る |

インクリメンタル検索は、最初は使いにくいかもしれませんが、慣れるととても強力で便利な機能です。本章の最後の練習として、ここまでコマンドを実行してきた履歴をCtrl + rで検索して、再実行してみてください。

## Column 文字コード

コンピュータの内部では、「abc」などの文字は全てバイト列(数値)で表現されています。この際、どの文字をどの数値にマッピングするかを規定しているのが文字コードです。

例えばアルファベットの「a」はコンピュータの内部では16進数で「61」と表現されており、これはASCIIという文字コードです。実際にどの文字がどの数値にマッピングされているかは、「man ascii」とASCIIのマニュアルページを参照することで確認できます。なおASCIIのマニュアルが見つからない場合には、CHAPTER20を参考にして、CentOS Streamならばman-pages、Ubuntuではmanpagesパッケージをインストールしてください。

ASCIIコードはアルファベットや記号、制御文字を表現する7bitのコード体系です。しかし7bitでは128文字しか表現できないため、日本語のように文字の種類が多い言語ではASCIIとは別の文字コードの規格が作られています。歴史的な理由により、残念ながら日本語ではさまざまな文字コードの規格があり、これが文字化けを招く1つの原因となっています。

一昔前までは、Linuxで日本語を扱う際にはEUC-JPという文字コードが利用されていました。しかし現在では文字コードはUnicode (UTF-8) がほぼ標準となっており、多くのLinuxディストリビューションでも言語として日本語を選択するとUTF-8が設定されます。そのため、これからLinuxを使い始める皆さんはUTF-8で日本語を扱っていればまず問題はありません。

今自分の設定がどうなっているかは、環境変数LANGの値で確認できます。シェルからprintenvコマンドを実行して、環境変数LANGの値を確認してみてください。日本語のUTF-8が設定されていれば、「LANG=ja_JP.UTF-8」と表示されます。

なお、文字コードを変換するにはiconvコマンドを使います。例えばEUC-JPで書かれたテキストファイルをUTF-8に変換するには、次のように-f (FROM) にEUC-JP、-t (TO) にUTF-8を指定します。

```
iconv -f EUC-JP -t UTF-8 <ファイル名>
```

**おわりに**

この章では、シェルの基本的な操作方法について解説しました。マウスもカーソルキーも使わないので最初は難しく感じるかもしれませんが、慣れてくると素早く操作できるようになります。初めのうちはゆっくりでもよいので、効率のよい操作方法を行うように心がけてください。

# Chapter 04

# ファイルとディレクトリ

この章では、どのようなファイルによってLinuxが構成されているか、ファイルの場所をLinuxではどのように表現するか、といったファイルに関する基礎知識を学びます。また後半では、ディレクトリを移動するcdコマンドや、ファイルを一覧表示するlsコマンドなどの使い方を学びます。

Linuxを使う上でファイルに対する知識はとても重要ですから、ここで紹介する内容はしっかりと身につけておいてください。

# 01 Linuxはファイルからできている

Linuxで扱う情報(データ)は、「ファイル」として扱われます。文書や画像、プログラムなどはすべてファイルとして保存されます。これ自体はWindowsやmacOSと同じ仕組みですから、初心者でもあまり迷うことはないでしょう。

ただしLinuxではこれらユーザデータのファイルに加えて、システム全体も1つ1つのファイルとして構成されています。たとえばハードディスクやキーボード、プリンタといった入出力装置はそれぞれファイルが割り当てられており、そのファイルを介して機器を操作することができます。また、Linuxカーネルも1つのファイルですし、システムの動作設定もコンフィグファイルと呼ばれるファイルに記述します。

このように**Linuxではすべてがファイルとして表現されている**ため、Linuxを使いこなすには、まずファイルの操作方法について十分な知識を持っていなければいけません。この章では、Linuxのファイル操作に関する基礎知識について学んでいきましょう。

## ディレクトリとは

扱うファイルが増えてくると、ファイルを種類ごとに分類できると便利です。このためにLinuxでは、**ファイルを整理する入れ物である「ディレクトリ」**が用意されています。これは、WindowsやmacOSで「フォルダ」と呼ばれるものと同じですから、皆さんも既に慣れ親しんでいると思います。

図04-01　ディレクトリとファイルの例

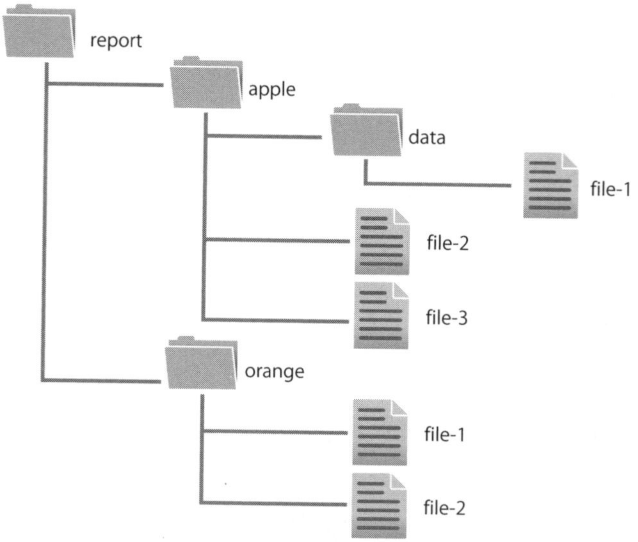

前ページの図は、レポートを整理したディレクトリの例です。「report」というディレクトリの中に、「apple」と「orange」というディレクトリがあり、「apple」ディレクトリの中にはさらに「data」というディレクトリがあります。

ディレクトリの中にあるディレクトリのことを、サブディレクトリ（または子ディレクトリ）と呼びます。逆に、あるディレクトリから見て1つ上にあるディレクトリのことを、親ディレクトリと呼びます。先ほどの例では、「apple」ディレクトリから見て「report」ディレクトリは親ディレクトリ、「data」ディレクトリはサブディレクトリです。



# 02 Linuxのディレクトリ構造

次の図は、一般的なLinuxのディレクトリ構造を表しています。なお、これ以外にも多くのディレクトリが存在しますが、ここでは主要なディレクトリのみを示しています。

図04-02　Linuxの主なディレクトリ

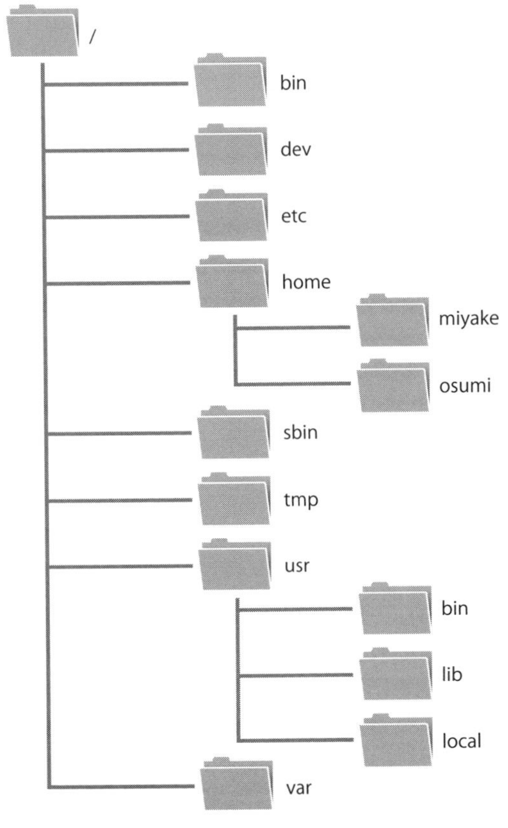

一番上の**「/」**というディレクトリは、**ルートディレクトリ**と呼びます。すべてのファイルとディレクトリは、その親をたどっていくとこのルートディレクトリにたどり着きます。

Linuxのディレクトリ構成は、**ルートディレクトリを頂点とした階層構造**になっています。このような構造をツリーと呼ぶため、ディレクトリ構成は「ディレクトリツリー」と呼ばれます。木というのは変だと思うかもしれませんが、これは上下逆さまの木なのです。根っこ（ルート）が上に、葉が下にあると思ってください。

## パス

図04-02であるファイルを指し示す際に、「ルートディレクトリの下のusrディレクトリの下のbinディレクトリの下のperlというファイル」のようにいちいち書き表すのは大変です。このような場合は、各ディレクトリを/（スラッシュ）で区切り、「/usr/bin/perl」のように表記します。これを、あるファイルへの道筋とみなして**パス（PATH）**と呼びます。

パスの区切り文字は、Windowsでは￥が使われますがLinuxでは/を用います。

## Windowsとの違い

ディレクトリについてはWindowsも同様の階層構造を持ちますが、Linuxと多少の違いがあります。たとえばシステム全体で2台の物理ディスクがある場合、Windowsでは2つのディレクトリツリーができます。一方、Linuxでは何台のディスクがあろうが、**システム全体で1つのディレクトリツリーしか持たない**のが大きな違いです。

このため複数ディスクがある場合、Linuxではルートディレクトリ配下のどこかに、ディスクをディレクトリとしてくっつける手法を取っています。この操作を「マウント」と呼びます。

図04-03　複数ディスクがあってもディレクトリツリーは1つ

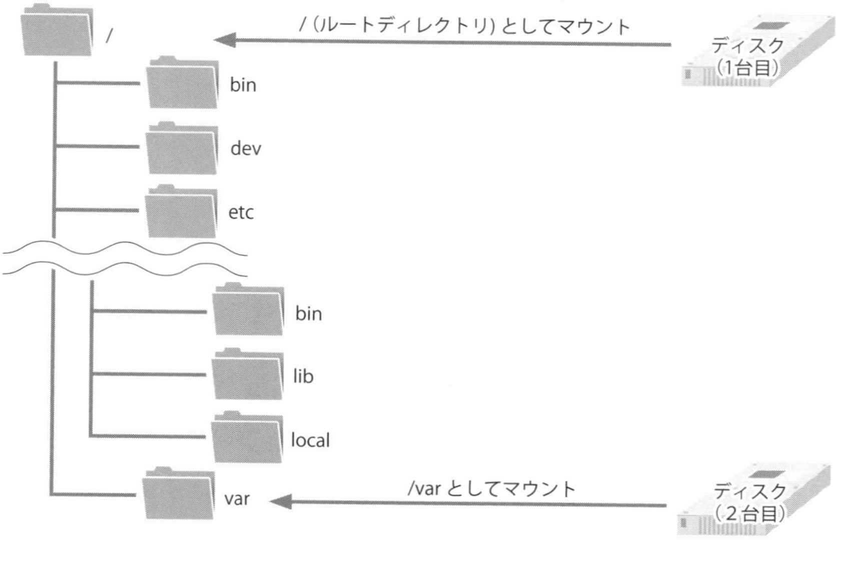

上図は、/に1台目のディスクがある状態で、/varに2台目の増設ディスクをマウントした例です。物理ディスクは2つありますが、ディレクトリツリーは1つとなっています。これは、Windowsしか利用したことのない人が、Linuxを使う際に混乱しやすいポイントですから注意してください。

## 各ディレクトリの役割

Linuxのすべてのディレクトリを紹介するのは大変ですから、ここでは特に重要なものを取り上げてその役割を簡単に解説します。ディストリビューションによってディレクトリ構造に若干の違いはありますが、ここで挙げるディレクトリはどのシステムでも同じ役目を持つ代表的なものばかりです。

なおLinuxのディレクトリの構成は、FHS (Filesystem Hierarchy Standard) という標準化仕様に基づいています。より詳しく知りたい方は、以下のFHSのWebページより仕様書のPDFファイルがダウンロードできます。

**Filesystem Hierarchy Standard**
URL https://refspecs.linuxfoundation.org/fhs.shtml

### /bin

一般ユーザおよび管理者ユーザの両方が利用するコマンドの、実行ファイルを置くためのディレクトリです。実行ファイルはLinuxのさまざまな場所に配置されていますが、/binはその中でも特に**Linuxシステムの動作に最低限必要な、重要度の高いコマンド**を格納しています。

### /dev

**デバイスファイルを格納する**ディレクトリです。デバイスファイルとは、ディスクやキーボードなどのハードウェアをファイルとして扱えるように用意された、特殊なファイルです。

### /etc

設定ファイルを置くためのディレクトリです。Linuxで動作するさまざまなアプリケーションの設定のためには、通常はテキスト形式の設定ファイル（コンフィグファイル）が使用されます。それらの設定ファイルは、通常この/etc配下に置かれます。また各種アプリケーションだけでなく、Linux自体の設定に関わるファイルもこのディレクトリにあります。そのため、Linuxを管理・運用する上で非常に重要なディレクトリです。

### /home

ユーザごとに割り当てられる、**ホームディレクトリ**が配置されるディレクトリです。ホームディレクトリとは、Linuxのユーザごとにそれぞれ割り当てられる個人用ディレクトリのことで、ユーザ名がそのままディレクトリ名となっています。たとえばユーザosumi

のホームディレクトリは、/home/osumiです。ユーザはこのホームディレクトリ内に、自由にファイルやディレクトリを作成して作業を行うことができます。

### ❖ /sbin

/binと似ており、これも実行ファイルを置くためのディレクトリです。ただし、こちらには管理者ユーザ向けのコマンドが置かれています。たとえばCHAPTER01で紹介した、システムをシャットダウンするためのshutdownコマンドは、このディレクトリ内にあります。

### ❖ /tmp

一時的なファイル（テンポラリファイル）を置くためのディレクトリです。アプリケーションの実行中に、作業途中の結果などを一時的にファイルとして保存する際には、このディレクトリの下に作成するのが一般的です。このディレクトリ内のファイルは定期的に削除する設定となっているディストリビューションも多いため、/tmpをファイルの永続的な保存先として利用してはいけません。

### ❖ /usr

各種アプリケーションと、それに付随するファイルを置くためのディレクトリです。追加でアプリケーションをインストールした際に、実行ファイルやドキュメント、ライブラリなどがこのディレクトリの下に配置されます。/usrディレクトリは、そのサブディレクトリとしてbinやsbin、etcなどを持ち、内部にルートディレクトリ配下と似た構造を持ちます。

### ❖ /var

変化する（variable）データを置くためのディレクトリです。アプリケーションを動作する上で作成されたデータやログ、電子メールなどがこのディレクトリに格納されます。/varはたくさんのファイルが書き込まれ、容量も逼迫することが多いため、システム管理の上では注意が必要なディレクトリです。

## カレントディレクトリとpwd

Linuxを使うには、ここまで紹介したディレクトリを必要に応じてあちこちに移動しながら作業することになります。この際、シェルの操作により**現在自分が位置しているディレクトリのことを、カレントディレクトリ**もしくはワーキングディレクトリと呼びます。本書では以降、カレントディレクトリと記述します。

Linuxにログイン直後は、カレントディレクトリはユーザのホームディレクトリになっています。カレントディレクトリを表示するpwdコマンドで、確認してみましょう。

▼pwdコマンドでカレントディレクトリを確認

```
$ pwd
/home/osumi
```

osumiユーザの場合、ログイン直後は/home/osumiがカレントディレクトリとなっています。カレントディレクトリを変更するには、後で説明するcdコマンドを利用します。

シェルでファイルを操作する際には、カレントディレクトリが起点となります。そのため、何か作業をする前にはまずpwdコマンドを実行して、カレントディレクトリを確認する癖を付けておくことはよい習慣です。きっと作業ミスが減ることでしょう。

# 03 絶対パスと相対パス

Linuxのディレクトリツリーをこれから見ていきますが、その出発準備として、パスの書き方について説明しておきます。

## 絶対パス

先ほど「パス」の説明で例に示した「/usr/bin/perl」のような、**ルートディレクトリを起点としてファイルやディレクトリのパスを示すこと**を、絶対パスもしくはフルパスによる表記と呼びます。

絶対パスは曖昧さがなく確実なパス表記ですが、ディレクトリが深い位置にある場合には、ずいぶんと長い文字列となりなかなか不便です。また、あるプログラムを別のLinuxマシンに移植する際にはディレクトリ名の変更ができず、設置先のディレクトリ構造を移植元と全く同じにしないといけないという移植性に欠ける欠点もあります。

## 相対パス

現在の**カレントディレクトリを起点として表記されるパス**を、相対パスと呼びます。次の図で説明しましょう。

図04-04 絶対パスと相対パス

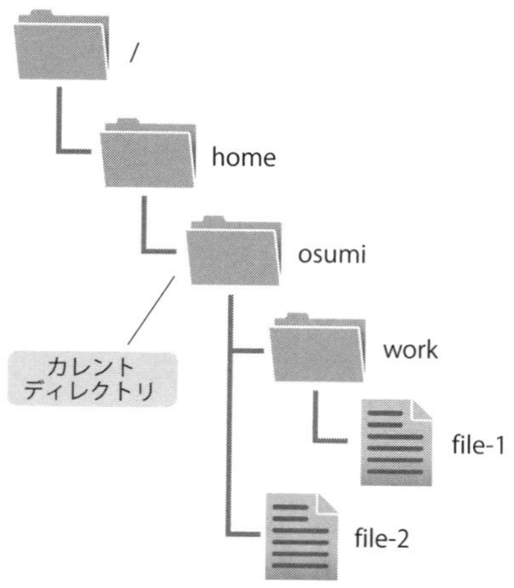


| 相対パス | 絶対パス |
| --- | --- |
| ../.. | / |
| .. | /home |
| . | /home/osumi |
| work または ./work | /home/osumi/work |
| work/file-1<br>または./work/file-1 | /home/osumi/work/<br>file-1 |
| file-2 または ./file-2 | /home/osumi/file-2 |

上の図で、現在のカレントディレクトリは/home/osumiであるとします。すると、カレントディレクトリ内にあるfile-2というファイルは、単に「file-2」と書くだけでパスが指定できます。サブディレクトリwork内のfile-1は、「work/file-1」となります。これが相対パスによる表記です。

なお相対パスで記述する際には、どのディレクトリにもある特別なディレクトリ「.」と「..」が利用できます。

**「.」はカレントディレクトリ**を表します。先ほど、カレントディレクトリ内にあるfile-2というファイルを「file-2」というパスで表記しましたが、これでは単にファイル名を書いているのかパス表記なのかがわかりません。この曖昧さをなくして明示的にパス指定したいときは、「./file-2」と書きます。

**「..」は親ディレクトリ**を表します。現在のカレントディレクトリから、階層構造を遡って指定するときに使用します。「..」はディレクトリですから、これをいくつ重ねてもかまいません。「../../../..」とすれば4つ上のディレクトリを指します。また「../miyake」とすれば、親ディレクトリ内のmiyakeというディレクトリ、つまりカレントディレクトリと同階層にある別のディレクトリを指すことができます。

# 04 ディレクトリの移動

Linuxのディレクトリ構造とパス表記がわかったところで、実際にディレクトリを移動してみましょう。次の3つのコマンドを使います。

表04-01　ディレクトリ移動と確認のコマンド

| コマンド | 機能 |
| --- | --- |
| pwd | カレントディレクトリを表示する |
| cd | カレントディレクトリを変更する |
| ls | ディレクトリ内のファイルを表示する |

まず、現在のカレントディレクトリを**pwdコマンド**で確認してください。

▼カレントディレクトリを確認

```
$ pwd
/home/osumi
```

## カレントディレクトリとcdコマンド

カレントディレクトリを変更するには、**cdコマンド**を使います。/usrディレクトリに移動してみましょう。

▼/usrに移動する

```
$ cd /usr
```

cdコマンドは、コマンドの後ろに指定したディレクトリにカレントディレクトリを変更します。このようにコマンドの後ろにスペース区切りで指定する文字列のことを**コマンドライン引数**(ひきすう)と呼びます。コマンドによってはコマンドライン引数に複数の値を取ったり、後ほど述べる「オプション」を指定できたりします。

図04-05　コマンドとコマンドライン引数の例

cdコマンドは、カレントディレクトリを変更しても「カレントディレクトリを移動しました」など余計なメッセージは一切表示しません。このようにLinuxのコマンドは、成功した場合は何も表示しないのが普通です。先ほど/usrディレクトリに移動しましたが、本当に正しく移動できたかはpwdコマンドで確認できます。

▼/usrディレクトリに移動できた

```
$ pwd
/usr
```

では、この/usrディレクトリ内のファイルを表示してみましょう。後ほど詳しく解説しますが、ディレクトリ内のファイルを表示するにはlsコマンドを用います。次のように引数を指定せずにlsコマンドを実行すると、カレントディレクトリのファイルとディレクトリを表示します。

▼lsコマンドでカレントディレクトリのファイルとディレクトリを表示

```
$ ls
bin  games    lib    libexec  sbin   src
etc  include  lib64  local    share  tmp
```

/usrにあるファイルやディレクトリが表示されました。ここで/usrのサブディレクトリであるlibに移動してみましょう。

▼libディレクトリへ移動

```
$ cd lib
```

上の例では、相対パスで移動先のディレクトリを指定しました。今は/usrがカレントディレクトリであったため、これを絶対パスで表記すると`cd /usr/lib`となります。どちらも結果は同じで、カレントディレクトリを/usr/libに変更します。

▼/usr/libディレクトリに移動できた

```
$ pwd
/usr/lib
```

元の/usrに戻りたくなった場合は、`cd /usr`と指定すれば/usrディレクトリに移動できます。もしくは、「..」が1つ上のディレクトリを指すため、次のように相対パス指定すると親ディレクトリである/usrに戻ることができます。

```
cd /usr    ← 絶対パスでの指定
cd ..      ← 相対パスでの指定
```

## Tabキーによるパスの補完

CHAPTER03で利用したTabキーによる補完は、**コマンドだけでなくパス名にも利用することができます**。ここでは例として、/usr/localにcdコマンドで移動するケースを考えてみましょう。

まず「cd /u」まで入力し、Tabキーを押してみましょう。

▼パスの補完の例1

```
$ cd /u        ◀──── ここでTabキーを押す
$ cd /usr/     ◀──── 補完された
```

このようにパス名が補完され、「/usr/」までが自動入力されます。

続いて、補完された「/usr/」の後ろに「lo」まで入力し、再度Tabキーを押すと、目的の「/usr/local/」へパス名が補完されます。

▼パスの補完の例2

```
$ cd /usr/lo        ◀──── ここでTabキーを押す
$ cd /usr/local/    ◀──── 補完された
```

このままEnterキーを押せば、目的の/usr/localディレクトリに移動できます。

このようにパス名をTabキーで補完できる機能は大変便利ですし、指定するパスの誤入力も防ぐことができます。補完機能は積極的に利用してください。

## ホームディレクトリとチルダ展開

あちこちに移動したので、ここでホームディレクトリに戻ってみましょう。

ホームディレクトリはよく使うディレクトリなので、簡単に移動できるようになっています。次のように**引数を付けずにcdコマンドを実行すると、ホームディレクトリへ移動**します。

▼ホームディレクトリに移動する

```
$ pwd
/usr/lib
$ cd
$ pwd
/home/osumi
```

またこの他にも、ホームディレクトリへ戻るには次のように~(チルダ)を利用する方法もあります。

▼~(チルダ)によるホームディレクトリの指定

```
$ cd ~
```

コマンドラインの~は、シェルによりユーザのホームディレクトリのパス(この例では/home/osumi)へと自動的に置き換えられます。シェルのこの機能を**チルダ展開**と呼びます。

チルダ展開を利用すると、ホームディレクトリ配下へのディレクトリへ、次のように簡単に移動できます。

▼/home/osumi/reportディレクトリに移動する

```
$ cd ~/report
$ pwd
/home/osumi/report
```

# 05 lsコマンド

先ほど出てきたlsコマンドは、Linuxのコマンドの中でももっとも基本的なコマンドであり、多くの機能を持ちます。そのため、ここでその動きを詳しく解説しておきましょう。

**lsコマンドは、ファイルやディレクトリを一覧表示するためのコマンド**です。先ほど見たように、引数を指定しない場合は、カレントディレクトリのファイルとディレクトリを表示します。一方、引数としてディレクトリを指定すると、そのディレクトリの中に含まれるファイルやディレクトリを表示します。

▼ディレクトリを引数にしてlsコマンドを実行

```
$ ls /
bin   dev  home  lib64  mnt  proc  run   srv  tmp  var
boot  etc  lib   media  opt  root  sbin  sys  usr
```

また、引数としてファイルを指定すると、そのパスを表示します。

▼ファイルを引数にしてlsコマンドを実行

```
$ ls /bin/cp
/bin/cp
$ ls /bin/nocommand
ls: cannot access /bin/nocommand: そのようなファイルやディレクトリはありません
```

引数は複数指定することも可能です。この場合、指定されたすべての引数に対して処理を行います。

▼複数のディレクトリを引数にしてlsコマンドを実行

```
$ ls / /usr
/:
```

```
bin   dev  home  lib64  mnt  proc  run   srv  tmp  var
boot  etc  lib   media  opt  root  sbin  sys  usr
/usr:
bin  games    lib    libexec  sbin   src
etc  include  lib64  local    share  tmp
```

上の例では、/と/usr、2つのディレクトリの内容が表示されています。

なおlsコマンドは、次のようにファイルが1つもない場合は何も表示せずに終了します。

▼カレントディレクトリに何もファイルがない場合

```
$ ls
$
```



## *と?

lsコマンドで複数のファイルを指定したいとき、いちいちすべてのファイルを引数に並べるのは大変です。このためにbashには、ファイル名の一部をパターンで指定することにより、複数のファイルを指定する**パス名展開**という機能があります。パス名展開はワイルドカード展開やファイル名グロブとも呼ばれ、***(アスタリスク)と?(クエスチョンマーク)**の記号を利用します。

表04-02 パス名展開で使われる記号

| 記号 | 意味 |
|---|---|
| * | 任意の文字列 |
| ? | 任意の1文字 |

*は特によく使われる記号で、任意の文字列に一致します。たとえば、ファイル名がbaで始まるファイルを一覧表示したいときは、次のように**ba***と指定します。

▼baで始まるファイル一覧を表示

```
$ ls ba*
base64  basename  bash  bashbug  bashbug-64
```

また*は、特定の拡張子のファイルを一覧表示したいときにもよく使われます。次の例は、拡張子が.htmlのファイルを表示する例です。

▼拡張子が.htmlのファイルの一覧を表示

```
$ ls *.html
about.html  index.html  info.html  report.html  top.html
```

?は*に似ていますが、任意の1文字だけに対応する点が異なります。たとえば次のようにba??と入力すると、「ファイル名がbaで始まり、全体の長さは4文字」のファイルを表示します。

▼?を利用して4文字のファイル名をマッチさせる

```
$ ls ba??
bash
```

なお、ここで紹介したパス名展開はlsコマンド特有のものではなく、シェルの機能です。シェルはコマンドに引数を渡す前にパス名展開を行うため、ここで紹介した*と?は、他のすべてのコマンドでも利用することができます。

## lsコマンドのオプション

lsコマンドも含めて多くのコマンドは、**コマンドライン引数に、-(ハイフン)で始まる追加の引数**を指定できます。これをコマンドラインオプション(あるいは単にオプション)と呼びます。Linuxのコマンドはオプションを指定することで、デフォルトとは違う動作をするように動きを変えることができます。

たとえばlsコマンドでは、-lオプションを付けると、ファイル名だけでなくファイル属性などの詳細情報を同時に表示します。これは非常によく使われるオプションです。

▼-lオプションによりファイルの詳細情報を表示

```
$ ls -l
合計 27
lrwxrwxrwx.   1 root root    7  7月 21 19:30 bin -> usr/bin
dr-xr-xr-x.   4 root root 4096  9月  4 00:01 boot
drwxr-xr-x   18 root root 2900  9月 26 00:12 dev
drwxr-xr-x.  74 root root 8192  9月 26 00:12 etc
drwxr-xr-x.   3 root root   20  7月 21 19:39 home
lrwxrwxrwx.   1 root root    7  7月 21 19:30 lib -> usr/lib
lrwxrwxrwx.   1 root root    9  7月 21 19:30 lib64 -> usr/lib64
drwxr-xr-x.   2 root root    6  6月 10 09:11 media
drwxr-xr-x.   2 root root    6  6月 10 09:11 mnt
drwxr-xr-x.   3 root root   38  7月 21 19:40 opt
dr-xr-xr-x  101 root root    0  9月 26 00:12 proc
dr-xr-x---.   3 root root 4096  7月 21 19:40 root
drwxr-xr-x   22 root root  680  9月 26 00:12 run
lrwxrwxrwx.   1 root root    8  7月 21 19:30 sbin -> usr/sbin
drwxr-xr-x.   2 root root    6  6月 10 09:11 srv
dr-xr-xr-x   13 root root    0  9月 26 00:12 sys
drwxrwxrwt.   7 root root   88  9月 26 00:14 tmp
drwxr-xr-x.  13 root root 4096  7月 21 19:30 usr
drwxr-xr-x.  20 root root 4096  9月 26 00:12 var
```

-lオプションで表示される各項目は、以下のような意味となっています。

図04-06 lsコマンドによるファイルの詳細情報

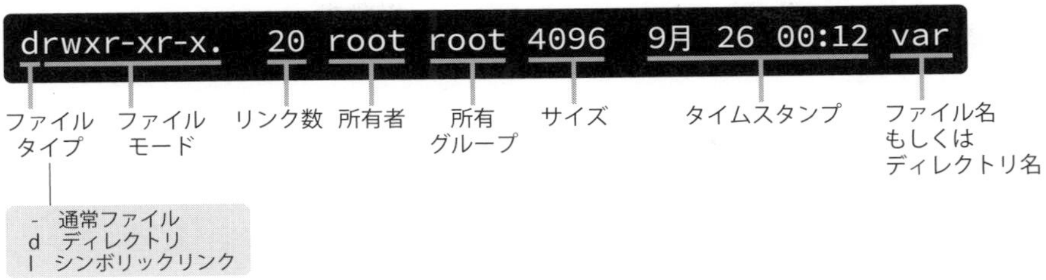


それぞれの項目については後の章で解説していきますから、今はファイルタイプが「-」ならば通常ファイル、「d」ならばディレクトリ、ということだけ理解しておけばよいでしょう。ファイルモードや所有者については、CHAPTER09で解説します。

他によく使われるオプションとして、-aオプションがあります。-aを指定すると、隠しファイルも含めたすべてのファイルを表示します。

▼-aオプションにより隠しファイルも合わせて表示

```
$ ls -a
.   .autorelabel  boot  etc   lib    media  opt   root  sbin  sys  usr
..  bin           dev   home  lib64  mnt    proc  run   srv   tmp  var
```

lsコマンドは、デフォルトではファイル名が.(ドット)で始まるファイルを隠しファイルとみなして表示しません。-aオプションを付けると、これらの隠しファイルも含めて表示するようになります。

また、-Fオプションを付けると、ファイル名の後ろにファイルの種類を表す記号を追加して表示します。

▼-Fオプションによりファイル種別を表示

```
$ ls -F
bin@   dev/  home/  lib64@  mnt/  proc/  run/   srv/  tmp/  var/
boot/  etc/  lib@   media/  opt/  root/  sbin@  sys/  usr/
```

一目でファイルの種類がわかり便利ですから、この-Fオプションも利用頻度の高いオプションです。なお、ファイルの種類と表示される記号は次のとおりです。

表04-03　-Fオプションで表示されるファイル種別

| 種類 | 記号 |
|---|---|
| 通常ファイル | なし |
| ディレクトリ | / |
| 実行可能ファイル | * |
| シンボリックリンク | @ |

このうち「シンボリックリンク」についてはCHAPTER05、「実行可能ファイル」についてはCHAPTER09で詳しく解説します。

# 06 コマンドのオプションについて

lsコマンドのオプションについて紹介したところで、Linuxのコマンドにおけるオプション指定の方法についてここで解説しておきます。
コマンドのオプションを指定するルールはコマンドごとに異なるため、まずはコマンドのマニュアルをしっかりと読んでください。ただし、多くのLinuxのコマンドは同じ規則でオプションを指定できるように設計されているため、相当「あまのじゃく」なコマンドでない限り、ここで紹介する方法が利用できることでしょう。

## オプション指定の基本

先の例で見てきたように、オプションはコマンド名の後ろに、スペース区切りで指定します。次の例は-aオプションを指定しています。

```
ls -a
```

オプションは2つ以上指定することもできます。この場合、別々にスペース区切りで書いてもかまいませんし、-の後ろにまとめて書くこともできます。次の例は、-aオプションと-Fオプションを同時に指定する例で、どちらも同じように動作します。

```
ls -a -F
ls -aF
```

コマンドの引数とオプションを同時に指定する場合もあります。この場合は、先にオプションを書き、後にコマンドへの引数を書きます。次の例は、-aオプションと-Fオプションを指定しつつ、/（ルートディレクトリ）を引数としている例です。

▼オプションとコマンドの引数を同時に指定する

```
$ ls -a -F /
./             bin@   etc/   lib64@  opt/   run/   sys/  var/
../            boot/  home/  media/  proc/  sbin@  tmp/
.autorelabel   dev/   lib@   mnt/    root/  srv/   usr/
```

## 引数を取るオプション

オプション自体が引数を取ることもあります。たとえばlsコマンドの-wオプションは、指定した数値の横幅で表示するオプションです。

▼オプション自体が引数を取る例。30桁指定で表示

```
$ ls -w 30
bin   lib    proc  sys
boot  lib64  root  tmp
dev   media  run   usr
etc   mnt    sbin  var
home  opt    srv
```

この場合、30桁で表示するよう指定しています。この「30」はlsコマンドへの引数ではなく、オプションへの引数です。

なお、引数を取るオプションでは、**オプションと引数の間のスペースは省略可能**です。つまり、次の2つの例は同じ意味です。

```
ls -w 30
ls -w30
```

## ロングオプション

一般的にオプションは「ハイフン ＋ 英数字1文字」で指定されますが、「--...」とハイフン2文字ではじまるオプションもあります。たとえば次の例は、--quote-nameというオプションを指定している例です。このオプションを指定すると、ファイル名を"（ダブルクォート）で囲んで表示します。

▼ロングオプションの例

```
$ ls --quote-name
"bin"   "etc"   "lib64"  "opt"   "run"   "sys"  "var"
"boot"  "home"  "media"  "proc"  "sbin"  "tmp"
"dev"   "lib"   "mnt"    "root"  "srv"   "usr"
```

Chapter 04 ファイルとディレクトリ

この形式は、オプションを長い名前で指定するためロングオプションと呼ばれます。ロングオプションは、他のオプションと重複せずに一意に特定できる範囲まで文字列を省略可能です。たとえばlsコマンドのロングオプションには、「quote」という文字列で始まるオプションは他にはありませんから、次のように--quoteだけ指定すれば--quote-nameを指定したと解釈されます。

```
ls --quote
```

ロングオプションは単語で構成されることから一目で内容がわかりやすいため、既に1文字のオプションが用意されている機能でも、別名としてロングオプションが用意されていることもあります。たとえば、先ほど紹介した横幅指定のオプション-wは、ロングオプションとして--widthとしても指定できるようになっています。

**引数を取るロングオプションでは、引数との間にスペースを入れるか、もしくは=記号で引数を指定**します。次の2つの例は同じ意味で、どちらも横幅を30桁で表示します。

```
ls --width 30
ls --width=30
```

**おわりに**

pwdとcdとlsの3つのコマンドを覚えるだけでも、Linuxのあちこちのディレクトリを探検して、どんなファイルあるかを見て回ることができます。

次の章に進む前に、皆さんが興味のあるディレクトリに移動して、どんなファイルがあるかを確認してみてください。cdコマンドとlsコマンドはLinuxを使う上で非常に利用頻度の高いコマンドですから、しっかりと慣れておきましょう。

# Chapter 05 ファイル操作の基本

この章では、ファイルの作成・コピー・削除などファイル操作の基本を学びます。WindowsやmacOSをふだん使っている方は、これらのファイル操作をマウスで行うことに慣れていることでしょう。そのため、コマンドを用いたCLIでのファイル操作はずいぶんと面倒に感じるかもしれません。しかしファイル操作のコマンドを一度覚えてしまえば、いちいちマウスでクリックすることの方がむしろ不便に思えてくるはずです。

ここで紹介するコマンドは、どれもLinuxを使う上でよく出てくる基本的なものばかりです。ぜひ覚えておきましょう。

# 01 mkdirコマンド ――ディレクトリを作成する

これから、さまざまなコマンドを用いてファイル操作の練習をしていきます。この際にファイルがあちこちに散らかってしまわないよう、まずはホームディレクトリ内に練習用のディレクトリを作っておきます。ここでは、「work」という名前のディレクトリを作ることにしましょう。

新しくディレクトリを作るには、mkdirコマンドを使います。

書式 ディレクトリを作成する

```
mkdir [オプション] <作成するディレクトリ名>
```

ではさっそくホームディレクトリの下に、練習用のworkというディレクトリを作ってみましょう。ホームディレクトリに戻るには、cdコマンドを引数なしで実行すればよいと前章で見ましたね。

▼mkdirコマンドでworkディレクトリを作成

```
$ cd
$ mkdir work
```

ディレクトリが正しく作成できたかどうか、lsコマンドにファイル種別を付加する-Fオプションを付けて確認してみてください。

▼workディレクトリが作成できたかを確認

```
$ ls -F
memo.txt   temp   work/   ←「work」ディレクトリが作成された
```

既にホームディレクトリに他のファイルやディレクトリがある場合は、例のようにwork以外のものも表示されるかもしれません。また、CentOS Stream 9などで日本語設定を選択した際には、ホームディレクトリ配下にディレクトリが自動的に作られるため、次のような「ドキュメント」などのディレクトリが一緒に表示されます。

▼CentOS Stream 9で日本語設定した場合の表示

```
$ ls -F
work/          テンプレート/   ドキュメント/   音楽/   公開/
ダウンロード/   デスクトップ/   ビデオ/         画像/
```

いずれにしろ、ここでは、**work/**という表示があることさえ確認できれば問題ありません。本章以降、**さまざまな作業はすべてこのworkディレクトリの中で行います。**

なおディレクトリ作成の際に、既に同名のファイルが存在する場合には、次のようにmkdirコマンドが失敗します。

▼ファイルと同名のディレクトリは作れない

```
$ mkdir temp
mkdir: ディレクトリ `temp' を作成できません: ファイルが存在します
```

実はLinuxの内部では、ディレクトリはファイルの一種として扱われています。そのため、既存のファイル名と同名のディレクトリを作ることはできません。

それでは、これからさまざまなファイル操作の練習をしていきますから、練習用ディレクトリの中で作業することにしましょう。cdコマンドで、先ほど作ったworkディレクトリに移動しておいてください。

▼練習用のworkディレクトリに移動

```
$ cd work
```

## 深いディレクトリを一気に作成する

何階層もある深いディレクトリを作りたいときがあります。この際、指定したパスの途中のディレクトリが存在しない場合には、mkdirコマンドはエラーとなってしまいます。

▼途中のディレクトリがない場合のエラー表示

```
$ mkdir report/2014/01
mkdir: ディレクトリ `report/2014/01' を作成できません: そのようなファイルやディレクトリはありません
```

このように深いディレクトリを一気に作りたいときは、存在しない親ディレクトリも含めてディレクトリを作成する-pオプションを指定します。

▼-pオプションを指定

```
$ mkdir -p report/2014/01
```

こうすれば、report、2014というディレクトリを事前に作っておく必要はありません。

# 02 touchコマンド ――ファイルを作成する

ファイル操作を練習していく手始めとして、まずはファイルを1つ作ってみましょう。Linuxでファイルを作成する方法はたくさんありますが、ここではtouchコマンドを利用します。

touchコマンドは、次のように引数で指定した名前のファイルを作成します。複数のファイルをまとめて作成したい場合は、スペースで区切って並べてください。

**書式** ファイルを作成する

```
touch <新しいファイル名1> <新しいファイル名2>...
```

touchコマンドは、中身が何も書かれていない空っぽのファイルを作成します。

それでは次のようにtouchコマンドの後にlsコマンドを実行して、ファイルが作成されていることを確認してみてください。

▼touchコマンドによるファイル作成

```
$ ls                ← ファイルが何もない
$ touch newfile     ← ファイルを作成
$ ls
newfile             ← newfileというファイルができている
$
```

本来touchコマンドは、ファイルのタイムスタンプ(日時)を更新するためのコマンドです。しかし、この際、対象のファイルが存在しない場合には新しくファイルを作成するという動きをするため、今見たように単純に空ファイルを作成するためにもよく利用されます。

touchコマンドでのファイル作成は、間違って既存のファイル名を指定しても、**内容が上書きされたり削除されたりしない**ため安全です。

# 03 rmとrmdirコマンド ――ファイル・ディレクトリを削除する

先ほどはファイルを作成しましたから、今度はファイルを削除してみましょう。ファイルの削除には、rmコマンドを利用します。

書式 ファイル／ディレクトリを削除する

```
rm [オプション] <削除するファイル名1> <削除するファイル名2>..
```



なお削除するファイル名を指定するときには、CHAPTER04で紹介したようにTabキーで補完すると便利です。次の例のように、先ほど作成したnewfileをrmコマンドで削除してから、lsコマンドを実行してファイルの削除を確認してみましょう。

▼削除するファイル名をTabキーで補完する

```
$ ls
newfile              ← newfileというファイルがある
$ rm ne              ← ここでTabキーを押す
$ rm newfile         ← 補完されたのでこのまま実行
$ ls
$                    ← ファイルが削除されたので何も表示されない
```

## 複数ファイルの削除

rmコマンドでは、ファイル名を複数指定して一度に削除することもできます。次の例では、file1、file2、file3という3つのファイルをまとめて削除しています。

▼複数ファイルを指定してまとめて削除

```
$ touch file1 file2 file3    ← ファイルを3つ作成する
$ ls
file1 file2 file3
$ rm file1 file2 file3       ← まとめて削除
$ ls
                             ← 削除された
```

また、CHAPTER04で紹介した*などのパス名展開を利用して、複数ファイルを指定することもよく行われます。次の例では、拡張子が.htmlのファイルをまとめて削除しています。

▼拡張子.htmlのファイルをまとめて削除

```
$ rm *.html
```

## ディレクトリの削除

rmコマンドでディレクトリを削除しようとすると、次のようにエラーとなります。

▼rmコマンドでのディレクトリ削除エラー

```
$ mkdir dir1  ← dir1ディレクトリを作成
$ rm dir1
rm: `dir1' を削除できません: ディレクトリです
```

rmコマンドでディレクトリを削除するには、**再帰的にディレクトリツリーを削除する-rオプション**を指定します。

なおこの際、削除対象ディレクトリの中のファイルやディレクトリもまとめて削除されてしまうため注意が必要です。次の例では、ディレクトリdir1内に残っていたファイルが、dir1削除と一緒に消えています。

▼ディレクトリを削除すると、中のファイルも一緒に削除される

```
$ touch dir1/file1 dir1/file2 dir1/file3  ← dir1の中にファイルを3つ作成
$ ls dir1
file1 file2 file3  ← ディレクトリの中にファイルがある
$ rm -r dir1  ← -rオプションでディレクトリを削除する
$ ls dir1
ls: dir1 にアクセスできません: そのようなファイルやディレクトリはありません
```

このため、ディレクトリを削除する前には、必ずその中に必要なファイルが残っていないかを確認するようにしましょう。

## 削除前の確認

WindowsやmacOSでは、削除したファイルはいったん「ごみ箱」に入るため、間違って削除したファイルはごみ箱から取り出して元に戻すことができます。しかしLinuxのrmコマンドにはこのような機能はありません。**rmコマンドを実行するとファイルは本当に削除されてしまう**ため、コマンドの実行前には常に注意を払う必要があります。

またここまで見てきたように、rmコマンドでファイルを削除するときは、「本当に削除しますか？」などの確認を求めてこないことにも注意してください。これはLinuxのコマンドが、「削除するという命令を指示されたので、言われたとおりに削除すればよい。余計な問い合わせは無駄である」というシンプルな発想に基づいて作られていることが理由です。

多くのLinuxのコマンドは命令をそのまま実行することを原則としているため、たとえばシステムを破壊するような危険なコマンドであっても、入力したコマンドはそのまま実行されます。それでは困るという慎重な人向けに、rmコマンドでは-iオプションを付けると、本当に削除してよいか確認を求めるようになります。

▼-iオプションを付けると削除確認をしてくれる

```
$ rm -i file1
rm: 通常の空ファイル `file1' を削除しますか?
```

ここでYESを意味するyまたはYを入力した後にEnterを押すと、ファイルが削除されます。

ただし-iオプションに慣れてしまうと、削除対象ファイルの確認がおろそかになるため、注意が必要です。皆さんが-iオプションを付けるにしろ付けないにしろ、rmコマンド実行前にはその削除対象をきちんと確認するのが大原則でしょう。

## 空のディレクトリを削除する

rmコマンドと似たコマンドに、rmdirというコマンドがあります。これは空のディレクトリを削除するコマンドです。次のように、引数に削除したいディレクトリ名を指定します。

書式 空のディレクトリを削除する

```
rmdir <ディレクトリ名>
```

rmdirコマンドは、**中にファイルがあるディレクトリを削除しようとしてもエラーとなる**点がrmコマンドとの大きな違いです。

▼空でないディレクトリにrmdirを実行するとエラーとなる

```
$ rmdir dir1
rmdir: `dir1' を削除できません: ディレクトリは空ではありません
```

次の例は、ディレクトリdir1の中に.hiddenという隠しファイルが残っているため、rmdirコマンドがエラーとなっています。

▼誤って、隠しファイルが残っているディレクトリにrmdirしたがファイルは無事

```
$ ls dir1   ◀── 何も表示されないのでファイルはないと判断(誤り)
$ rmdir dir1
rmdir: `dir1' を削除できません: ディレクトリは空ではありません
$ ls -a dir1
.  ..  .hidden   ◀── 実は隠しファイルが残っていた
```

この例ではlsコマンドでファイルがないと誤って判断し、rmdirコマンドを実行してしまいましたが、rmdirコマンド実行後も.hiddenファイルはそのまま残っています。

CHAPTER04のlsコマンドの解説でも触れましたが、Linuxではファイル名の**先頭が.（ドット）で始まるファイル**は隠しファイルとして扱われるため、lsコマンドには-aオプションを付けないと隠しファイルが表示されません。rmdirコマンドを使うと、中にファイルが残っていることに気がつかずにディレクトリを誤って削除してしまう事故を防ぐことができます。

# 04 catコマンド
## ——ファイルを表示する

ファイルが作成できるようになったので、次はファイルの内容を表示してみましょう。これにはcatコマンドがよく利用されます。

書式 ファイルの内容を表示する

```
cat [オプション] <ファイル名>
```

次の例は、touchコマンドで作成したnewfileというファイルの内容を、catコマンドで表示しています。

▼新規作成した空ファイルを表示

```
$ touch newfile
$ cat newfile
$ ←――――何も表示されない
```

touchコマンドで作成した直後のファイルなので、newfileの内容は空です。そのため何も表示されませんでした。

これではつまらないので、何か内容のあるファイルを表示してみましょう。/etcディレクトリ配下にはテキスト形式で書かれた多くの設定ファイルがあります。この中のhostnameというファイルを表示してみましょう。

▼/etc/hostnameファイルの内容を表示

```
$ cat /etc/hostname
localhost.localdomain
$
```

これはホスト名を設定するファイルですから、読者の環境によって表示される内容は上の例とは異なるかもしれません。

もう少し長いファイルとして、crontabというファイルも表示してみましょう。これはコマンドを自動実行するための設定ファイルです。

▼/etc/crontabファイルの内容を表示

```
$ cat /etc/crontab
SHELL=/bin/bash
PATH=/sbin:/bin:/usr/sbin:/usr/bin
MAILTO=root

# For details see man 4 crontabs
....(省略)....
```

## ファイルを連結して表示する

catコマンドでは、一度に複数のファイルを指定することができます。この際には、ファイルごとに区切り記号は入らず、ファイルの内容が順番に表示されます。

▼2つのファイルをまとめて表示する

```
$ cat /etc/hostname /etc/crontab
localhost.localdomain  ◀── /etc/hostnameの内容
SHELL=/bin/bash                      ┐
PATH=/sbin:/bin:/usr/sbin:/usr/bin   │
MAILTO=root                          ├── /etc/crontabの内容
                                     │
# For details see man 4 crontabs     │
....(省略)....                       ┘
```

つまり**catコマンドで複数ファイルを指定すると、ファイルを連結して表示する**ことができます。ファイルの内容を表示するコマンド名が、typeとかprintではなくcatというのはずいぶん変だと思われたかもしれませんが、これはconCATenate(連結する)の略なのです。

## 行番号を表示する

catコマンドでよく使われるオプションに、行番号を付けて内容を表示する-nオプションがあります。プログラムのソースコードや、何かのリストを表示するときに役立つでしょう。

▼-nで行番号を表示する

```
$ cat -n /etc/crontab
     1 SHELL=/bin/bash
```

```
     2 PATH=/sbin:/bin:/usr/sbin:/usr/bin
     3 MAILTO=root
     4
     5 # For details see man 4 crontabs
....(省略)....
$
```

## ファイルを指定しない場合

catコマンドで、引数にファイルを指定しないとどうなるでしょうか。

▼ファイル名を指定しないでcatコマンドを実行

```
$ cat
                    ここでカーソルが止まって動かなくなる
```

コマンド実行後、カーソルが止まってしまいプロンプトも表示されなくなります。ここで慌てずに、何か文字列を入力してEnterキーを押してみましょう。

▼入力した文字が表示される

```
$ cat
Hello          Helloと入力した
Hello          Helloと表示された
               再び、カーソルが止まる
```

上の例ではキーボードからHelloと入力すると、そのままHelloと表示されました。このようにcatコマンドは、引数にファイルを指定しないときには、キーボードからの入力を待つようになります。

このままではcatコマンドが終了できません。キーボードからの入力終了を指示するには、Ctrl + dを押します。

▼Ctrl + dでcatコマンドから抜ける

```
$ cat
Hello
Hello

               Ctrl + dを入力
$              プロンプトに戻った
```

catコマンドだけでなく、他にも多くのLinuxのコマンドは、入力ファイルを指定しないとキーボードからの入力を受け付けます。この仕組みと利用方法については、CHAPTER11で詳しく解説します。

# 05 lessコマンド ――スクロール表示する

catコマンドは、単にファイルの内容をそのまま表示するだけでした。そのため表示したいファイルの行数が多い場合には、1画面に収まりきらなくなります。このような長いファイルの内容を見たいときには、lessコマンドを使います。

**書式** ファイルの内容をスクロール表示する

```
less [オプション] <ファイル名>
```

lessコマンドは引数に指定したファイルの内容を**1画面ごとに表示して、上下にスクロールする**ことができます。ここでは例として、/etc/bashrcというbashのシステム設定ファイルを見てみましょう。

▼/etc/bashrcの内容をスクロール表示する

```
$ less /etc/bashrc
```

なお、ディストリビューションによっては/etc/bashrcではなく/etc/bash.bashrcというファイルが用意されていることもあります。その場合は/etc/bashrcの代わりに/etc/bash.bashrcを指定してください。

環境によって量は多少違いますが、CentOS Stream 9の/etc/bashrcファイルは約90行あります。そのためlessコマンド起動直後は次のように、ファイルの1行目から画面に収まるところまでだけが表示されています。

図05-01 lessコマンドによるファイル表示

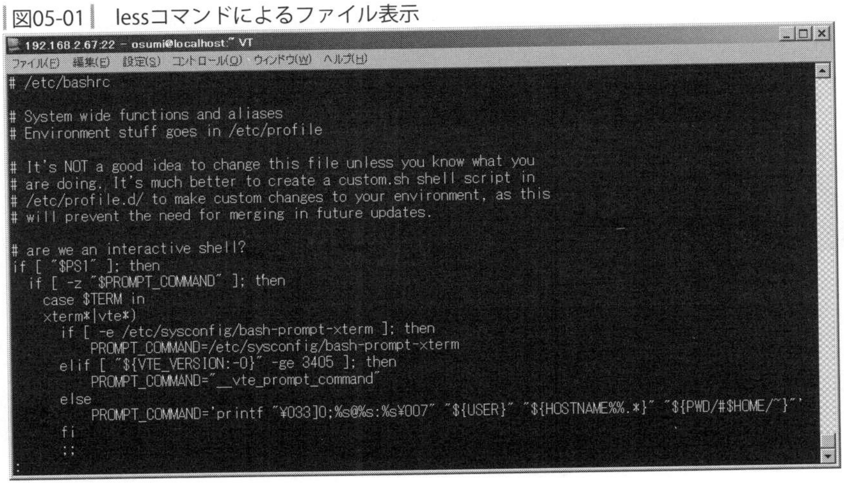

lessコマンドでファイルの内容を表示中に、以下のようなキー操作で画面表示を制御することができます。

表05-01　lessコマンドのスクロール操作

| コマンド | 内容 |
|---|---|
| スペースキー、f、Ctrl + v | 1画面下にスクロールする |
| b、Meta + v | 1画面上にスクロールする |
| j、Ctrl + n、Enterキー | 1行下にスクロールする |
| k、Ctrl + p | 1行上にスクロールする |
| q | lessコマンドを終了する |

1つの操作に複数のキーが割り当てられているためなかなか複雑ですが、まずは最初に紹介したスペースキーとbキーによる上下スクロールと、qキーによる終了の操作だけを覚えれば十分です。

## ファイル内の検索

lessコマンドでは、現在開いているファイルから文字列を検索することもできます。ファイルを表示中に**「/」を入力する**と、画面の一番下の行が、検索文字列の入力欄に変わります。

▼ファイル表示中に「/」キーを押す

```
...(省略)...
# It's NOT a good idea to change this file unless you know what you
# are doing. It's much better to create a custom.sh shell script in
...(省略)...
/
```

画面の一番下に入力欄が表示される

この**「/」の後ろに、検索したい文字列を入力してEnterキーを押す**と、指定した文字列をファイルの中から検索することができます。次の例では、ファイルからetcという文字列を検索します。

▼etcという文字列を検索する例

```
...(省略)...
/etc
```

検索すると、見つかった文字列の場所まで自動的にスクロールします。検索結果が複数ある場合には、nを押すたびに次の検索結果まで移動します。逆に1つ前の検索結果に戻るには、Nを押します。これらlessコマンドでの検索に使う操作を、次の表にまとめておきます。

表05-02 lessコマンドの検索操作

| コマンド | 内容 |
|---|---|
| /<文字列> | 下方向に向かって検索する |
| ?<文字列> | 上方向に向かって検索する |
| n | 次の検索結果に移動する |
| N | 前の検索結果に移動する |

これ以外にもlessコマンドにはたくさんの機能や操作方法があるので、使い方のヘルプを表示する機能が組み込まれています。lessのヘルプを見たい場合は、lessコマンドを起動中にhまたはHを押します。

▼lessコマンドのヘルプを表示

```
                    SUMMARY OF LESS COMMANDS

      Commands marked with * may be preceded by a number, N.
      Notes in parentheses indicate the behavior if N is given.
      A key preceded by a caret indicates the Ctrl key; thus ^K is ctrl-K.

  h  H                 Display this help.
  q  :q  Q  :Q  ZZ     Exit.
...(省略)...
```

使い方を忘れたり新しい使い方を学びたいときは、こちらのヘルプを参考にしてください。qを押すとヘルプを終了して元のファイルを表示している状態に戻ります。

lessコマンドは、コマンドの出力結果やファイルを閲覧するときに、非常によく使われるコマンドです。よく練習して操作に慣れておきましょう。

# 06 cpコマンド ——ファイル／ディレクトリをコピーする

ファイルをコピーするためには、cpコマンドを使います。

書式 ファイル／ディレクトリをコピーする

```
cp ［オプション］ <コピー元> ... <コピー先>
```

次の例では、file1をfile2という名前でコピーします。

▼ファイルを別名でコピーする

```
$ touch file1              ← file1を作成する
$ cp file1 file2           ← file1をfile2という名前でコピー
$ ls -F
dir1/ file1 file2          ← file2が作成された
```

コピー先にディレクトリを指定した場合には、コピー元のファイルをそのディレクトリ内に、同一ファイル名でコピーします。次の例では、カレントディレクトリのfile1というファイルを、dir1というディレクトリの中にコピーします。

▼ファイルをディレクトリへコピーする

```
$ cp file1 dir1
$ ls dir1
file1          ← コピーされた
```

なお、ディレクトリ内にファイルをコピーする際には、複数のファイルをまとめて指定できます。この際cpコマンドは、引数の最後に指定したディレクトリへファイルをコピーします。次の例では、ディレクトリdir2に、file1、file2、file3の3つのファイルがコピーされます。

▼複数のファイルをディレクトリへコピーする

```
$ touch file3                        ← file3を作成
$ mkdir dir2                         ← ディレクトリdir2を作成
$ cp file1 file2 file3 dir2          ← 3つのファイルをdir2へコピー
$ ls dir2
file1  file2  file3
```

複数ファイルをまとめてコピーする際には、パス名展開(→P.61)を使うと便利です。次の例は、拡張子txtのファイルをまとめてディレクトリbackupdirにコピーします。

▼パス名展開を使った複数ファイルのコピー

```
$ cp *.txt backupdir
```

## コピーの際に、上書き確認をする

cpコマンドは、コピー先のファイルが既に存在していたとしても、確認などせずにそのまま上書きしてしまいます。

▼コピー先のファイルを上書き

```
$ ls
file1  file2          ← 今、file1とfile2という2つのファイルがある
$ cp file1 file2      ← file1をfile2という名前でコピーする
$                     ← 正常にコマンドが実行され、元のfile2というファイルは上書きされて消えてしまった!
```

そのためコピー前にはlsコマンドやlessコマンドで、コピー先のファイルが存在しないか、存在するならそれが消えてしまってよいのか、きちんと確認する必要があります。

なおcpコマンドに上書き確認をして欲しい場合には、rmコマンドと同様に-iオプションを利用するとよいでしょう。cpコマンドに**-iオプションを付けると、コピー先ファイルが存在する場合に本当に上書きしてよいかを確認**されるようになります。確認時に、yまたはY (Yes) を入力することで上書きされます。

▼-iオプションで上書き確認をする

```
$ ls
file1  file2                       ← 今、file1とfile2という2つのファイルがある
$ cp -i file1 file2                ← cpコマンドに-iオプションを付けて実行
cp: `file2' を上書きしますか? y    ← 上書き確認がされたのでy (yes) を入力
$                                  ← 正常にコマンドが実行され、ファイルが上書きコピーされた
```

## ディレクトリのコピー

cpコマンドでは、ディレクトリをコピーしようとするとエラーになります。

▼ディレクトリをコピーできない

```
$ cp dir2 dir3
cp: ディレクトリ `dir2' を省略しています
$
```

そのためディレクトリをコピーするときは、再帰的にコピーを実行する-rオプションを指定する必要があります。

この場合、ディレクトリdir3が存在していなければ、dir2をdir3という名前でコピーします。一方、dir3というディレクトリが既に存在している場合には、コピー先にディレクトリを指定したとみなされ、dir2をdir3の中に名前を変えずにコピーします。

なお-rオプションでディレクトリをコピーすると、コピー元ディレクトリの中にあったファイルやディレクトリもすべて含めたままコピーされます。

▼ディレクトリをコピーする

```
$ ls -F
dir1/  dir2/  file1  file2  file3    ← 現在dir3というディレクトリはない
$ ls dir2
file1 file2 file3    ← dir2の中にはファイルが3つ入っている
$ cp -r dir2 dir3    ← -rオプションでdir2をdir3という名前にコピーする
$ ls dir3
file1 file2 file3    ← 新しくできたディレクトリdir3の中にも、ファイルが3つ入っている
```

# 07 mvコマンド
## ——ファイルを移動する

ファイルを移動するには、mvコマンドを利用します。

mvコマンドの使い方はcpコマンドと似ており、移動先がファイルかディレクトリかで意味が変わります。

書式 ファイル／ディレクトリを移動する

```
mv ［オプション］<移動元>... <移動先>
```

<移動元>、<移動先>の両方にファイル名を指定した場合、ファイル名の変更をしているのと同じことになります。

それでは、まず練習用に「mvtest」というディレクトリを作り、その中にfile1というテスト用のファイルを作成しておきましょう。

▼テスト用のディレクトリとファイルを作成

```
$ mkdir mvtest    ← テスト用のディレクトリを作成
$ cd mvtest
$ touch file1
```

次の例では、カレントディレクトリのfile1というファイルを、file2という名前にして移動します。元のfile1というファイルは存在しなくなります。

▼ファイル名を変更する

```
$ mv file1 file2
$ ls
file2
```

<移動元>にファイル名、<移動先>にディレクトリ名を指定した場合は、<移動先>の中に<移動元>を移動します。次の例ではfile1というファイルを、ディレクトリdir1の中に移動しています。

▼移動先がディレクトリの例

```
$ mkdir dir1
$ touch file1          ← ファイルfile1を新たに作成
$ mv file1 dir1        ← file1というファイルを、ディレクトリdir1の中に移動
$ ls dir1
file1                  ← dir1の中にfile1が移動した
```



なお次の例のように、<移動先>がディレクトリの場合には、cpコマンドと同じように複数のファイルを一度に移動させることもできます。

▼複数ファイルの移動

```
$ touch file1 file2 file3
$ mv file1 file2 file3 dir1    ← file1,file2,file3をまとめてdir1に移動
$ ls dir1
file1 file2 file3              ← まとめて移動できた
```

いずれの形式でも､移動元からファイルは存在しなくなるという点に注意してください。

移動先のファイルが既に存在する場合、確認なしに上書きされてしまうというのもcpコマンドと同じです。-iオプションを付けると、cpコマンドと同様に、上書きする前に確認を求められるようになります。

▼-iオプションで上書き前に確認をする

```
$ touch file1 file2
$ mv -i file1 file2
mv: `file2' を上書きしますか? y    ← 確認にyと答えると上書きされる
$
```

なおディレクトリを移動させる際には、cpコマンドと違って-rオプションを指定する必要はありません。移動元としてディレクトリを指定するだけで、そのディレクトリの下にあるファイルもまとめて移動することができます。

▼移動元にディレクトリを指定する

```
$ mkdir dir2
$ ls dir1
file1 file2 file3    ← dir1の下には、file1,file2,file3という3つのファイルがある
$ mv dir1 dir2       ← dir1をdir2の下に、ディレクトリごと移動
$ ls dir2/dir1       ← dir2の下の、dir1にあるファイルを表示
file1 file2 file3
```

# 08 lnコマンド
## ――リンクを張る

lnコマンドは、リンクを張るコマンドです。

書式 リンクを張る

```
ln [オプション] <リンク元ファイル名> <リンク名>
```

ここでリンクという言葉がはじめて出てきました。lnコマンドの使い方の前に、まずはこのリンクの意味について説明しましょう。

## リンクとは

Linuxのファイルシステムでは、**ファイルに別名を付ける**ことができます。この機能をリンクと呼び、別名を付けることを「リンクを張る」と表現します。

リンクには、「ハードリンク」と「シンボリックリンク」の2種類があります。現在はシンボリックリンクが使われることが多く、ハードリンクが必要な場面は限定的です。本書の範囲では、リンクが必要な場面はすべてシンボリックリンクを利用すればよいでしょう。

なおファイルの別名と聞いて、Windowsの「ショートカット」やmacOSの「エイリアス」を連想された方もいるかもしれません。シンボリックリンクは、まさにこれと似た機能を提供します。

以下に、ハードリンクとシンボリックリンクについて、それぞれ詳しく見ていきましょう。

## ハードリンク

次の例は、/etc/crontabをコピーしたfile1というファイルに対して、file2という名前でハードリンクを作成する例です。

▼ハードリンクfile2を作成

```
$ cp /etc/crontab file1
$ ls
file1
$ ln file1 file2          ← ハードリンクfile2を作成
$ ls
file1    file2            ← file2ができた
```

これにより、別のコマンドからファイル名としてfile2を指定すると、元のfile1にアクセスできるようになります。

▼ハードリンクを指定してコマンドを実行

```
$ cat file2
....(file1の内容が表示される)....
```

上のcatコマンドではfile2を指定していますが、元々のfile1の内容が表示されます。もちろん、file1を指定しても、file1の内容が表示されます。つまりハードリンクとは、**1つのファイルの実体に複数の名前を付ける機能**です。

|図05-02| ハードリンクとは

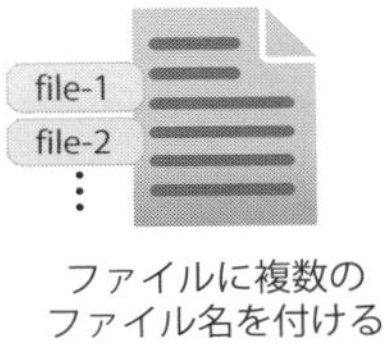


ハードリンクで追加したファイル名は、どちらが本物の名前でどちらが仮の名前、という区別はありません。敢えて言えば、「どちらも本物の名前」です。

### ❖ ハードリンクの削除

rmコマンドでハードリンクを作成したファイルを削除すると、指定したファイル名だけが取り除かれ、ファイルの実体は残ったままとなります。

▼ハードリンクで複数の名前が付いているファイルの削除

```
$ rm file1     ←  file1を削除
$ ls
file2          ←  ハードリンクで作ったファイル名が残っている
$ cat file2
....(元のfile1の内容が表示される)....
```

ハードリンクを持つファイルの実体は、次のように**すべてのハードリンクがなくなったときに削除**されます。

▼ハードリンクを持つファイル実体の削除

```
$ rm file2     ←  file2を削除
$ ls
$              ←  すべてのハードリンクがなくなったため、
                  ファイル実体も削除された
```

ハードリンクは複数のファイル名を付ける機能ですから、それらのファイル名すべてがなくなったときにファイルの実体も削除されるというわけです。

## シンボリックリンク

ハードリンクは、ディレクトリに対して作成できなかったり、異なるディスク間をまたがることができないなどいくつかの制限があります。一方、シンボリックリンクはこのような制限を受けないため、現在はこちらの方がよく使われます。

lnコマンドに**-sオプション**を付けると、シンボリックリンクを作成できます。次の例は、/etc/crontabをコピーしたfile1というファイルに対して、file2という名前でシンボリックリンクを作成する例です。

▼シンボリックリンクfile2を作成

```
$ cp /etc/crontab file1
$ ln -s file1 file2
```

シンボリックリンクのリンク先を確認するには、lsコマンドで-lオプションを指定します。次のように、どのファイルを指しているかが矢印で表示されます。

▼シンボリックリンクをls -lで確認

```
$ ls -l
合計 4
-rw-rw-r-- 1 osumi osumi 15 10月  3 23:33 file1
lrwxrwxrwx 1 osumi osumi  5 10月  4 00:00 file2 -> file1
```

コマンドでファイル名の代わりにシンボリックリンクを指定すると、そのリンク先のファイルにアクセスできます。

▼シンボリックリンクを指定してコマンドを実行

```
$ cat file2
....(file1の内容が表示される)....
```

このようにシンボリックリンクとは、**リンク先のパス名が書かれた小さな特殊ファイル**です。ハードリンクとは違い、**リンク先がファイルの実体であり本物のファイル**です。

|図05-03| シンボリックリンクとは

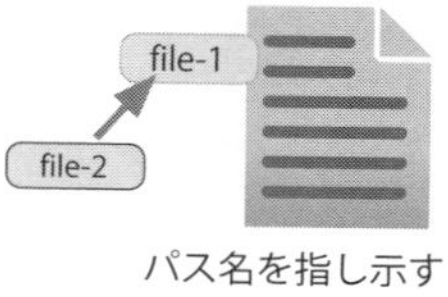

### シンボリックリンクの削除

シンボリックリンクを削除するには、rmコマンドを利用します。この際、リンク先のファイルには何も影響を与えません。

▼シンボリックリンクを削除

```
$ rm file2   ← シンボリックリンク[file2]を削除
$ ls
file1        ← 元のファイル実体だけが残った
$
```

なお、シンボリックリンクを残したまま、リンク先の実体ファイルを削除することもできます。この場合には、シンボリックリンクはリンク先がなくなり、「リンクが壊れた」状態となります。

▼壊れたシンボリックリンク

```
$ ln -s file1 file2
$ ls -l
合計 4
-rw-rw-r--. 1 osumi osumi 58 10月 25 23:28 file1
lrwxrwxrwx. 1 osumi osumi  5 10月 25 23:29 file2 -> file1
$ rm file1    ← シンボリックリンクを残したまま、リンク先のファイルを削除
$ ls -l
合計 0
lrwxrwxrwx. 1 osumi osumi 5 10月 25 23:29 file2 -> file1
$ cat file2   ← 壊れたリンクを指定してコマンド実行するとエラーになる
cat: file2: そのようなファイルやディレクトリはありません
```

シェルの設定にもよりますが、この際には`ls -l`での表示は、リンクが壊れている警告として赤色になります。

## リンクの利用方法

lnコマンドの使い方をここまで解説してきました。最後に、作成したリンクは実際どのように活用すればよいのかを見ていきましょう。

リンクにはいろいろな利用方法がありますが、ここではその中から代表的な利用例を2つ紹介します。

### 長いパス名を省略する

次の例では、「local/work/code/project/source」という深いディレクトリに、sourceという名前でシンボリックリンクを作っています。

▼深いディレクトリへのシンボリックリンク

```
$ ln -s local/work/code/project/source source
$ cd source ◀── 深いディレクトリにすぐ移動できる
```

このように長いパス名を持つファイルやディレクトリへリンクを作成しておけば、簡単にアクセスできて便利です。

### 複数バージョンのプログラムを共存させる

プログラムをインストールする際に、バージョン番号をディレクトリ名に付加することで複数バージョンを共存させる場合があります。

▼複数バージョンをシンボリックリンクで管理

```
$ ls -l
合計 0
lrwxrwxrwx 1 osumi osumi 6 10月  4 00:42 latest -> v1.0.1
-rw-rw-r-- 1 osumi osumi 0 10月  4 00:42 v1.0.0
-rw-rw-r-- 1 osumi osumi 0 10月  4 00:42 v1.0.1
```

上の例では、Ver.1.0.0とVer.1.0.1をインストールしており、latestというシンボリックリンクがVer.1.0.1に向いています。ふだんはこのlatestというパスでプログラムを利用します。

もしVer.1.0.1に問題があることがわかり、Ver.1.0.0に戻したい場合は、latestのリンク先を「v1.0.0」にするだけですぐに元に戻すことができます。

**おわりに**

この章では、基本的なファイルの操作について解説しました。このような操作は、Linuxでどのような作業をするにしても常に必要となります。そのため、練習用のファイルで実際に試して慣れておいてください。

# Chapter 06

# 探す、調べる

CHAPTER05で紹介したように、Linuxはたくさんのファイルやディレクトリから構成されています。これまでに実行してきたlsやcpなどのコマンドも、実行ファイルと呼ばれるファイルとして配置されています。これらのシステムファイルに加えて、Linuxで作業をしていると、ユーザは自分でもあちこちに多くのファイルを作ることになります。これらファイルの場所をすべて覚えておくのは、とうてい無理な話でしょう。

そのために、Linuxにはファイルやディレクトリを探すためのコマンドが用意されています。ファイルの場所を覚えようとするよりも、これらのコマンドを使ってファイルを素早く探し出せるようになることが大事です。

この章では、ファイルを探すためのさまざまな方法を学びます。またそれと合わせて、コマンドの使い方がよくわからないときにその利用方法を調べる方法も学びましょう。本書を読み進めるうえでよくわからない場面が出てきたら、この章の内容を思い出して、ファイルやコマンドについて詳しく調べてみてください。

# 01 ファイルを探す

ファイルを探すために、これからfindとlocateという2つのコマンドを紹介します。どちらもよく利用されるコマンドですから、ぜひ使い方を知っておいてください。

## findコマンド - ディレクトリツリーからファイルを探す

findは、その名のとおりファイルを探すコマンドです。このコマンドは他のコマンドに比べてオプション指定の方法が少々難しいため、ここで詳しく解説します。

まずはfindコマンドの基本的な使い方を覚えましょう。今まで見てきたコマンドとは、ちょっと変わった引数を指定します。

**書式** ファイルを探す

```
find <検索開始ディレクトリ> <検索条件> <アクション>
```

findコマンドを実行すると、引数で指定した<検索開始ディレクトリ>を起点として、<検索条件>を満たすファイルを探し、<アクション>を実行します。なお検索条件に何も指定しなかった場合には、すべてのファイルとディレクトリが対象となります。

たとえば次の例では、**.**（カレントディレクトリ）を起点として、「file-1.txt」という名前を持つファイルを探してそのパスを表示します。

図06-01 findコマンドの例

上の例では、<検索条件>として`-name file-1.txt`を指定しており、これでファイル名を絞り込んでいます。findコマンドで使える検索条件については、後ほど詳しく解説します。

また、<アクション>には-printを指定しています。これはパス名を表示するアクションで、findコマンドでもっともよく使われる基本的なアクションです。アクションがない場合には-printが指定されたとみなされますから、省略してもかまいません。

先ほどのfindコマンドを実行すると、次のように結果が表示されます。

▼file-1.txtを検索してパスを表示

```
$ mkdir -p dir1/doc
$ touch file-1.txt dir1/doc/file-1.txt    ← テスト用のファイルを作成
$ find . -name file-1.txt -print
./file-1.txt
./dir1/doc/file-1.txt
```

見つかったファイルのパス名が表示されており、ここでは2つのファイルが見つかったようです。このようにfindコマンドでは、指定したディレクトリの直下のファイルだけでなく、**ディレクトリツリーを順に下りながら検索条件に一致するファイルすべてを表示**します。そのため、深いディレクトリにあるファイルも簡単に探し出すことができます。

findコマンドで利用可能な検索条件にはたくさんの種類がありますが、次に、その中でも特によく使われる「-name」「-iname」「-type」の3つを紹介します。

### ファイル名で探す（-name、-iname）

findコマンドでファイル名を指定してファイルを探すには、検索条件に-nameもしくは-inameを指定してファイル名を与えます。-nameはファイル名の大文字小文字を区別しますが、-inameは区別しません。大文字小文字の区別以外、-nameと-inameは同じ動きをします。

ファイル名の指定には、ワイルドカードとして*と?が利用できます。パス名展開と同じく、*は任意の文字列、?は任意の1文字に一致します。

たとえば、次の例ではファイル名の末尾が.txtであるファイルを検索します。

```
find . -name '*.txt' -print
```

なお-nameで*や?を利用する際には、上の例のように**''（シングルクォート）を必ず付けて**ください。これは、*などの記号がbashのパス名展開と解釈されないようにするためです。

もし*などの記号をクォートせずにそのまま使うと、*がbashのパス名展開とみなされ、展開後のファイル名で置き換えられた文字列がfindコマンドに渡されてしまいます。たとえば図06-02は、カレントディレクトリに「file-1.txt」「readme.txt」という2つのファイルがある状態で、ワイルドカードを''で囲まなかった例です。

図06-02 findコマンドの誤ったワイルドカード指定

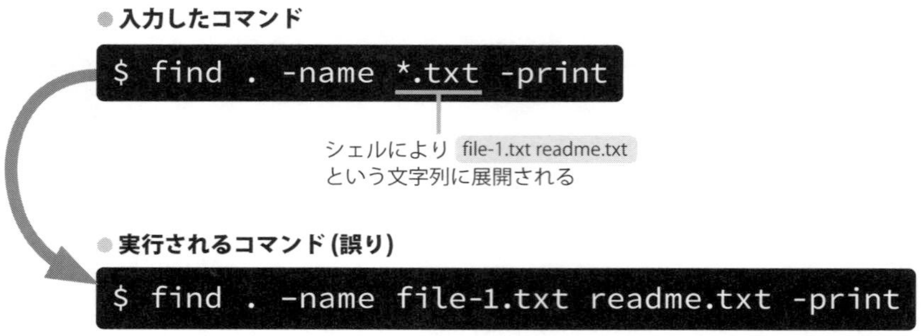


このため上の例では、-name引数に2つのファイルを指定したことになり、次のようにエラーとなります。

▼ワイルドカードをクォートしなかったためエラー

```
$ find -name *.txt -print
find: パス名は評価式の前に置かなければいけません: readme.txt
使用法: find [-H] [-L] [-P] [-Olevel] [-D help|tree|search|stat|rates|
opt|exec] [path...] [expression]
```

これを防ぐためには、*や?を含む単語を''（シングルクォート）か""（ダブルクォート）で囲みます。**''や""で囲んだ内部の文字列にはbashのパス名展開が行われない**ため、`*.txt`という文字列をそのままfindコマンドに渡すことができます。

findコマンドに限らず、*などのシェルが解釈する文字（メタ文字と呼びます）をコマンドに渡したいときには、**どこまでをシェルが展開してどのような文字列でコマンドが実行されるか**、ということを意識する必要があります。

### ファイルの種類で探す（-type）

先ほどの-nameではファイル名で絞り込みました。「-type <ファイルタイプ>」と指定することで、ファイルの種別により検索条件を絞り込むこともできます。指定できるファイルタイプは多くありますが、まずは次の3種類だけ覚えておけば十分でしょう。

表06-01 ファイル種別を-typeで指定

| 指定 | ファイル種別 |
|---|---|
| -type f | 通常ファイル |
| -type d | ディレクトリ |
| -type l | シンボリックリンク |

次の例では、カレントディレクトリ以下にあるディレクトリのみを表示しています。

-type dを指定しているのでディレクトリだけが表示され、通常のファイルは表示されません。

▼カレントディレクトリの下にあるディレクトリを列挙

```
$ find . -type d -print
.
./dir1
./dir1/doc
```

### 複数の検索条件の指定（-a）

findコマンドでファイルを探すとき、検索条件を-a（AND）で区切って並べることで、複数の検索条件を同時に指定するAND検索ができます。

次の例では通常ファイルであり、かつ、ファイル名が.txtで終わるファイルのみが表示されます。「readme.txt」という名前のディレクトリがあっても、表示されません。

図06-03　複数の検索条件を-aで指定

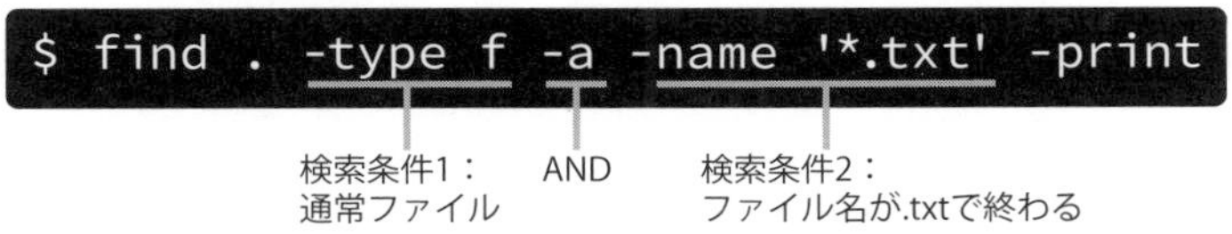


なお、-aは省略可能です。次のように単に検索条件を並べて書いてもAND検索になります。

```
find . -type f -name '*.txt' -print
```

## locateコマンド - ファイル名データベースからファイルを探す

locateは、パス名の一部を指定してファイルを探すためのコマンドです。この際、ファイル名を専用のデータベースから検索するため、ディスクをスキャンしてファイルを探すfindコマンドに比べて非常に高速に検索することができます。

locateコマンドは初期状態のLinuxにはインストールされていない場合も多いため、まずはコマンドを利用できるようにするための準備をしておきましょう。

### インストール

はじめに、locateコマンドがお使いのLinuxに入っているかどうかを確認してください。次のように--versionオプションを付けてlocateコマンドを実行し、コマンドが見つからない場合にはインストールの必要があります。

▼locateコマンドのインストールを確認

```
$ locate --version
-bash: locate: コマンドが見つかりません
```

上の例でバージョン番号が表示されるようならば、既にインストールされていますから後述のupdatedbのみ行います。

locateコマンドは、CentOS Streamではmlocateというパッケージに含まれます。P.18で解説したsuコマンドを使ってrootユーザとなり、次のようにdnfコマンドを実行してインストールします。

▼CentOS Streamでのlocateインストール

```
# dnf install mlocate
...(省略)....
Is this ok [y/d/N]: y  ← yを入力
```

なお、Ubuntuの場合はplocateというパッケージに含まれます。aptコマンドを使ってインストールします。

▼Ubuntuでのlocateインストール

```
$ sudo apt install plocate
```

これらdnfおよびaptコマンド、およびパッケージについて詳しい解説は、CHAPTER20を参照してください。

locateコマンドをインストールした直後は、ファイルパス一覧がデータベースに登録されていません。そのため次のようにrootユーザでupdatedbコマンドを実行して、データベースを作成する必要があります。

▼データベースの作成

```
# updatedb
```

通常はlocateコマンドをインストールすると、updatedbが定期的に実行されるように設定されます。そのため、これ以降はupdatedbを手動で実行しなくても、自動的にデータベースが更新されます。

### ファイルの検索

それでは、locateコマンドでファイルを検索してみましょう。

**書式** ファイルを検索する

```
locate [オプション] <検索パターン>
```

次の例では、「bash」という文字列を含むパス名を検索しています。皆さんの環境でも実際に試してみてください。かなり短い時間で検索が終了したのではないでしょうか。

▼「bash」という文字列を含むパス名を検索

```
$ locate bash
/etc/bash_completion.d
/etc/bashrc
/etc/bash_completion.d/tuned.bash
/etc/bash_completion.d/yum
/etc/bash_completion.d/yummain.py
/etc/skel/.bash_logout
...（省略）...
```

前に紹介したfindコマンドは、実行するたびにディレクトリツリーを下ってすべてのファイルを探します。そのため、特に大量のファイルが格納されているディスクを検索すると大変時間がかかります。一方locateコマンドでは事前にファイルパスのデータベースが作られており、この**データベースだけを検索するため、高速に動作**します。findコマンドならば何分もかかるような検索であっても、locateコマンドならば数秒で終わることもあります。

なおlocateコマンドはインストール時に、ファイルパスのデータベースを1日1回作成するように設定されます。このため､次のようなケースがありえることには注意が必要です。

- locateコマンドで表示されたファイルが実際にはディスク上に存在しない
- locateコマンドでは表示されないのに、ディスクにファイルが存在する

たとえば、たった今作成したばかりのファイルは、データベースに入っていないためlocateコマンドで見つけることはできません。

このためlocateコマンドは、システムにあらかじめインストールされているファイルや、何日か前に作ったままのファイルなど、**作成してからしばらく経ったファイルを見つけるのに向いています**。

### ❖ さまざまな検索方法の指定

locateコマンドでの検索方法を、もう少し詳しく見てみましょう。

検索パターンは、findと同様に*でワイルドカードを指定できます。次の例では、.sedで終わるファイルを検索しています。

▼拡張子.sedのファイルを検索

```
$ locate '*.sed'
/usr/share/gettext/po/boldquot.sed
/usr/share/gettext/po/quot.sed
/usr/share/groff/1.22.2/font/devps/generate/symbol.sed
```

検索パターンで大文字小文字を無視させたいときは、-iまたは--ignore-caseオプションを使います。次の例では、notesだけでなくNOTESなど大文字のファイルも検索されます。

▼大文字小文字を区別しない

```
$ locate -i notes
/usr/share/anaconda/pixmaps/rnotes
/usr/share/anaconda/pixmaps/rnotes/en
...（省略）...
/usr/share/doc/authconfig-6.2.8/NOTES
/usr/share/doc/dhcp-common-4.2.5/RELNOTES
```

ファイル名だけを検索対象にするには、-bまたは--basenameオプションを利用します。次の例では、pythonという名前を含むファイルを検索しています。

▼ファイル名だけを対象に検索

```
$ locate -b python
/usr/bin/python
/usr/bin/python2
/usr/bin/python2.7
/usr/include/python2.7
/usr/lib/python2.7
/usr/lib64/libpyglib-gi-2.0-python.so
...（省略）...
```

（/usr/include/python2.7 ← -bを付けないと、これらのディレクトリ配下のファイルがすべて表示されてしまう）

通常、locateコマンドでは、指定したパターンがファイルパスのどこかに含まれていれば一致したものとみなされて表示されます。たとえば上の例では、/usr/include/python2.7や/usr/lib/python2.7というディレクトリはpythonという文字列を含むため、このディレクトリ下にあるファイルはファイル名に関係なく、すべて表示されてしまいます。

しかしここでは-bオプションを指定しているので、たとえば「/usr/include/python2.7/pyconfig-64.h」というファイルは表示されません。-bオプションを利用することで途中のパス名に関係なく、ファイルの名前そのものに一致したファイルだけが表示されるようになります。

### ❖ 複数の検索パターン指定

ここまで検索パターンは1つだけ指定してきましたが、同時に複数の検索パターンを指定することもできます。複数指定をするとOR検索となり、少なくとも1つの検索パターンに一致するファイルが表示されます。次の例では、docsまたはdocumentというどちらかの文字列を含むファイルを表示しています。

▼複数の検索パターンを指定するとOR検索になる

```
$ locate docs document
/usr/lib/python2.7/site-packages/setuptools/command/upload_docs.py
/usr/lib/python2.7/site-packages/setuptools/command/upload_docs.pyc
/usr/lib/python2.7/site-packages/setuptools/command/upload_docs.pyo
/usr/share/doc/python-decorator-3.4.0/documentation.py
/usr/share/doc/python-setuptools-0.9.8/docs
...（省略）...
```

なお、複数の検索パターンを指定して、それらすべてのパターンに一致する検索（AND検索）をさせたい場合は、-Aまたは--allオプションを利用します。

▼複数の検索パターンすべてを含むようAND検索する

```
$ locate -A bash doc
/usr/share/doc/bash-4.2.45
/usr/share/doc/bash-4.2.45/COPYING
/usr/share/doc/tmux-1.8/examples/bash_completion_tmux.sh
/usr/share/doc/util-linux-2.23.2/getopt-parse.bash
```

# 02 コマンドの使い方を調べる

これまでlsやcat、findなどいくつかのコマンドを紹介してきました。Linuxを使う上でコマンドの使い方を知ることはとても大事ですが、本書ですべてのコマンドのすべての利用方法について解説することはとてもできません。

この本に載っていない、コマンドのオプションや使い方を調べたいときはどうすればよいでしょうか。現在ならばGoogleなどで検索するというのも1つの手ですが、それよりもまずはじめに、**Linuxシステム自身に含まれている使い方の説明を読む**ことをお勧めします。

Linuxではコマンドそれぞれが簡単なヘルプメッセージを持ちますし、独立したマニュアルも別途インストールされています。コマンドの使い方をすべて覚えておかなくても、調べ方さえ知っていれば必要に応じていつでも参照できます。

## --helpオプション

多くのLinuxのコマンドでは、--helpというオプションが使用できます。このオプションを指定すると、コマンド自身のヘルプメッセージを表示します。次の例は、catコマンドで--helpオプションを指定したものです。

▼catコマンドのヘルプを表示

```
$ cat --help
使用法: cat [オプション]... [ファイル]...
ファイル、または標準入力を連結し、標準出力に出力します。

  -A, --show-all           -vETと同じ
  -b, --number-nonblank    空行を除いて行番号を付け加える。-n より優先される
  -e                       -vEと同じ
  -E, --show-ends          行の最後に $ を付け加える
  -n, --number             すべての行に行番号を付け加える
...（省略）...
```

表示されるヘルプメッセージはコマンドによって異なりますが、おおよそ以下の内容で構成されています。

- 使用方法（オプションや引数の指定方法）
- コマンドの概要
- 利用可能なオプション一覧とその意味
- その他の参考資料の紹介

このオプションはコマンド名さえ知っていれば手軽に使用方法が確認できるので、よく利用されます。初めて使うコマンドは、まず--helpオプションを指定して概要を理解しておくとよいでしょう。

## manコマンド - マニュアルを表示する

manは、指定したコマンドのオンラインマニュアルを表示するコマンドです。ここでオンラインマニュアルとは電子化されたマニュアルという意味であり、ネットワーク上のマニュアルをWebブラウザで見るわけではありません。

manはLinuxにおいてもっとも基本的なマニュアルであり、また歴史も古く、ほとんどのコマンドにはmanのマニュアルが用意されています。manのマニュアルでは先ほど紹介した--helpオプションよりも詳しい解説がされているため、コマンドをきちんと理解するためにはmanを参照しましょう。また、manはコマンドのマニュアルだけでなく、Linuxの設定ファイルやライブラリなどのマニュアルも含まれています。

manコマンドは、次のような書式で使います。

**書式** コマンドについて調べる

```
man <調べたいコマンド名>
```

ここまで何度か使ってきたcatコマンドのmanを見てみましょう。

▼catコマンドについて調べる

```
$ man cat
```

manを起動するとlessコマンドを使ってマニュアルが表示されます。この操作は通常のlessコマンドと同じで、**スペースキーで下にスクロールし、qキーで終了**します。lessコマンドの詳細な使い方はCHAPTER05を参照してください。

以下が、manコマンドで表示したcatコマンドのマニュアルです。

▼catコマンドのマニュアル

```
CAT(1)                     ユーザーコマンド                     CAT(1)

名前
       cat - ファイルの内容を連結して標準出力に出力する

書式
       cat [オプション]... [ファイル]...

説明
       ファイル、または標準入力を連結し、標準出力に出力します。

       -A, --show-all            -vET と同じ

       -b, --number-nonblank
              空行を除いて行番号を付け加える。-n より優先される

...(省略)...


       cat f - g
              最初に f の中身を出力し、次に標準入力を出力します。

              そして g の中身を出力します。

       cat    標準入力を標準出力に複製します。

作者
       作者 Torbjorn Granlund および Richard M. Stallman。

バグの報告
       cat のバグを発見した場合は bug-coreutils@gnu.org に報告してください。
```

```
...（省略）...

著作権
       Copyright c 2012 Free Software Foundation, Inc.  ライセン
       ス GPLv3+: GNU GPL  version  3  or  later <http://gnu.org/
       licenses/gpl.html>.  This is free software: you are free to
       change and redistribute it.  There is NO WARRANTY, to the
       extent permitted by law.

関連項目
       tac(1)

       cat の完全なマニュアルは Texinfo マニュアルとして整備されている。もし、
       info および catのプログラムが正しくインストールされているならば、コマンド

              info cat

       を使用すると完全なマニュアルを読むことができるはずだ。

GNU coreutils                    2012年4月                        CAT(1)
```

catコマンドの--helpオプションで表示した場合に比べて、manでは詳細な説明がされているのがわかると思います。manで閲覧できる内容はコマンドによりさまざまですが、おおよそは以下のとおりとなっています。

表06-02 manの各項目

| 項目 | 内容 |
|---|---|
| 名前 | コマンド名と簡単な説明 |
| 書式 | オプションや引数の指定方法 |
| 説明 | コマンドの詳細説明 |
| オプション | 利用可能なオプション一覧とその使用方法 |
| 例 | 代表的な使い方の例 |
| 環境変数 | 動作を変更するための変数について |
| ファイル | 設定ファイルや関連するファイルについて |
| 関連項目 | 関係のある、または動作が似ているコマンドについて |
| バグ | 不具合について |

man自身も1つのコマンドなので、マニュアルが用意されています。次のコマンドでmanのマニュアルを見てみましょう。

▼manについて調べる

```
$ man man
```

先ほど紹介したことも含めて、詳細な説明が書かれています。ひょっとすると皆さんの環境では、manのマニュアルと本書の解説が食い違っているかもしれません。そういうときはmanのマニュアルを信用してください。

書籍やWeb上の資料などももちろん参考になりますが、バージョンアップによって新しいオプションが追加されているかもしれませんし、コマンドに特殊な設定をしているディストリビューションもあります。使っているコンピュータに含まれているオンラインマニュアルはそのような事情も反映して更新されていますから、**まずはmanのマニュアルを参照するのが原則**です。

### ❖ キーワードからマニュアルを探す

コマンド名はわからないけれど、このようなことをしたいというキーワードだけはわかる場合があります。そんなときに覚えておくと便利なのが、manコマンドの-kオプションです。

書　式　キーワードで調べる

```
man -k <キーワード>
```

この機能は、キーワードからコマンドを探すためにも利用できます。

次の例は、コピー（copy）という単語で検索したものです。さまざまなコピー関連のコマンドマニュアルが見つかりました。

▼マニュアルをキーワード検索

```
$ man -k copy
cp (1)                  - copy files and directories
cpio (1)                - copy files to and from archives
dd (1)                  - convert and copy a file
File::Copy (3pm)        - Copy files or filehandles
install (1)             - copy files and set attributes
objcopy (1)             - copy and translate object files
scp (1)                 - secure copy (remote file copy program)
ssh-copy-id (1)         - use locally available keys to authorise logins
on a remote machine
xfs_copy (8)            - copy the contents of an XFS filesystem
xfs_metadump (8)        - copy XFS filesystem metadata to a file
xfs_rtcp (8)            - XFS realtime copy command
```

この中から、お望みのマニュアルをmanコマンドで表示すればよいわけです。なおマニュアル名称の後ろにカッコ付きの数字が付いているのは、次で説明するセクション番号です。

### ❖ セクション

先ほどcatコマンドのmanを表示した際に、マニュアルの冒頭に`CAT(1)`と表記されているのに気がついた方がいるかもしれません。このカッコ内の数字は、**マニュアルのセクション番号**です。

セクションは次のとおり9つに分かれています。先ほど見たCAT(1)のように、Linux関連のドキュメントでは、マニュアル名の後ろにカッコ付きの数字を付けることでこのセクション番号を意味する記法が用いられます。

表06-03 manのセクション番号とその内容

| セクション番号 | 内容 |
|---|---|
| 1 | コマンド |
| 2 | システムコール |
| 3 | ライブラリ関数 |
| 4 | デバイスファイル |
| 5 | ファイルの書式 |
| 6 | ゲーム |
| 7 | その他いろいろなもの |
| 8 | システム管理コマンド |
| 9 | カーネルルーチン |

上記のうち、セクション9の「カーネルルーチン」については比較的最近追加されたものなので、読者が使っているディストリビューションによってはセクション8までしかないかもしれません。利用しているLinuxのmanコマンドのマニュアルを見て、確認してみてください。

なお、マニュアルはセクションごとに分かれていますが、違うセクションに同じ名前のマニュアルが存在していることがあります。たとえばcrontabのマニュアルは、crontab(1)とcrontab(5)の2つのセクションに存在しています。この場合、名前だけでなくセクション番号まで指定しないと望みのマニュアルを正しく表示できません。

セクション番号を指定してマニュアルを表示するには、次のようにします。

書式 セクションで調べる

```
man <セクション番号> <名前>
```

なおセクション番号を省略した場合は、複数のマニュアルのうちセクション番号がもっとも小さいものが表示されます。

```
man 1 crontab    ← セクション1（コマンド）のcrontabのマニュアルを表示
man 5 crontab    ← セクション5（ファイル形式）crontabのマニュアルを表示
man crontab      ← 番号が小さいセクションであるcrontab(1)を表示
```

特定のマニュアルページがどのセクションに含まれているかは、manコマンドに-waオプションを指定すれば確認できます。

▼セクション番号のリストを表示

```
$ man -wa crontab
/usr/share/man/man1/crontab.1.gz
/usr/share/man/man5/crontab.5.gz
```

この際にはマニュアルページの実体ファイルのパスが表示されるため、ファイル名の後ろに付いている番号で判断してください。

## helpコマンド - bash組み込みコマンドの使い方を表示する

manについて紹介しましたが、実はmanですべてのコマンドのマニュアルが読めるわけではありません。ここまでに紹介したコマンドの中でも、例えばcdコマンドはmanでマニュアルが表示できないコマンドです。

▼cdコマンドはmanコマンドでマニュアルが表示できない

```
$ man cd
cd というマニュアルはありません
```

なお、環境によってはこの操作でBASH_BUILTINSというマニュアルが表示されることがあります。

これは、cdという独立した実行ファイルがあるわけではなく、bashの中にcdというコマンドが含まれているからです。このようにシェルの中に含まれているコマンドのことを組み込みコマンドと呼びます。

bashの組み込みコマンドのマニュアルは、man bashで表示したマニュアルのSHELL BUILTIN COMMANDSという章に書かれています。しかしbashのマニュアルは文章の量が多く、該当の章を探すのには少々手間がかかります。そのため、代わりにhelpというコマンドを使うと便利です。

helpは、bashの組み込みコマンドのヘルプメッセージを表示するコマンドです。「help <調べたいコマンド名>」という形で使います。例えば、次の例ではcdコマンドのヘルプを表示しています。

▼helpコマンドを使ってcdコマンドのマニュアルを表示

```
$ help cd
cd: cd [-L|[-P [-e]] [-@]] [dir]
    Change the shell working directory.

    Change the current directory to DIR.  The default DIR is the
value of the
    HOME shell variable.

...（省略）...
```

help自身もbashの組み込みコマンドなので、help helpでhelpコマンドの使い方を確認できます。

▼helpコマンドのヘルプメッセージを表示

```
$ help help
help: help [-dms] [pattern ...]
    Display information about builtin commands.

...（省略）...
```

引数を指定しない場合は、helpコマンドで閲覧できる項目の一覧が表示されます。

▼helpコマンドの一覧の表示

```
$ help
GNU bash, バージョン 5.1.16(1)-release (x86_64-pc-linux-gnu)
これらのシェルコマンドは内部で定義されています。`help' と入力して一覧を参照して
ください。
`help 名前' と入力すると `名前' という関数のより詳しい説明が得られます。
'info bash' を使用するとシェル全般のより詳しい説明が得られます。
`man -k' または info を使用すると一覧にないコマンドのより詳しい説明が得られます。

名前の後にアスタリスク (*) がある場合はそのコマンドが無効になっていることを意味
します。

 job_spec [&]                            history [-c] [-d offset] [n] または
history >
 (( expression ))                        if COMMANDS; then COMMANDS; [ elif
COMMANDS;>
 . filename [arguments]                  jobs [-lnprs] [jobspec ...] または
jobs -x c>
...（省略）...
```

bashにはこの本で紹介していないコマンドやオプションがたくさんあります。helpコマンドを使えば手軽に使い方を確認できるので、ぜひ活用してください。

# 03 コマンドを探す

## whichコマンド - コマンドのフルパスを表示する

CHAPTER04で解説したように、Linuxのコマンドはディレクトリツリーのどこかにファイルとして存在しています。たとえばcatコマンドは、/binディレクトリの下に/bin/catというファイルがあります。

▼catコマンドは/bin/catにファイルがある

```
$ ls -lF /bin/cat
-rwxr-xr-x. 1 root root 54048  6月 10 10:04 /bin/cat*
```

しかしここまで見てきたように、catコマンドは、いちいち/bin/catと入力しなくても単にcatと入力しただけで実行できます。これはシェルがコマンドを実行する際に、**$PATHという環境変数に設定された場所から自動的にコマンドを探してくれる**ためです。なお、この環境変数という用語についてはCHAPTER08で解説しますから、ここでは単にコマンドを探す場所がシェルに設定されている、ということだけ理解しておいてください。

シェルがコマンドを探す場所は、次のように確認することができます。

▼コマンドを探す場所の確認

```
$ echo $PATH
/usr/local/bin:/usr/bin:/usr/local/sbin:/usr/sbin:/bin:/sbin
```

このとき表示される文字列は、**コマンドを探すディレクトリを:で連結したもの**です。たとえばcatコマンドを実行しようとすると、シェルの中では次の図のように$PATHで指定されたディレクトリのリストからコマンドを順に探していきます。

図06-04 コマンドの実行ファイルは$PATHから探す

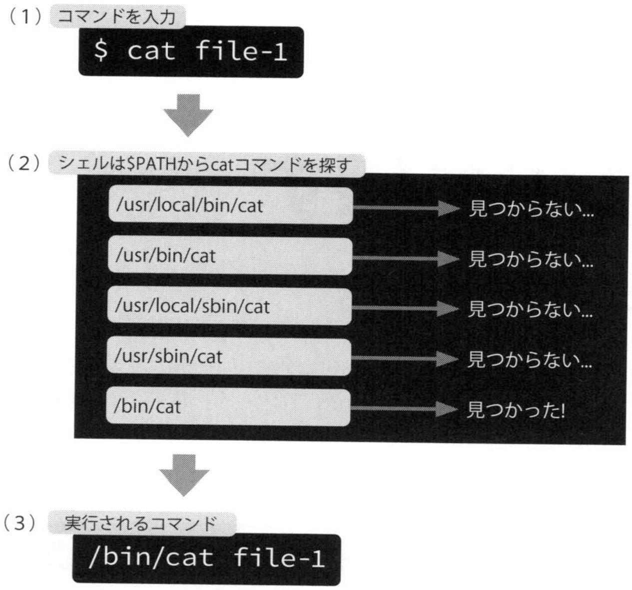


$PATHで設定する、コマンドを探すディレクトリのことを**サーチパス**とかあるいは単に**パス**と呼びます。パスがあるおかげで、コマンドが実際にどこにあるのかを意識せずにコマンド名だけ入力すれば実行できるようになっています。

なおコマンドを入力するとき、シェルが実際にどのファイルを実行するかを確認したいときはwhichコマンドを使います。

**書式** コマンドのフルパスを表示する

```
which [オプション] <コマンド名>
```

whichコマンドは指定されたコマンド名をサーチパスから探して、見つかった実行ファイルのフルパスを表示します。

▼catコマンドのフルパスをサーチパスから検索

```
$ which cat
/bin/cat
```

なお、whichコマンドはパスの中から見つかった最初のコマンドだけを表示します。異なるディレクトリに同じ名前のコマンドが複数配置されているときは、-aオプションを指定するとすべての実行ファイルの場所が確認できます。

▼pingコマンドをすべてのサーチパスから検索

```
$ which -a ping
/usr/bin/ping
/usr/sbin/ping
```

# 04 日本語ドキュメントと英語ドキュメント

本章の最後に、Linuxのドキュメントと日本語対応について簡単に解説しておきましょう。

現在、多くのコマンドのヘルプには日本語ドキュメントが用意されています。シェル上では、言語の設定を日本語にしているとヘルプメッセージなどは日本語で表示されます。日本語設定となっていない環境で日本語を表示させたいときは、次のようにコマンドの前に**LANG=ja_JP.UTF-8**を追加します。

▼日本語を明示的に指定してヘルプ表示

```
$ LANG=ja_JP.UTF-8 cat --help
使用法: cat [オプション]... [ファイル]...
ファイル、または標準入力を連結し、標準出力に出力します。
```

一方、英語で表示させたいときは以下のように先頭に**LANG=C**を付けます。LANG=Cとはデフォルトの設定を意味しており、Linuxのデフォルト言語は事実上英語ですから、英語のヘルプが表示されます。

▼英語を明示的に指定してヘルプ表示

```
$ LANG=C cat --help
Usage: cat [OPTION]... [FILE]...
Concatenate FILE(s), or standard input, to standard output.
...以下省略...
```

これらの言語設定はヘルプメッセージに限ったものではないため、他のコマンドでも同様に言語を切り替えて指定できます。なお、このLANGの操作を頻繁に使うようならば、CHAPTER08で紹介する「環境変数」を参考にLANGの値を環境変数として設定しておくとよいでしょう。

残念ながら、日本語のヘルプは英語と比べて一部不正確な場合があります。たとえばコマンドがバージョンアップして新しいオプションが追加されても、英語のヘルプには説明が書かれているのに日本語のヘルプは翻訳が追いつかずにそれがない、ということがあります。また、そもそも日本語に翻訳されておらず英語のヘルプしかない場合もあります。

そのため、正確な情報や新しい情報を得るためには英語のメッセージを読むことが大切です。新しいコマンドに出合ったら、英語のドキュメントにも目を通してみましょう。

**おわりに**

この章では、ファイルを探したりコマンドの使い方を調べる方法について解説しました。本書で紹介しているコマンドにもいろいろなオプションや機能があるので、ぜひヘルプメッセージやmanコマンドを確認してみてください。

また、infoコマンドを使うと、manコマンドより詳しいドキュメントが参照できることがあります。正確な情報を得たいという読者は、付録「02 infoドキュメントを読む」を参照してください。

# Chapter 07

# テキストエディタ

Linuxのシステム内には、アプリケーションやLinux自体の設定ファイルなど、たくさんのテキストファイルが含まれています。またアプリケーションによって作成するデータも、多くの場合はテキスト形式で保存されます。これらのファイルを扱うために、テキストエディタの操作には十分慣れておく必要があります。

本章では、Vimというテキストエディタの使い方を学びます。Linux初心者でVimの操作につまずく人は多く、ちょっと操作が難しく感じることもあるかもしれません。しかし、基本的なファイルの編集操作をするだけならば、学ぶべきことは実はそう多くありませんからご安心ください。

# 01 テキストファイルとバイナリファイル

これまでコマンドの練習をすると共にファイルを扱ってきました。これらファイルは、その内容によって**テキストファイル**と**バイナリファイル**の2種類に分けることができます。

テキストファイルとは、その名のとおりテキスト（文字列）が書かれたファイルのことです。たとえば自分で書いたメモやプログラムのソースコード、Webページを作成するHTMLファイルなどはテキストファイルですから、catコマンドやlessコマンドでそのまま表示することができます。CHAPTER05で見た/etc/crontabファイルなどもテキストファイルです。

▼テキストファイルの例 /etc/crontab

```
$ cat /etc/crontab
SHELL=/bin/bash
PATH=/sbin:/bin:/usr/sbin:/usr/bin
MAILTO=root

# For details see man 4 crontabs
... 以下省略 ...
```

一方のバイナリファイルとは、画像ファイルや音声ファイル、Linuxコマンドの実行ファイル（たとえばcatコマンドの実体ファイルである/bin/cat）などです。これらバイナリファイルはテキストで書かれておらず、人が直接読むことを考慮していません。次の図のようにcatコマンドに-vオプションを付けることで無理矢理表示することはできますが、中身を直接読むことはできません。

図07-01　バイナリファイル（/bin/cat）を表示

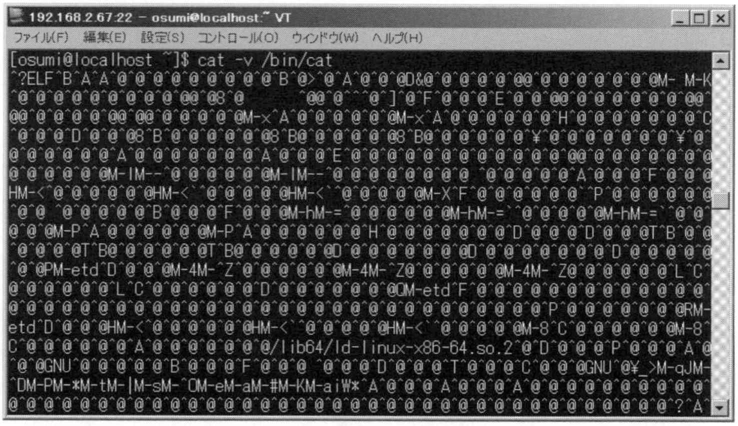

Linuxでは、設定ファイルやアプリケーションのデータファイルなどの多くには、テキストファイルが使われています。たとえばここまで使ってきたbashや、Webサーバとしてよく使われるApacheは、テキストファイルが設定ファイルになっています。これはテキストファイルには、バイナリファイルにはない次のような利点があるためです。

- 専用のアプリケーションを使わなくても内容が容易に理解できる
- 互換性が高く、1つのファイル形式を別のアプリケーションから利用しやすい
- Linuxにはテキストファイルを扱うためのコマンドが多く用意されており、それらの恩恵を受けられる

Linuxを使う上では、テキストファイルの編集は避けてはとおれません。そして、これらテキストファイルを編集するためのアプリケーションがテキストエディタです。テキストエディタは単にエディタとも呼ばれ、Windowsでは「メモ帳」、macOSでは「テキストエディット」がデフォルトでインストールされています。本章では、**「Vim」というLinuxのテキストエディタ**の操作を学びます。

テキストエディタをうまく使いこなせるようになれば、テキスト編集の効率は何倍にも上がり、Linuxも便利に使いこなせるようになります。このように、テキストエディタの役割は非常に重要です。



# 02 Vim ――デフォルトのエディタ

Linux向けのテキストエディタには、数多くの種類があります。その中でも特に有名なものがVimとEmacsの2つです。このうち本章で紹介するVimは、Windowsの「メモ帳」などと比べるとかなり特殊な操作体系を持っています。そのためとっつきにくいエディタであり、使いこなすためには練習と慣れが必要となることは事実です。

しかしVimは、最小限のキー操作でさまざまな編集操作が効率よくできるという特長があります。また、VimはほとんどのLinuxディストリビューションに標準でインストールされており、実質的にLinuxの標準エディタとなっています。

Linuxの環境によっては、Vim以外のエディタがインストールされておらず、Vimを使わざるをえないという状況もあります。そのため本書ではVimについて解説します。

Emacsについては本書では扱いません。書籍やネット上などに多くの情報がありますから、興味のある方はそちらを参照してください。

## Vimのインストール

まずはじめに、Vimがインストールされているか確認しましょう。次のように--version

オプションを付けてvimコマンドを実行してください。なお本書では、**エディタ名称を指すときは「Vim」と先頭を大文字に、コマンド自体を指すときは「vim」とすべて小文字で表記**しています。

▼vimコマンドのインストールを確認

```
$ vim --version
VIM - Vi IMproved 8.2 (2019 Dec 12, compiled Feb 09 2023 00:00:00)
適用済パッチ: 1-2637
Modified by <bugzilla@redhat.com>
Compiled by <bugzilla@redhat.com>
Huge 版 without GUI.  機能の一覧 有効(+)/無効(-)
....(以下省略)...
```

Vimがインストールされていれば、上の例のようにバージョン情報が表示されます。

ここで「コマンドが見つかりません」などのエラーメッセージが表示される場合は、Vimをインストールする必要があります。CentOS Streamでは、CHAPTER01で解説したsuコマンドを使ってrootユーザとなった後に、次のようにdnfコマンドを使ってVimをインストールすることができます。

▼CentOS StreamでVimをインストール

```
# dnf install vim
...(省略)....
Is this ok [y/d/N]: y ◀──── yを入力
```

Ubuntuの場合は、aptコマンドを使ってインストールします。

▼UbuntuでVimをインストール

```
$ sudo apt install vim
```

これらdnfおよびaptコマンドの詳しい使い方については、CHAPTER20を参照してください。

## 起動と終了

それではさっそく、Vimを使ってみましょう。Vimは、**vim**というコマンドで起動します。

▼vimの起動

```
$ vim ◀──── 「vi」でもよい
```

なお、Vimはviというエディタの後継として開発されました。現在では元のviが使われることはほとんどありませんが、互換性のために**vi**という名前でもVimを起動できるようになっています。

現在、多くのLinux関連のドキュメントでは、Vimのことをviと表記しています。そのため「vi」が出てきたら、それはVimのことだと思って読み換えてかまいません。

さて、vimコマンドもしくはviコマンドでVimを起動すると、はじめに次のような画面が表示されます。

▼Vimの起動画面

```
~
~                             VIM - Vi IMproved
~
~                              version 8.2.2637
~                           by Bram Moolenaar 他.
~                     Modified by <bugzilla@redhat.com>
~                Vim はオープンソースであり自由に配布可能です
~
~                      ウガンダの恵まれない子供たちに援助を!
~               詳細な情報は                :help register<Enter>
~
~               終了するには              :q<Enter>
~               オンラインヘルプは        :help<Enter> か <F1>
~               バージョン情報は          :help version8<Enter>
~
```

まず、**Vimで真っ先に学ぶべき操作は、終了の方法**です。Windowsの「メモ帳」などと違い、Vimは「とりあえずなんとなく触ってみればなんとかなる」タイプのエディタではありません。そのため終了操作をきちんと覚えておかないと、シェルに戻れなくなってしまいます。

そのため、せっかくVimを起動しましたが、まず終了してみましょう。Vimを終了するには、次のように「:」(コロン)に続いて「q」を入力します。最後にEnterキーを押してください。

▼Vimの終了コマンド

```
:q <Enter>
```

この際には、画面最下行に入力したコマンドが表示されます。そのため、はじめのコロンを入力した時点で、最下行に「:」が出ていることを確認してください。続いて、qを入力し、最後にEnterキーを押します。これでVimが終了し、シェルに戻ることができます。

なお、このような**:**で始まるコマンドは最後にEnterを押すと実行されますから、これ以降はEnterを省略して書くことにします。

# 03 ファイルを開く／保存する

## キー入力の注意

これからいくつかVimのコマンドを練習しますが、はじめに1つ注意があります。

先ほどの「:q」の入力で見たように、Vimではコマンドをキー入力します。そのためファイルに文字列を書き込むには、文字を入力するためのコマンドを実行する必要があります。皆さんが操作を誤って、この文字を入力するモードになってしまった場合は、コマンドが実行できなくなります。

詳しくは後の「文字の入力」で解説しますが、コマンドが実行できずファイルに直接文字列が入力されるようになってしまった場合は、**Escキーを何度か押してください**。これで、コマンドを入力するモードに戻ってくることができます。

## ファイルを開く

Vimで既存のファイルを開くには、「vim <ファイル名>」という形でファイルを指定します。またこのとき、存在しないファイル名を指定することで新規ファイルを作成することができます。

それでは練習のために、新しいファイルを作ってみましょう。次のように、newfile1.txtというファイルを開きます。

▼ファイル名を指定してVimを起動

```
$ vim newfile1.txt
```

このコマンドを実行すると、Vimが起動して、次のようにチルダ(~)が並んだ行がずらりと表示されたと思います。

▼Vimで新規ファイルを開いた画面

```
~
~
~
~
~
~
~
~
~
~
```

```
~
~
~
"newfile1.txt" [新ファイル]                          0,0-1         すべて
```

Vimでは、ファイルの終わり以降の何もない部分を行頭のチルダで表現します。今は内容が空っぽの新しいファイルを開いたばかりなので、行頭にチルダしかない(つまり、何もない)わけです。

## ファイルの保存

では続いて、ファイルを保存してみましょう。**ファイルを保存するには:wコマンド**を使用します。終了操作で練習した:qと同様に、コロンを入力した時点でエディタの最下行に「:」が出ますから、その後ろにwを入力します。

▼Vimでファイルを保存

```
:w
```

ファイルを保存する:wコマンドを入力すると、既存のファイルを開いていた場合には上書き保存され、新しいファイルを開いていた場合はファイルが新規作成されます。また、wの後ろにスペースを空けてファイル名を指定すると、指定したファイル名で保存することができます。今回は新しいファイルを開いて何も入力していないので、内容が空っぽのnewfile1.txtというファイルが作成されます。

:qでVimを終了してから、lsコマンドでファイルが作成されていることを確認してみましょう。

▼ファイルが新規作成された

```
$ ls
newfile1.txt
```

なお、ファイルを開いて内容を編集した後では、:qで終了しようとすると以下のエラーメッセージが表示されます。

▼ファイルを保存していない場合のメッセージ

```
E37: 最後の変更が保存されていません (! を追加で変更を破棄)
```

このような場合は、:wでいったん現在の編集内容を保存してから:qでVimを終了してください。また、現在の編集内容を破棄してVimを終了したい場合(つまり、上書き保存したくない場合)は、「:q!」と後ろに!を付けた終了コマンドを利用します。

ここまでに紹介したコマンドは次のとおりです。これでVimの起動・終了と、ファイル保存までの操作が行えます。

表07-01　Vimの終了・保存コマンド

| コマンド | 内容 |
|---|---|
| :q | Vimを終了する |
| :w | ファイルを上書き保存する |
| :w <ファイル名> | 名前を付けて保存する |
| :q! | ファイルを保存せずにVimを終了する |

# 04 Vimの編集操作

起動・終了ができるようになったところで、Vimを使ったテキストファイルの編集方法について、解説していきます。

## カーソルの移動

まずはVimの基本としてカーソルを移動する練習をしましょう。ここでは、練習用に/etc/crontabというファイルを利用します。このファイルをカレントディレクトリにいったんコピーして、Vimで開きましょう。

▼/etc/crontabを練習用にコピーして開く

```
$ cp /etc/crontab .
$ vim crontab
```

Vimではじめてファイルを開いた直後には、ファイルの先頭にカーソルがあります。Windowsの「メモ帳」などではカーソルキー（矢印キー）でカーソルを移動させますが、Vimで**カーソルを移動するには、h、j、k、lを利用**します。

表07-02　Vimのカーソル移動

| コマンド | 内容 |
|---|---|
| h | 左に移動する |
| j | 下に移動する |
| k | 上に移動する |
| l | 右に移動する |

図07-02　Vimのカーソル移動キー

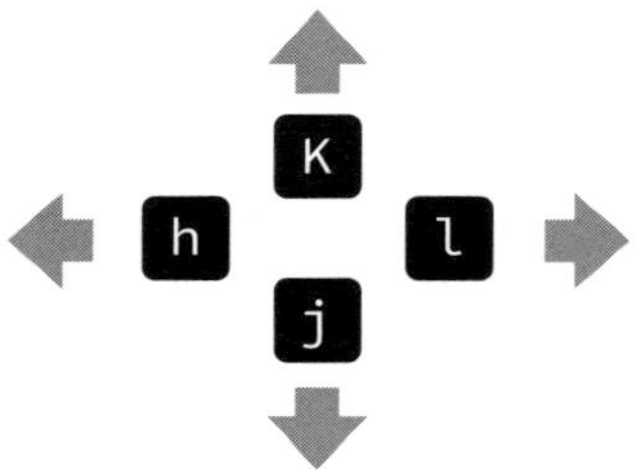

実際にキー入力を試してみるとわかりますが、これら4つのキーはホームポジションから手を動かさずに押せる位置にあります。そのため、慣れると非常に高速にカーソル移動ができるようになります。

カーソルキーを使わないというのは、はじめてVimを使う人にはずいぶんと抵抗を感じるところでしょう。しかし、カーソルキーはキーボードの隅の方にあり、h、j、k、lと比べると非常に押しにくいキーです。そのため、カーソルキーを使っていては、いつまでたってもVimを素早く操作することができません。

Vimは、カーソルキーを全く使わなくても操作できるように作られています。ぜひカーソルキーを使用しない操作に慣れてみてください。

## 文字の削除

ここから、ファイルの内容を編集していきます。まずは文字の削除をしてみましょう。

Vimで**文字を削除するには、xを押します**。これはカーソル位置にある文字を削除するコマンドです。先ほどコピーしたcrontabファイルを開いて、次の行で練習してみましょう。

```
# For details see man 4 crontabs
```

たとえば上の行で、「For」を削除したいとします。そのためには、まずjやlでカーソル位置を「F」のところまで移動させます。この状態でxを押せば、「F」の文字が削除できます。

図07-03 Vimの文字削除

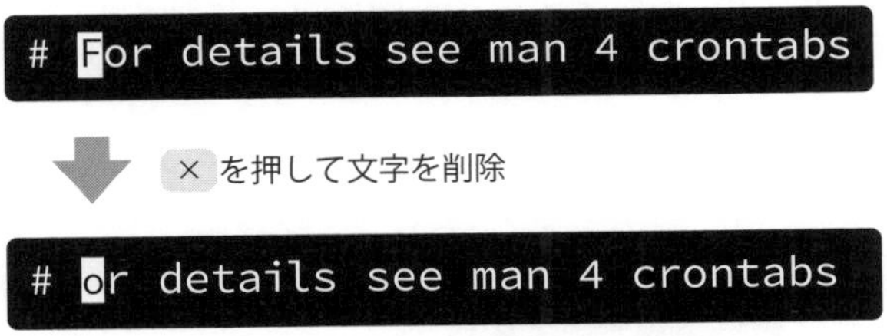


xを1回押すたびに、1文字ずつ削除することができます。次の例では、xを3回押して3文字削除しました。

```
#  details see man 4 crontabs
```

## 文字の入力

次は、文字を入力してみましょう。ここまでさまざまなコマンドを試してみておわかりでしょうが、Vimでは文字キーを押してもコマンドと解釈されるため、そのままでは文字を入力することができません。ファイルに**文字を入力するにはiを使用**します。

それでは先ほど「For」を削除した次の文に、「For」という文字列を入力して元の文に戻してみましょう。

```
#  details see man 4 crontabs
```

まずはjやlを使って文字を追加したい位置までカーソル位置を移動させます。今回の例では「details」の左のスペースの位置までカーソルを移動します。

その状態で**iを押すと、キーボードから入力した文字がそのまま文字列として入力**されるモードになります。そこで、実際に入力したい文字列「F」「o」「r」を入力します。

図07-04　Vimの文字入力

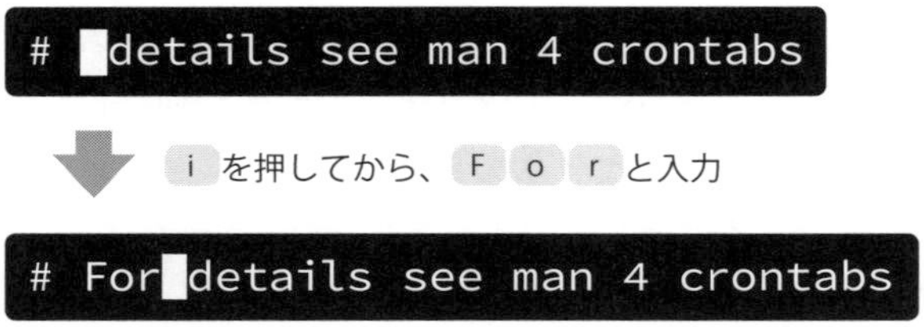


入力したい文字をすべて入力し終わったら、Escキーを押します。これで文字の入力ができました。

このように、Vimでは文字の入力方法が他のエディタと大きく異なっています。これはVimに「モード」があるためです。先ほどのiを押してからEscキーを押すまでの、テキスト入力ができる状態のことを**インサートモード**と呼びます。一方、Escキーを押すとインサートモードが終わって、コマンド入力ができる元の状態に戻ります。この元の状態のことは**ノーマルモード**と呼びます。

図07-05　Vimのモード

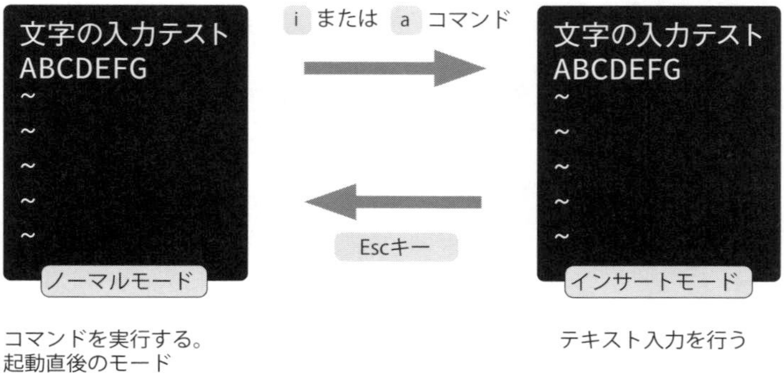

なお、iコマンドの後に入力した文字は、元のカーソル位置の左側に追加されます。これとは逆に、**カーソルの右側に文字を入力したい場合は、iの代わりにaを使用**します。次の図は、aコマンドで末尾に「!」を追加している例です。

図07-06　カーソル位置の右側に文字を入力

```
# For details see man 4 crontabs
```

a を押してから、 ! と入力

```
# For details see man 4 crontabs!
```

iでは行の末尾に文字を入力できませんから、その際はaを使う必要があります。aを押して文字を入力し終えたら、iと同様にEscキーを押してノーマルモードに戻ります。

ここまでで紹介したVimのコマンドを以下にまとめます。これだけでも最低限のテキストファイルの編集はできますから、この表のコマンドだけはしっかり覚えておいてください。

表07-03　Vimの基本的なコマンド

| コマンド | 内容 |
|---|---|
| :q | Vimを終了する |
| :w | ファイルを上書き保存する |
| :q! | ファイルを保存せずに終了する |
| h | 左に移動する |
| j | 下に移動する |
| k | 上に移動する |
| l | 右に移動する |
| x | カーソル位置の文字を削除する |
| i | カーソル位置の左に文字を追加する |
| a | カーソル位置の右に文字を追加する |

# 05 便利なカーソル移動

ここからは、より便利にVimを操作するためのコマンドを紹介します。

## 単語単位でのカーソル移動

hやlでは1文字単位でしか移動できませんから、もう少し大きな単位で移動するコマンドを紹介しましょう。

**次の単語の先頭に移動するには、wコマンドを利用**します。たとえば、以下の例で先頭の「#」のところにカーソルがあったとします。

```
# For details see man 4 crontabs
```

この状態からwを押すと、次の単語「For」の先頭の文字である「F」に移動します。それ以降もwを押すたびに「d」、「s」というふうに次の単語の先頭に移動していきます。またこれとは逆に、後ろの単語に移動するにはbを押します。

図07-07 文字単位でカーソル移動

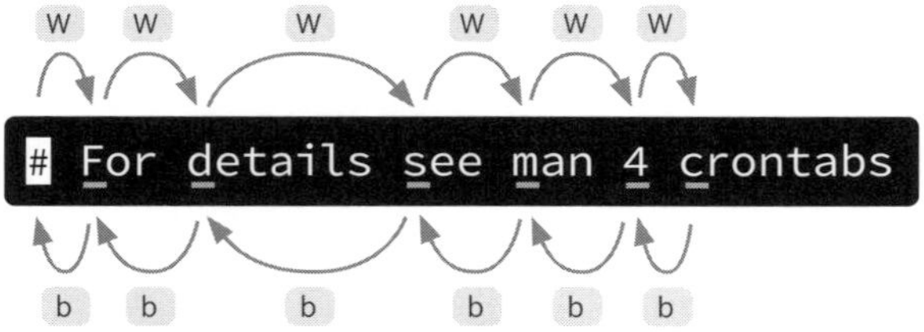


なおちょっと細かい話になりますが、Vimではスペース以外にも,や(などの記号も単語の区切りとみなされます。たとえば、「can't」という文字列は「can」「'」「t」という3つの単語に分かれます。

そのため、次の例のように「You can't do that」という行の先頭にカーソルがあったとすると、wを押すたびに「c」、「'」、「t」、「d」、「t」とカーソルが移動します。

図07-08 スペース以外も文字区切りとなる

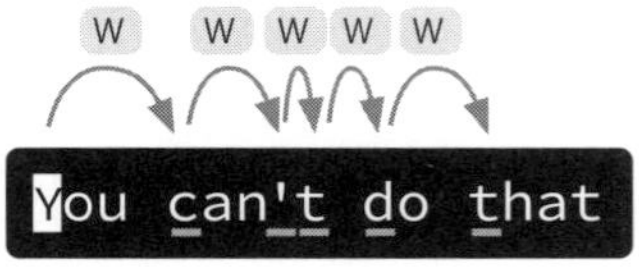

この移動が細かすぎるというときは、代わりにW（Shiftを押しながらw）やB（Shiftを押しながらb）コマンドが使用できます。

Wはスペースだけを単語の区切りとみなして前の単語に移動し、Bは後ろの単語に移動します。

表07-04　単語単位のカーソル移動コマンド

| コマンド | 内容 |
|---|---|
| w | 前方に単語1つぶん移動する |
| b | 後方に単語1つぶん移動する |
| W | スペース区切りで前方に単語1つぶん移動する |
| B | スペース区切りで後方に単語1つぶん移動する |

## 行頭／行末への移動

Vimではカーソルを行頭や行末にも移動することができます。**0を押すと行の先頭、$を押すと行の末尾**に移動します。

表07-05　行頭／行末へのカーソル移動コマンド

| コマンド | 内容 |
|---|---|
| 0 | 行頭に移動する |
| $ | 行末に移動する |

図07-09　行頭／行末へ移動]

なお1行が長くて画面上では折り返されている場合でも、$を押せば折り返しに関係なく末尾まで一気に移動します。

## 行番号での移動

大きなテキストファイルを扱う際には、行番号を指定して移動すると便利です。「<行番号>G」と押すと、指定した行番号へカーソルを移動することができます。

たとえば「100G」と入力すれば、ファイルの100行目に移動します。なお、この際のコマンドGは大文字ですから、実際は「100」を入力した後に「Shift + g」と入力することに注意してください。

図07-10　行番号での移動

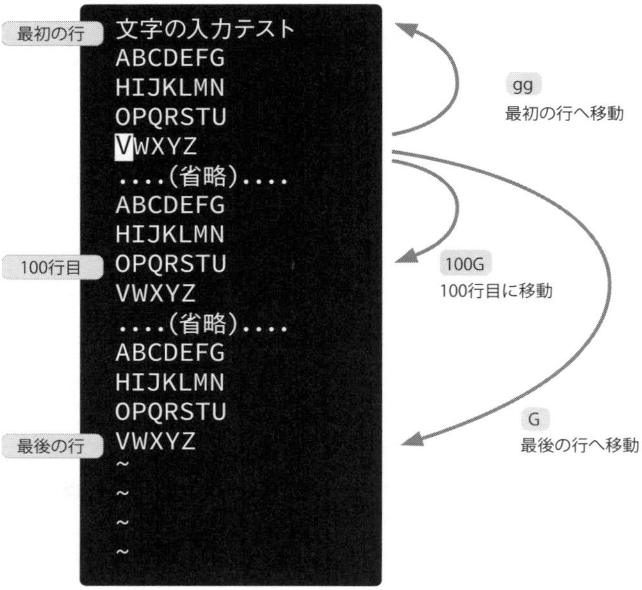


また、ファイルの最初と最後へは移動する機会が多いため、行番号を指定せずに簡単に移動できるようコマンドが用意されています。**ファイルの最初の行へはggで、ファイルの最後の行へはGで**移動することができます。

表07-06　行番号指定でのカーソル移動コマンド

| コマンド | 内容 |
|---|---|
| gg | 1行目に移動する |
| G | 最後の行に移動する |
| <数字>G | <数字>行目に移動する |

# 06 カット、コピー、ペースト

他の一般的なテキストエディタと同じように、Vimでも文章の切り取りや貼り付けなどのカット＆ペースト（コピー＆ペースト）ができます。ただしVimでは、これら「コピー」などの呼び方が他のエディタとは少々異なります。たとえばカット（切り取り）は、Vimではデリートと呼びます。

これらの切り取りや貼り付けに関するVimでの呼び方を、次の表にまとめておきます。

表07-07 Vimでのカット／コピー／ペーストの呼び方

| 一般的なエディタでの名称 | Vim での名称 |
| --- | --- |
| カット | デリート(delete) |
| コピー | ヤンク(yank) |
| ペースト | プット(put) |

それでは、実際にこれらの操作をVimで行ってみましょう。まずはデリートから紹介します。

## デリート

デリートするには、前出のxキーか、もしくはdコマンドを使います。ただしdは今まで紹介したコマンドとは使い方が異なり、どこまでデリートするかの範囲を指定するために、**dという文字の後ろにカーソル移動コマンドを合わせて指定**する必要があります。

たとえば、先ほど$はカーソルを行末に移動するコマンドと紹介しました。これとdを組み合わせてd$と押すことで、現在位置から行末までがデリートされることになります。

この他にも、本章で紹介したカーソル移動コマンドと組み合わせてdコマンドを使用できます。

表07-08 さまざまなデリートの例

| コマンド | 内容 |
| --- | --- |
| d$ | 行末までをデリート |
| d0 | 行頭までをデリート |
| x、dl | 1文字をデリート |
| dw | 単語1つをデリート |
| dgg | 最初の行までをデリート |
| dG | 最後の行までをデリート |

見ているだけではなかなか身につきませんから、練習用にテキストファイルを開いて、これらデリート操作を実際に行ってみてください。

## プット

dでデリートした文字列は、貼り付け（プット）するためのコマンドである**pを利用して貼り付ける**ことができます。たとえば次の図のように、d$を押して行をデリートした後に、貼り付けしたい位置にカーソルを移動させてからpを押すことで、好きな場所に先ほどデリートした文字列を貼り付けられます。これにより、**カット&ペースト**ができます。

図07-11　カット&ペースト

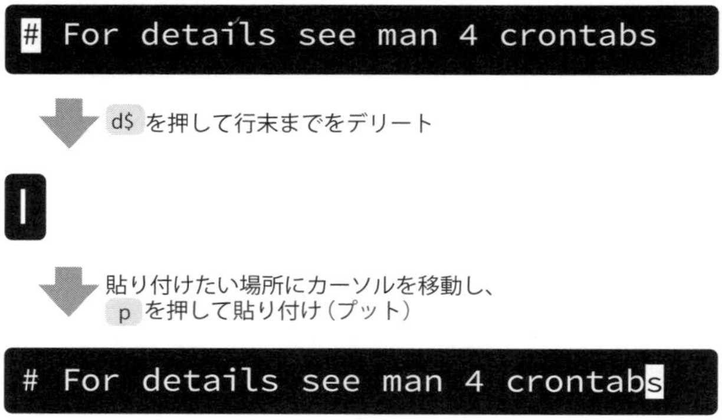


## ヤンク

デリートで削除するのではなく、単にコピー（ヤンク）したい場合は、dの代わりにyを使用します。yもdと同じく、範囲を指定するために**yの後ろにカーソル移動コマンドを指定**して使用します。つまり、先ほど紹介したデリートコマンドのdをyに置き換えれば、そのまま同じように操作できます。

たとえば、d$では現在位置から行末までがデリートされました。同様にy$と押せば、現在位置から行末までをヤンクできます。

yでのさまざまなヤンク方法については、先ほどの「さまざまなデリートの例」のdをyに読み替えてください。yでヤンクした文字列は、dでのデリートと同様にpでプットすることができます。

なお、現在カーソルのある1行だけを操作したい場合には、yyとddというコマンドが使えます。これはそれぞれ現在の行を、yyはヤンク、ddはデリートすることができます。

表07-09　現在の行のヤンクとデリート

| コマンド | 内容 |
|---|---|
| yy | 現在カーソルのある行をヤンク |
| dd | 現在カーソルのある行をデリート |

## コマンドの組み合わせ

d$（行末までデリート）などの例で見たように、編集操作コマンドを移動範囲と組み合わせて使用する点は、Vimの大きな特徴になっています。

本書で紹介した以外にも、Vimにはカーソルを便利に移動するためのさまざまなコマンドがあります。それらを覚えれば単にカーソル移動が速くなるだけでなく、デリートやヤンク操作も便利になるのです。

これからVimについて新しい操作を覚えるたびに、それを既存のコマンドと組み合わせて使うとどのように便利に使えるか、考えてみると面白いことでしょう。

# 07 その他の操作

ここまでに登場しなかった、いくつかのコマンドを紹介します。

## 下の行と連結する

文字を削除するxコマンドでは行末の改行を削除することができないため、2行を1行としてまとめることができません。このためには、**行を連結するJコマンド**が必要になります。Jを押すと、現在の行とそのすぐ下の行が連結されて1つの行になります。

たとえば、下の図で「# Example of job definition:」と書かれた行にカーソルがあるときにJを押すと、その下の行と連結されて1つの行になります。

図07-12　Jコマンドで下の行を連結する

```
# Example of job definition:
# .---------------- minute (0 - 59)
# |  .------------- hour (0 - 23)
```

J を押して下の行と連結

```
# Example of job definition: # .---------------- minute (0 - 59)
# |  .------------- hour (0 - 23)
```

## アンドゥ(元に戻す)とリドゥ(やり直し)

Vimでは、dコマンドによるデリートなどの直後に、編集操作をやり直すことができます。**直前の編集操作を取り消して前の状態に戻るには、uを押します。**これは、間違って文字を削除してしまったときなどに使用します。この機能はアンドゥ(undo)と呼びます。

間違ってアンドゥしてしまった場合には、**Ctrl + rを押すとアンドゥを取り消すこと**ができます。つまり、アンドゥする前の状態に戻ります。この機能はリドゥ(redo)と呼びます。

練習用のテキストファイルを開いてd$などで文字列を削除した後に、uを押し、続いてCtrl + rを押して、動作を確認してみてください。

# 08 検索と置換

一通りのテキスト編集ができるようになったところで、もう少し高度なVimの使い方を学びましょう。

## 検索

Vimではファイル内の文字列検索ができます。

文字列を検索するには、まず/を押します。すると:を押したときと同様に、最下行に入力欄が表れます。表示された/の後ろに検索したい文字列を入力してEnterキーを押せば、現在開いているファイルから文字列を検索することができます。

次の例では、「day」という文字列を検索しています。検索で見つかった文字列の位置に、カーソルが自動的に移動します。

▼文字列dayを検索

```
/day
```

なお、/による検索は現在のカーソル位置から始まります。ファイルの始めから検索したい場合はいったんggを押して、ファイルの先頭に戻ってから検索するとよいでしょう。

検索結果が複数ある場合は、nを押すたびに次の検索結果にカーソルが移動します。逆に前の検索結果に戻りたい場合は、Nを押してください。また、/では下方向に検索しますが、?を使うことで逆に上方向に検索することもできます。

表07-10 Vimの検索コマンド

| コマンド | 内容 |
|---|---|
| /<文字列> | 下方向に向かって<文字列>を検索する |
| ?<文字列> | 上方向に向かって<文字列>を検索する |
| n | 次の検索結果に移動する |
| N | 前の検索結果に移動する |

これらはCHAPTER05で紹介したlessコマンドでの検索と同じ操作ですから、lessに慣れていれば違和感なく使用できるでしょう。

## 置換

テキストファイルの中で、ある文字列を別の文字列に置き換えたい場合にもVimが利用できます。文字列を置換するには、次のコマンドを利用します。

書　式　**文字列の置換**

```
%s/<置換元文字列>/<置換後文字列>/g
```

これまでと同様に:を押すと最下行にコマンド入力欄が表れますから、「%s/day/pen/g」と入力してください。ファイルの中のすべての置換元文字列を、置換後文字列に一気に置き換えることができます。

たとえば、次の例では"day"という文字列を"pen"に置換しています。

図07-13　%sによる文字列置換

```
# |  |  .---------- day of month (1 - 31)
# |  |  |  .------- month (1 - 12) OR jan,feb,mar,apr ...
# |  |  |  |  .---- day of week (0 - 6) (Sunday=0 or 7) OR
sun,mon,tue,wed,thu,fri,sat
# |  |  |  |  |
# *  *  *  *  * user-name  command to be executed
```

:%s/day/pen/g で置換

```
# |  |  .---------- pen of month (1 - 31)
# |  |  |  .------- month (1 - 12) OR jan,feb,mar,apr ...
# |  |  |  |  .---- pen of week (0 - 6) (Sunpen=0 or 7) OR
sun,mon,tue,wed,thu,fri,sat
# |  |  |  |  |
# *  *  *  *  * user-name  command to be executed
```

# 09 ヘルプとドキュメント

ここまで見てきたもの以外にもVimにはさまざまな機能があり、残念ながら本書でそのすべてを紹介することはできません。そこで本章の最後に、読者の皆さんが必要に応じてVimの機能を調べられるようなドキュメントを紹介します。

まず読んでいただきたいのが、Vimに付属しているチュートリアルです。vimtutorというコマンドを実行することでチュートリアルが始まります。

▼vimtutorの起動

```
$ vimtutor
```

図07-14　Vimのチュートリアル

```
# ===================================================================
# =    V I M 教 本 (チュートリアル) へ よ う こ そ        -    Version 1.7
=
# ===================================================================
#
#       Vim は、このチュートリアルで説明するには多すぎる程のコマンドを備えた非常
#       に強力なエディターです。このチュートリアルは、あなたが Vim を万能エディ
#       ターとして使いこなせるようになるのに十分なコマンドについて説明をするよう
#       になっています。
#
#       チュートリアルを完了するのに必要な時間は、覚えたコマンドを試すのにどれだ
#       け時間を使うのかにもよりますが、およそ25から30分です。
#
#       ATTENTION:
#       以下の練習用コマンドにはこの文章を変更するものもあります。練習を始める前
#       にコピーを作成しましょう("vimtutor"したならば、既にコピーされています)。
#
#       このチュートリアルが、使うことで覚えられる仕組みになっていることを、心し
#       ておかなければなりません。正しく学習するにはコマンドを実際に試さなければ
#       ならないのです。文章を読んだだけならば、きっと忘れてしまいます!
   ... 以下省略 ...
```

Vimの操作はいろいろと癖があり、実際に試してみないとなかなか身につかないものです。このチュートリアルはVimの基本を身につけるよい練習になりますから、はじめてVimを使う人はぜひ試してみてください。

また、Vimには詳しいヘルプが含まれています。ヘルプを読むには、Vimを実行中に:helpコマンドを使用します。

▼ヘルプコマンド

```
:help
```

このコマンドを実行すると、Vimの画面が上下2つに分割されて、上側の画面にヘルプが表示されます。ヘルプ画面は通常のVimと同じようにカーソル移動などの操作ができますから、興味のある箇所を探して読んでみてください。ヘルプ画面を閉じるには:qコマンドを実行します。

ヘルプドキュメントの中には、他のヘルプ項目へのリンクが張られていることがあります。リンク先に移動するには、リンクにカーソル位置を合わせてCtrl + ]を押します。また、リンク先から元の場所に戻るにはCtrl + tを押します。

また、「:help <コマンド>」のように、:helpの後ろに特定のコマンド名や単語を指定すれば、そのコマンドや単語に関するヘルプを表示することができます。

```
:help d
:help :w
```

Vimのヘルプは大変詳しく、すべての機能について解説されています。Vimについてわからないことがあるときには、ぜひヘルプを読んでみてください。

## Column nanoエディタの紹介

本書ではテキストファイルを編集するエディタとして、Vimを紹介しています。Vimは多くのLinux環境で標準的なエディタとして使われています。しかしテキストの入力や終了方法などが独特で、初心者にとってはうまく使うのが難しいのも事実です。

このような事情から、代わりにnanoというエディタが使われることも増えてきました。nanoは使いやすさを重視したエディタで、Vimと比べて直感的に操作できると言われています。nanoは多くのディストリビューションで標準でインストールされていて、**nano**または**nano <ファイル名>**で起動できます。

nanoはVimと違い、キーボードから入力した文字がそのまま入力されます。一般的なエディタと同じように操作できるので、初心者でも扱いやすくなっています。

nanoの操作で使う主なショートカットキーは次の通りです。

| | |
|---|---|
| **^X** | 終了 |
| **^O** | 名前をつけて保存 |
| **^S** | 上書き保存 |
| **^K** | 切り取り |
| **^U** | 貼り付け |
| **M-6** | コピー |

ここで、^は「Ctrlを押しながら」または「Escキーを2回押してから」という意味です。また、M-は「Altを押しながら」または「Escを1回押してから」という意味です。たとえば、Ctrlを押しながらxを押すとnanoを終了します。

nanoを起動している間は、画面の下に主なショートカットキーが表示されます。

▼画面の下に表示されるショートカットキー

```
^G ヘルプ    ^O 書き込み   ^W 検索   ^K 切り取り
^X 終了      ^R 読み込み   ^\ 置換   ^U 貼り付け
```

こちらを見ればnanoの基本的な操作ができるでしょう。より詳しい操作方法は、^Gで表示されるヘルプや**man nano**を参照してください。

**おわりに**

この章ではVimの操作方法について解説しました。テキストエディタはこれから長く使っていくことになるアプリケーションなので、少しずつでもよいので練習して使いこなせるようになってください。次の章からはさまざまなテキストファイルを編集していきますから、自信がないという場合にはこの章に戻ってきてVimの操作を復習してください。

# Chapter 08

# bashの設定

この章では、bashのさまざまな設定方法を学び、自分の好みに合ったシェル環境を作ります。

皆さんがWindowsやmacOSを使う際には、アイコンを自分の使いやすいように配置するなど、さまざまなカスタマイズを行っていることでしょう。Linuxでもそのようなユーザ環境の設定ができます。それだけではなく、Linuxではカーネルの動作などシステムの基幹部分までも、多くの設定をユーザが行えるようになっています。これは、システムをどのように使いたいのかはユーザや利用環境によって異なるため、自由にカスタマイズできるようにしておいた方がよいという発想に基づいています。

本書でLinuxのすべての設定を解説することはとてもできませんから、ここではbashの設定に絞って解説します。Linuxを使う上でもっとも身近にあり、もっともよく使うものはシェルですから、bashを自分好みにカスタマイズする方法を覚えておくと、これからの作業がとても楽になるはずです。

# 01 エイリアス

シェルのカスタマイズの第一歩として、まずは既存のコマンドに別名を付けて実行できるようにしてみましょう。

CHAPTER04で紹介したlsコマンドは、ファイル種別を表示する-Fオプションが便利でよく使われます。しかしlsコマンドは大変頻繁に使うコマンドであるため、毎回毎回-Fを付けるのは、なかなか面倒くさいものです。

▼-Fオプションでファイル種別を表示

```
$ ls -F /
bin@    dev/  home/  lib64@  mnt/  proc/  run/   srv/  tmp/  var/
boot/   etc/  lib@   media/  opt/  root/  sbin@  sys/  usr/
```

このようなときはaliasコマンドを利用して、`ls -F`に`ls`という名前を付けることができます。

▼エイリアスの設定

```
$ alias ls='ls -F'
```

こうすると、この後からは単に`ls`と打つだけで`ls -F`が実行され、ファイル種別が表示されます。

▼lsとだけ実行しているが、@や/などファイル種別を表示

```
$ ls /
bin@    dev/  home/  lib64@  mnt/  proc/  run/   srv/  tmp/  var/
boot/   etc/  lib@   media/  opt/  root/  sbin@  sys/  usr/
```

ここではオプションが1つだけのため、あまりありがたみがわからないかもしれません。しかし、もっと多くのオプション指定が必要になるコマンドもあります。そのような場合に**わかりやすい別名を与えて、コマンドを使いやすくするための機能がエイリアス**です。

書式 エイリアスを設定する

```
alias <名前>='<コマンド>'
```

lsコマンドでは、この他にも次のようなエイリアスがよく使われます。

```
alias la='ls -a'   ←「すべてのファイルを表示する」laコマンドを作る
alias ll='ls -l'   ←「ファイルの詳細情報を表示する」llコマンドを作る
```

なおディストリビューションによっては、はじめからこのような設定がされています。

また、rmコマンドなどで削除確認を必ず行って欲しい場合に、次のように-iオプションを付加するエイリアスもよく使われます。

```
alias rm='rm -i'   ←rmコマンドで削除前に確認する
alias cp='cp -i'   ←cpコマンドで上書き前に確認する
alias mv='mv -i'   ←mvコマンドで上書き前に確認する
```

## エイリアスの確認と削除

あるコマンドが本当にコマンドなのかエイリアスなのかを確認するためには、typeコマンドを使用します。

▼lsとcpのエイリアスを確認する

```
$ type ls
ls は `ls -F' のエイリアスです
$ type cp
cp は /bin/cp です
```

上の例では、lsがls -Fのエイリアスとなっていることがわかります。一方、cpはそのままcpコマンドと解釈されており、コマンドの実行ファイルがフルパスで表示されています。

なお、一度設定したエイリアスを削除するには、unaliasコマンドを使います。次の例のように、引数に削除したいエイリアス名を指定すればエイリアスを削除できます。

▼エイリアスの削除

```
$ unalias ls
```

## エイリアスを一時的に無効にする

エイリアスを設定しているときに、一時的に何もオプションを付けずに元のコマンドをそのまま実行したいことがあります。

▼lsにエイリアスが設定されている状態

```
$ type ls
ls は `ls -F' のエイリアスです
```

たとえば上のようにエイリアスを設定している環境で、次の一度だけ、-Fオプションを指定しないそのままのlsコマンドを実行したいとします。unaliasコマンドを使うとそれ以降のすべての操作に影響してしまいますが、1回だけエイリアスを無効にしてコマンドを実行したい、というケースは意外によく見られるものです。

一時的にエイリアスを無効にするにはいくつかの方法があります。1つ目は、次のようにコマンドのフルパスを指定する方法です。こうするとエイリアスではなく、本来のlsコマンドが実行されます。

▼フルパスで指定する

```
$ /bin/ls
```

2つ目は、実行したいコマンドの前に**command**を追加する方法です。これは「エイリアスではなく明示的にコマンドを実行する」ことを意味しており、**command**の後ろに指定したコマンドはエイリアスとみなされません。

▼commandを使う

```
$ command ls
```

3つ目は、コマンドの前に\（\と¥は同じです）を追加する方法です。これも同様に、設定されているエイリアスを無視して元のコマンドを実行できます。\の1文字を追加するだけでよいため、タイプ数が少なく済みますからよく使われる書き方です。

▼\を先頭に付ける

```
$ \ls
```

# 02 bashのオプション

bashでは、シェル自身が持つさまざまな機能を利用するためにオプションを指定することができます。オプションは1つ1つの機能ごとに「オン」「オフ」いずれかの値を取り、これによりbashの各機能の有効・無効を指定できます。

オプションを設定するには、setコマンドもしくはshoptコマンドを使います。次に、これらのコマンドについて見ていきましょう。

なおbashのオプションは、シェルスクリプトという方法でシェルを利用する際にしか意味を持たないものもあります。そのため本書のCHAPTER17「シェルスクリプトを活用しよう」まで目を通した後に、もう一度bashのオプションを見てみると、新たな発見があることでしょう。

## setコマンド

setコマンドでは、-oと+oでオプションのオン／オフを指定します。

**書式 bashのオプションを切り替える1**

```
set -o/+o <オプション名>
```

-oで指定するとオプションがオン、+oでオフになります。+（プラス）でオフになるというのはちょっと勘違いしやすいので注意してください。

たとえば、次の例ではignoreeofというオプションをオンに設定しています。

▼ignoreeofオプションをオンに設定

```
$ set -o ignoreeof        ← Ctrl + Dを無視するよう設定
$                         ← ここでCtrl + Dを入力
シェルから脱出するには "logout" を使用してください。 ← シェルが終了しない
$
```

ignoreeofはCtrl + Dを押してもシェルを終了しないオプションです。これにより、誤ったキー操作でシェルが終了するのを防ぐことができます。

setで設定できるオプションはとてもたくさんありますが、そのうちよく使われるものを次の表に挙げておきます。もっと知りたい方は、「man bash」としてbashのマニュアルを読んでみましょう。setコマンドの-oの説明で、これらのオプションが紹介されています。

表08-01　setコマンドのオプション（抜粋）

| オプション名 | 内容 |
|---|---|
| ignoreeof | Ctrl + Dを押してもシェルを終了しない |
| noclobber | 既に存在するファイルをリダイレクトで上書きしない |
| noglob | パス名展開を無効にする。*などはシェルに解釈されず、そのまま*となる |

## shoptコマンド

shoptはsetコマンドと同様に、オプションをオン／オフするコマンドです。

**書式 bashのオプションを切り替える2**

```
shopt -s/-u <オプション名>
```

-sで指定したオプションをオンに、-uで指定したオプションをオフに設定します。

setコマンドとshoptコマンドは別立てになっており、**shoptで指定するオプション名は**

**setで指定するものとは異なります**。shoptコマンドで利用できるオプションも非常にたくさんの種類があるため、ここではよく使われるもののみに絞って紹介します。もっと詳しく知りたい方は、bashマニュアルのshoptコマンドについて読んでみてください。

表08-02　shoptコマンドのオプション（抜粋）

| オプション名 | 内容 |
|---|---|
| autocd | ディレクトリ名のコマンドを実行すると、それがcdコマンドの引き数に指定されたものとして実行される |
| dotglob | *や?を使ったパス名展開の結果に、.で始まるファイルも含める |
| cdspell | cdコマンド実行時、ディレクトリのちょっとしたミスタイプが自動修正される |
| globstar | パス名展開で**というパターンを使うと、サブディレクトリまで含めたすべてのファイルにマッチする |
| histappend | bashを終了するとき、履歴ファイルにコマンド履歴を追記し、上書きしない |
| failglob | パス名展開で指定したパターンがファイル名にマッチしなかった場合、コマンドを実行せずにエラーとする |
| lithist | 複数行のコマンドを改行も含めてコマンド履歴に保存する |

shoptは比較的最近登場したコマンドで、setコマンドに比べると参考情報も少ないため、若干使いにくいかもしれません。しかし設定できる項目は非常に多く、bashの細かい設定までカスタマイズできるため使いこなせばシェルの操作が大変便利になります。

次の例は、タイプミスを自動修正してくれるcdspellというオプションを設定した例です。

▼タイプミスしたcdコマンドを自動修正

```
$ shopt -s cdspell          ← cdコマンドの自動修正をオン
$ ls -F
media/
$ cd mediaa                 ← mediaと間違えてmediaaと打ってしまった
media                       ← 自動修正されて「media」とみなされた
$ pwd
/home/osumi/work/media      ← タイプミスしたが修正されて正しく移動できている
$
```

上の例では、「media」というディレクトリに移動しようとして「mediaa」とタイプミスしてしまいましたが、自動修正されて正しく移動できていることがわかります。

# 03 シェル変数

シェル変数とは、bash内部で使用される変数のことです。これは数値や文字列を保存して、さまざまな値を設定することができます。

bashには特別な意味を持つシェル変数が多く用意されており、これを設定することでシェルのさまざまな機能のカスタマイズを行うことができます。そこで、まずはじめにシェル変数の設定方法について学びましょう。

## 変数の設定

シェル変数は、次の書式で設定します。

**書式** シェル変数を設定する

```
<変数名>=<値>
```

この際、値にスペースを含む場合には'または"で囲む必要があります。次の例では、var1という名前の変数に「test variable」という値を設定しています。

▼シェル変数var1に値を設定

```
$ var1='test variable'
```

設定した変数は、先頭に$記号を付けて**$<変数名>**という形で参照できます。次の例は先ほど設定した変数を参照し、echoコマンドで表示しています。

▼シェル変数var1を参照

```
$ echo $var1
test variable
```

なお**変数を設定する際、=の左右にスペースを付けてはいけません**。スペースを入れてしまうと、次のように変数名がコマンドとみなされてエラーとなってしまいます。

▼変数を設定する際にスペースを入れるとエラー

```
$ var1 = 'test variable'
-bash: var1: コマンドが見つかりません
```

CやPerlなどのプログラミング言語を学んだことのある方は、スペースを入れる書き方に慣れていることでしょう。bashの変数を設定する際には=の左右にスペースを入れてはいけない、ということはとても大事ですから注意してください。

## PS1 - プロンプト設定

それでは、さっそくシェル変数を利用してシェルの設定をしてみましょう。

ここではまず手始めに、シェルのプロンプトを変えてみます。プロンプトとは、CHAPTER03でも紹介しましたが、コマンドラインの先頭に表示されている記号のことです。本書ではここまで、$で表記してきました。

図08-01　プロンプト

シェルのプロンプトを設定するには、次のようにシェル変数PS1に文字列を設定します。この設定を行うとプロンプトが次のように変わります。

▼プロンプトの変更

```
$ PS1='bash> '
bash>
```

このように**PS1変数は、設定した文字列がそのままプロンプトとして表示**されます。またこの際、特別な意味を持つ記号がいくつかあり、それらの記号をPS1に設定するとプロンプトを表示するときにそれぞれの意味を持つ値に置き換わって表示されます。

たとえば、\uは現在のユーザ名を意味する記号です。次のように設定すればプロンプトにユーザ名が表示されます。

▼プロンプトにユーザ名を表示

```
$ PS1='[\u]> '    ← プロンプトの[]内にユーザ名を表示する
[osumi]>
```

また、\wはカレントディレクトリを意味します。これを設定しておくと、pwdコマンドを使わなくてもプロンプトを見るだけで、現在のディレクトリがわかるようになります。なかなか便利な機能ですから、積極的に使ってみましょう。

▼プロンプトを見るだけでカレントディレクトリがわかる

```
$ PS1='[\u] \w \$ '    ← \wをPS1に設定

[osumi] ~ $    ← 現在はホームディレクトリ(~)にいる
[osumi] ~ $ cd /usr/local/    ← /usr/localへ移動
[osumi] /usr/local $    ← プロンプトを見るだけでカレントディレクトリがわかる
```

この他にも、さまざまな項目をプロンプトに表示できます。プロンプトで使用できる主な記号を次の表に挙げておきますから、皆さんも自分好みのプロンプトを作ってみてください。

表08-03 プロンプトで利用できる記号

| 記号 | 内容 |
|---|---|
| \d | 「曜日 月 日」という形式の日付 |
| \h | ホスト名のうち、最初の.までの部分 |
| \H | ホスト名 |
| \n | 改行 |
| \t | HH:MM:SS形式の現在時刻 |
| \u | ユーザ名 |
| \w | カレントディレクトリ |
| \W | カレントディレクトリの末尾のディレクトリ名 |
| \$ | rootユーザの場合は#、それ以外のユーザの場合は$ |
| \\ | \そのもの |

なお、プロンプトが横に長すぎると思う場合は、\nを使って途中で改行できます。プロンプトにたくさんの項目を表示しておきたい場合には、次の例のように、それらの表示の後に改行を入れておくとコマンドが入力しやすくなるでしょう。

▼改行の入ったプロンプト

```
$ PS1='[\u] \w (\d \t)\n\$ '  ← ユーザ名、ディレクトリ、時刻などを表示後に改行する

[osumi] /usr/local (火 11月 18 09:48:23)
$  ← 改行してプロンプトが表示されている
```

## PATH - コマンド検索パス

CHAPTER06でも解説しましたが、シェル変数PATHには、コマンドを実行する際にシェルがコマンドの実体ファイルを探すディレクトリを指定します。この変数には、**シェルがコマンドを探すディレクトリを「:」区切りで連結した文字列**が設定されています。

▼シェル変数PATHの内容

```
$ echo $PATH
/usr/local/bin:/usr/bin:/usr/local/sbin:/usr/sbin:/bin:/sbin
```

PATHには、通常はディストリビューションごとに適切な値が既に設定されています。しかし、個別にインストールしたアプリケーションや、自分で作成した独自のディレクトリをコマンド検索パスに含めたいときは、PATH変数の値を変更することで、コマンドをフルパスで実行する必要がなくなります。

本章以降で解説しますが、Linuxでは自分で独自のコマンドを作成することができます。これらのコマンドを配置する場所としては、ホームディレクトリの下に作成したbinという名前のディレクトリがよく使われます。そこで、次のように設定すると、このディレク

トリをコマンド検索パスの最後に追加することができます。

```
PATH="$PATH:$HOME/bin"
```

これで、ホームディレクトリの下のbinに配置したコマンドも、フルパスを指定せずにそのまま実行できるようになります。

## LANG - ロケール

インストール時に日本語環境を指定してインストールした場合、bashのエラーメッセージなどは基本的に日本語で表示されます。

▼エラーメッセージは日本語で表示

```
$ cmd1
-bash: cmd1: コマンドが見つかりませんでした...
```

これは、言語や国、地域などを特定するための識別子であるロケール(Locale)がインストール時に設定されているためです。**表示する言語や日付の書式などは、このロケールを基準にして切り替えられます。**

現在使用しているロケールは、LANGというシェル変数で指定されています。次の例のja_JP.UTF-8は、「日本語のUTF-8エンコーディング」を意味しています。

▼現在のロケールは日本語

```
$ echo $LANG
ja_JP.UTF-8
```

システムがサポートしているロケールは、localeコマンドに-aオプションを付けて実行することで確認できます。

▼システムで利用可能なロケール一覧

```
$ locale -a
C
POSIX
aa_DJ
aa_DJ.iso88591
aa_DJ.utf8
aa_ER
aa_ER.utf8
aa_ER.utf8@saaho
aa_ER@saaho
```

```
aa_ET
aa_ET.utf8
....(省略)....
```

では、言語を切り替えてみましょう。ロケールとして、アメリカの英語環境を設定する場合は次のように指定します。この設定によって、bashで表示されるメッセージが次のように英語に変わります。

▼アメリカ英語環境でエラーメッセージを表示

```
$ LANG=en_US.UTF-8
$ cmd1
-bash: cmd1: command not found...
```

先ほど`locale -a`で見たように、この他にもさまざまなロケールが用意されています。興味のある方はいろいろな言語を試してみてください。

▼スペイン語でエラーメッセージを表示

```
$ LANG=es_ES.utf8
$ cmd1
-bash: cmd1: no se encontro la orden
```

▼中国語（簡体字）でエラーメッセージを表示

```
$ LANG=zh_CN.utf8
$ cmd1
-bash: cmd1: 未找到命令
```

## その他のシェル変数

ここまで挙げたもの以外にも、bashで特別な意味を持つシェル変数は多くあります。すべてを紹介することはできませんから、よく使われるものに限って最後にいくつか挙げておきましょう。

次の表は、コマンドライン履歴に関するシェル変数です。

表08-04 コマンドライン履歴関連のシェル変数

| シェル変数名 | 内容 |
|---|---|
| HISTFILE | コマンドライン履歴を保存するファイル名。デフォルト値は~/.bash_history |
| HISTFILESIZE | 履歴ファイルに保存するコマンドライン履歴の最大行数 |
| HISTSIZE | コマンドライン履歴を保持する最大行数 |

これらのコマンド履歴は有用なため、ぜひ保存しておきましょう。HISTFILESIZEとHISTSIZEのデフォルト値は500ですが、現在一般に使われるようなマシンならば、もっと大きな値を設定しておくことをお勧めします。

次に、シェルの現在の状態を知るための変数を紹介します。これらは通常はユーザによって値を設定することはなく、シェルによって自動的に設定され、その値を参照する形で利用します。

表08-05 シェルの状態関連のシェル変数

| シェル変数名 | 内容 |
|---|---|
| HOME | ホームディレクトリ |
| SHELL | ログインシェルのパス |
| PWD | カレントディレクトリ |

たとえば次のように、チルダ展開の代わりにHOME変数を用いてホームディレクトリへのパスを書くことができます。

▼ホームディレクトリ下のディレクトリ指定

```
$ cd $HOME/report        ← これは cd ~/report と同じ
$ pwd
/home/osumi/report
```

bashのシェル変数については、bashのマニュアルの「Shell Variables（シェル変数）」を読んでみてください。ここで挙げたもの以外にも多くのシェル変数が紹介されています。

# 04 環境変数

シェルからはさまざまなコマンドを起動しますが、このうち実行ファイルとしてファイルシステム上に存在するコマンドを**外部コマンド**と呼びます。これに対して、シェル自体に内蔵しているコマンドを**組み込みコマンド**と呼びます。

あるコマンドが外部コマンドか組み込みコマンドかを判別するには、エイリアスの解説で紹介したtypeコマンドが利用できます。次の例では、setコマンドは組み込みコマンドであり、cpコマンドは/bin/cpというファイルとして存在するため外部コマンドであることがわかります。

▼typeコマンドによる外部コマンドの判別

```
$ type set
set はシェル組み込み関数です
$ type cp
cp は /bin/cp です
```

ここで外部コマンドは、シェルのいわば「外側」で実行されます。そのため次の図のように、**現在設定されているシェル変数の値を外部コマンドは参照することができません。**

図08-02　シェル変数は外部コマンドから参照できない

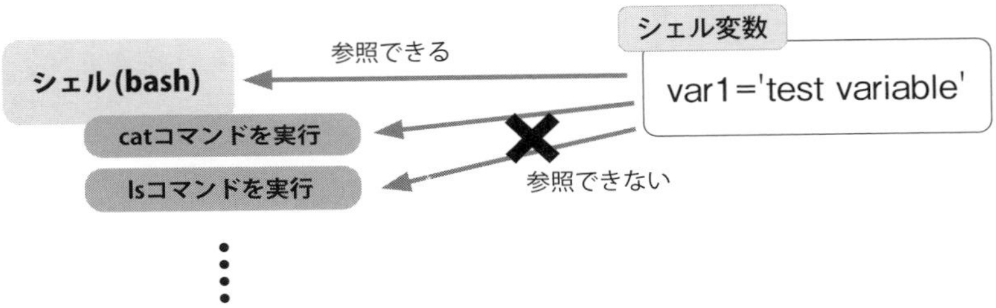


しかし、LANGによるロケールの設定のように、シェル上だけでなく外部コマンドでも常に設定を反映しておきたい変数も多くあります。このような用途のために、**外部コマンドからも値を参照できるようにした変数を環境変数**と言います。

図08-03　環境変数は外部コマンドでも有効

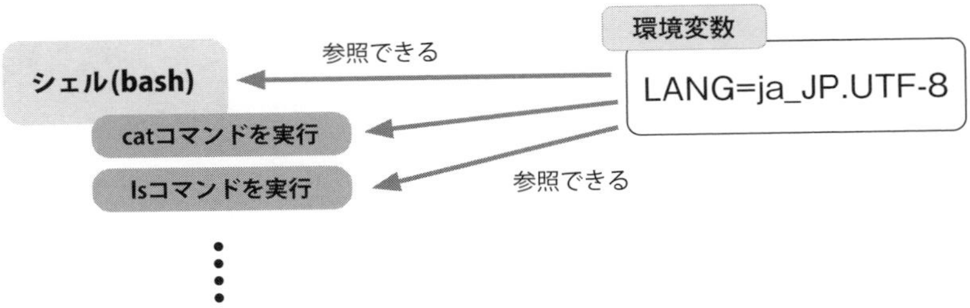


実は、先ほど紹介したロケールを設定するシェル変数LANGは、特に指定しなくても自動的に環境変数として設定されています。ですから次のように、catのような外部コマンドもLANGの指定によって出力メッセージが変わります。

▼LANGを日本語設定としてcatコマンドを実行

```
$ LANG=ja_JP.UTF-8
$ cat --help
使用法: cat [オプション]... [ファイル]...
```

```
ファイル、または標準入力を連結し、標準出力に出力します。
...以下省略...
```

▼LANGを英語設定としてcatコマンドを実行

```
$ LANG=en_US.UTF-8
$ cat --help
Usage: cat [OPTION]... [FILE]...
Concatenate FILE(s), or standard input, to standard output.
...以下省略...
```

この例では、`cat --help`で表示される文言は、bashではなくcatコマンドが表示しています。catコマンドは、LANGという環境変数の値をはじめに確認して、その内容によって表示する言語を変更しているのです。この他にも多くのコマンドが、環境変数の値を確認してその設定に従って動作します。

## printenvコマンド - 環境変数の表示

現在シェルに設定されている環境変数を表示するには、次のようにprintenvコマンドを実行します。

▼現在設定されている環境変数を表示

```
$ printenv
XDG_SESSION_ID=51
HOSTNAME=localhost.localdomain
SELINUX_ROLE_REQUESTED=
TERM=xterm
SHELL=/bin/bash
HISTSIZE=1000
SSH_CLIENT=192.168.2.44 59069 22
SELINUX_USE_CURRENT_RANGE=
SSH_TTY=/dev/pts/0
USER=osumi
....(省略)....
PWD=/home/osumi
LANG=ja_JP.UTF-8
SELINUX_LEVEL_REQUESTED=
HISTCONTROL=ignoredups
SHLVL=1
HOME=/home/osumi
....(省略)....
```

ここまで見てきたLANGなどの他にも、多くのシェル変数が環境変数として設定されていることがわかります。皆さんの環境でもprintenvコマンドを実行して、どのような環境変数が設定されているか確認してみてください。

### exportコマンド - 環境変数の設定

環境変数を自分で設定するには、exportコマンドを利用します。

書式 指定したシェル変数を環境変数にする

```
export <シェル変数名>
```

ここではlessコマンドでの利用例を紹介しましょう。

lessコマンドにはLESSという環境変数が用意されており、この変数に設定された値は自動的にオプション指定したものとみなされます。たとえば、lessコマンド終了時に画面を消去しない「--no-init」オプションを、lessコマンドを実行するたびに常に自動付加したいとしましょう。

▼シェル変数LESSを環境変数として設定

```
$ LESS='--no-init'
$ export LESS
```

上の例では、はじめにシェル変数LESSに'--no-init'という文字列を設定しています。続いてexportコマンドで変数名を指定することで、シェル変数LESSを環境変数として設定しています。こうすれば、以後lessコマンドを実行するたびに、--no-initオプションが自動的に付加されます。

なおexportコマンドでは、次のように値の設定と環境変数としての宣言を1行にまとめて書くこともできます。現在は多くの設定ファイルでこのような書き方がされています。

▼値もいっしょに設定する場合

```
$ export LESS='--no-init'
```

## 05 bashの設定ファイル

ここまで、さまざまなシェルの設定を行ってきました。しかし、せっかく自分好みのカスタマイズができても、bashを終了すると設定はすべて消えてしまいます。次回以降にログインしたときにも同じ設定にするには、bashの設定ファイルを記述する必要があります。

## /etc/profile、~/.bash_profile、~/.bashrc

bashの起動時に読み込まれる設定ファイルは数多くあります。しかし、本章で紹介するカスタマイズを行う際には、基本的に~/.bashrcというファイルだけ扱えば問題ありません。細かい話になりますが、このbashの設定ファイルについて簡単に解説しておきましょう。

bashをログインシェル（CHAPTER02で解説したように、ログインした際に起動されるシェルのこと）として起動したときは、まず/etc/profileが読み込まれ、続いて~/.bash_profileが読み込まれます。bashはこれらのファイルに書かれた内容を実行します。実際に/etc/profileの中身をlessコマンドなどで見てみるとわかりますが、このファイルには先ほどまで見てきたようなカスタマイズの設定が書かれています。

bashはこれらのファイルに書いてあることを、手で入力したのと同じように実行するわけです。bashの設定をカスタマイズするには、これら設定ファイルを、Vimなどのエディタを使って修正します。

図08-04　bashの設定ファイル読み込み順序

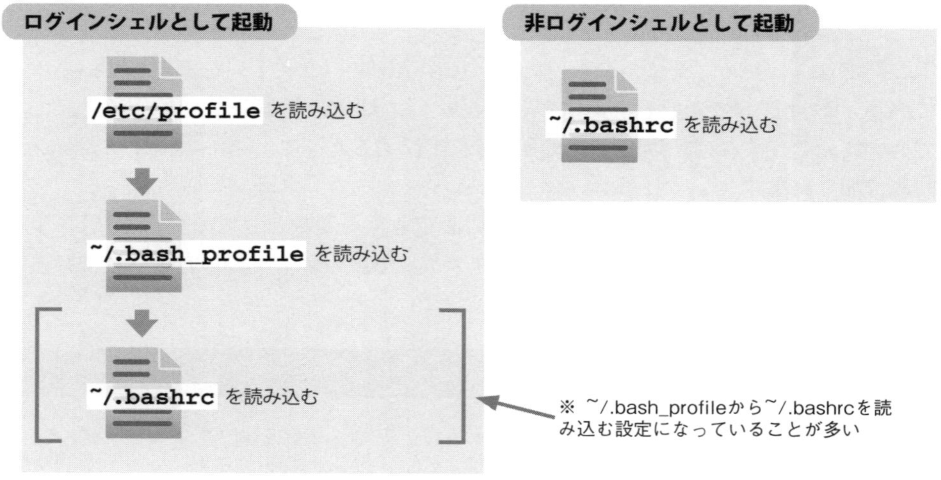


/etc/profileはシステム全体で使用する設定ファイルです。すべてのユーザに共通の設定を行いたい場合はこのファイルに記述しますが、通常はディストリビューションごとに適切な設定があらかじめ書かれているので、本書の扱う範囲では修正する必要はありません。

~/.bash_profileは、各ユーザ個別の設定ファイルです。そして多くのディストリビューションでは、~/.bash_profileから~/.bashrcを読み込むために以下のような内容が記述されています。これは「もし~/.bashrcファイルが存在すれば、その内容を現在のシェルに反映する」という設定です。

```
if [ -f ~/.bashrc ]; then
    source ~/.bashrc
fi
```

このため図08-04のように、bashはログインシェルとして起動されると3つの設定ファイルを順に読み込みます。なお、ここで登場した**if**や**-f**、sourceコマンドについては、CHAPTER15とCHAPTER16のシェルスクリプトの説明で詳しく解説します。今は、~/.bash_profileから~/.bashrcを読み込む記述がある、ということだけわかっていれば十分です。

一方、非ログインシェル(たとえばコマンドライン上で**bash**と入力してコマンドとしてbashを起動した場合)では、~/.bashrcが設定ファイルとして読み込まれます。

### 設定はどのファイルに書くべきか

ここまで見たように、~/.bash_profileと~/.bashrcは、どちらもユーザ個別のbashの設定ファイルです。これらはどのように使い分ければよいのでしょうか。

~/.bash_profileはログインしたときだけ読み込まれ、~/.bashrcはbashを起動するたびに読み込まれるという違いがあります。そのため、ログイン時に一度だけ設定すればよい項目は~/.bash_profileに書き、それ以外の、bashを起動するたびに毎回設定する必要がある項目は~/.bashrcに書きます。

ログインしたときだけ行う設定の例として、環境変数の設定があります。環境変数は後から呼び出すコマンドに引き継がれます。つまり、ログインシェルから改めてコマンドとしてbashを起動した場合、後のbashにも環境変数は引き継がれます。そのため、環境変数はログインしたときに一度設定すれば十分です。環境変数以外の設定は、多くの場合はbashを起動するたびに毎回設定する必要があります。そのため、環境変数の設定は~/.bash_profile、それ以外は~/.bashrcというふうに使い分ければ良いでしょう。

ここまでの説明は、ログインシェルなどちょっと難しい概念を含むため、少しわかりにくかったかもしれません。環境変数の設定は注意が必要ですが、まずは、「皆さんが設定のカスタマイズをする際には、基本的には~/.bashrcに書く」ということだけ覚えておけば十分です。

## 設定ファイルの変更時の注意

それでは、さっそく設定ファイルを書いてbashをカスタマイズしてみたいところですが、その前にいくつか注意があります。

まず、最初の状態の~/.bashrcファイルはバックアップを取っておき、すぐ元に戻せるようにしておきましょう。具体的には、違う名前でコピーを取っておけばよいでしょう。

▼.bashrcを別名でコピー

```
$ cp .bashrc .bashrc.org
```

こうしておけば、何かミスをして.bashrcを消してしまっても、.bashrc.orgからコピーすることで元に戻すことができます。

また、bashの設定をいろいろと試していると、誤った設定記述によって、簡単に復旧できないような状態になってしまうことがあります。

たとえば~/.bashrcに`exit`と書くと、bash起動時にこのコマンドが実行され、結果としてログインした直後にログアウトしてしまいます。こうなると、そのままでは二度とログインすることができなくなってしまいます。

このような事態を避けるために、**設定を行うシェルとは別にもう1つシェルを起動**しておくことをお勧めします。

図08-05 設定ファイル変更作業の注意

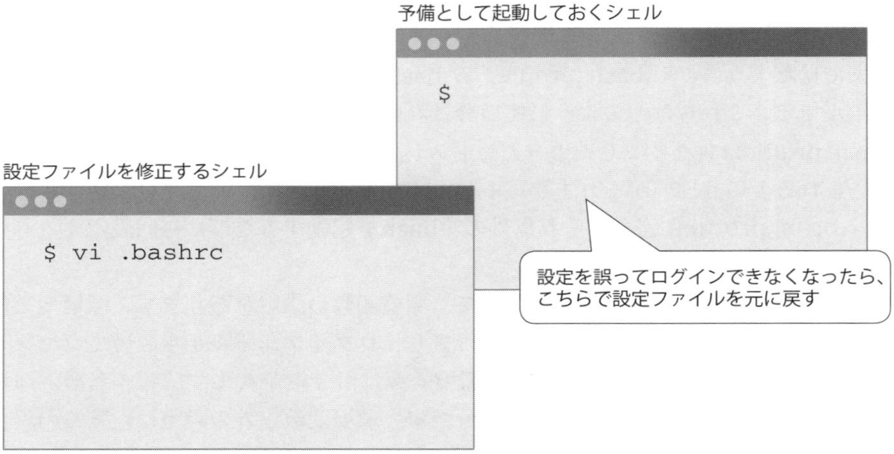


具体的には、上図のように、設定変更を行う前に別のターミナルエミュレータを起動しておきます。sshでログインして作業している場合は、設定変更用とは別にもう1つ別にsshでログインしておき、そちらはログアウトしないようにしておく、とすればよいでしょう。

こうすれば、もし間違えてログインできなくなった場合でも、別に起動しておいたシェルから復旧作業ができます。具体的には、①Vimで誤った記述を削除する、②元のバックアップファイル.bashrc.orgで現在の.bashrcを上書きする、などの方法を採ればよいでしょう。

## 設定ファイルの読み込み

それではVimを使って、~/.bashrcファイルに以下の内容を書いてみてください。多くのディストリビューションでは~/.bashrcファイルははじめから用意されているため、Vimで既存ファイルを開いて最後の行に追記します。もしファイルがない場合は、新規に作成してください。

```
PS1='[\u@\h] \W \t \$ '
```

これはP.25で紹介した、プロンプトの設定です。この設定を有効にするために、いったんログアウトして再びログインすると、プロンプトが以下のように変わります。

▼プロンプトの設定後

```
[osumi@localhost] ~ 19:04:44 $
```

このようにして、毎回ログイン後にコマンドを打たずとも設定を反映させることができます。なお、~/.bashrcファイルを修正した後にいったんログインし直すのが面倒な場合には、次のようにsourceコマンドを利用すると設定を即座に反映できます。

▼sourceコマンドの実行

```
$ source ~/.bashrc
```

ここで利用したsourceコマンドは、ファイルの内容を読み込んで実行するコマンドです。つまり、sourceで指定したファイルに書いてある内容を、直接コマンドラインで実行することと同じです。このsourceコマンドについては、CHAPTER15で詳しく解説しています。

## コメント

多くのプログラミング言語と同様に、bashの設定ファイルにもコメントを書くことができます。コメントとは、**動作には関係ないメモ書き**のことです。ちょっと難しい設定を入れたときなどに、後から見てすぐわかるように注意書きをコメントとして残しておくのはよい習慣です。

bashでは、#から行の終わりまではコメントとして無視されます。

```
# この行はコメントです
# alias ll='ls -alF'  この行は実行されません

PS1='[\u@\h] \W \t \$ '  # 行の途中からコメントを書くこともできます
```

またこの記法を利用して、bashのドキュメントやシェル関連の技術文書では、行頭に#がある行をコメントあるいは筆者の注記とみなすのが一般的です。

## bashのカスタマイズ例

最後に、bashの設定ファイルの例を紹介します。皆さんの手元の設定ファイルも、これを参考にカスタマイズしてみてください。

リスト08-01 ~/.bash_profileの例

```
export PATH="$PATH:$HOME/bin"
export LANG=ja_JP.UTF-8
export LESS='--no-init'

if [ -f ~/.bashrc ]; then
    source ~/.bashrc
fi
```

リスト08-02 ~/.bashrcの例

```
PS1='[\u@\h] \w\$ '

set -o ignoreeof

# コマンド履歴設定
shopt -s histappend
HISTSIZE=1000000
HISTFILESIZE=1000000

# エイリアスの設定
alias ls='ls -F'
alias la='ls -a'
alias ll='ls -l'
alias rm='rm -i'
alias cp='cp -i'
alias mv='mv -i'
alias mkdir='mkdir -p'
```

**おわりに**

この章ではシェルのカスタマイズについて解説しました。今後Linuxを使っていく中で不便に感じるところが出てくれば、この章を参考に設定を見なおしてみるとよいでしょう。

# Chapter 09

# ファイルパーミッション、スーパーユーザ

Linuxは、1つのマシンへ複数のユーザが同時にログインして操作することを前提として作られています。この際、秘密のファイルを他のユーザに見られてしまっては困りますし、誤って他のユーザのファイルを上書きしてしまうことを防ぐ仕組みも必要です。本章では、このようなファイル保護を実現するためのアクセス権限の仕組みについて解説します。

また合わせて、管理者権限を持つスーパーユーザである、rootユーザの操作方法についても紹介します。

# 01 ファイルのオーナーとグループ

Linuxで扱われるファイルは、自分で作成したメモのテキストファイルから、システムが提供するライブラリや実行コマンドまで、すべてに所有者（オーナー）が設定されています。ファイルのオーナーは、ファイルへのアクセス権限を自由に設定できます。

lsコマンドに-lオプションを付けて詳細表示することで、ファイルのオーナーを確認できます。試しにcatコマンドの実体ファイルである、/bin/catファイルのオーナーを見てみましょう。

図09-01　catコマンドのオーナーはrootユーザ

```
$ ls -l /bin/cat
-rwxr-xr-x. 1 root root 54048  6月 10  2014 /bin/cat
```

ファイルの所有者（オーナー）

ファイルが所属するグループ

上の図では3列目と4列目に**root**が表示されています。lsコマンドの-lオプションでは、はじめにファイルのオーナーを、次にファイルが所属しているグループを表示します。つまりこの/bin/catというファイルは、「rootユーザがオーナーで、rootグループに所属」しています。

新しくファイルを作成すると、作成したユーザがそのファイルのオーナーになります。

▼新しくファイルを作成して、そのオーナーを確認

```
$ touch testfile1          ← ユーザosumiがファイルを作成
$ ls -l testfile1          ← ファイルのオーナーを確認
-rw-rw-r-- 1 osumi osumi 0 10月 30 12:17 testfile1
```

上の例では、ユーザosumiがファイルを作成したため、オーナーがosumiになっています。

## グループ

先ほど登場したグループとは、ユーザをまとめた集まりのことです。たとえばシステム管理を行うwheelというグループに複数の管理者ユーザを所属させ、wheelグループに対して許可を与えることで、同じ役割を持つ複数のユーザに同一の権限を与えることができ

ます。

ユーザは同時にいくつものグループに所属できます。また、どのユーザも最低1つのグループに所属していないといけません。ユーザを新規作成する際に特に指定しないと、ユーザ名と同一のグループに所属します。

自分が現在どのグループに所属しているかは、groupsコマンドで確認できます。次の例では、現在のログインユーザosumiは「osumi」「wheel」という2つのグループに所属しています。

▼現在、自分が所属しているグループを確認

```
$ groups
osumi wheel
```

# 02 ファイルのパーミッション

1つ1つのファイルには、**「誰に、どのような操作を許可するか」という権限**を規定する情報が設定されています。この情報のことを、パーミッションと呼びます。

ファイルのパーミッションも、オーナーと同じくlsコマンドに-lオプションを付けることで確認することができます。先ほどの`ls -l /bin/cat`の表示をもう一度見てみましょう。

図09-02　ファイルのパーミッションの表示

```
$ ls -l /bin/cat
-rwxr-xr-x. 1 root root 54048  6月 10  2014 /bin/cat
```

ファイルタイプ　ファイルモード（パーミッションを表す）

CHAPTER04で紹介したように、-lオプションで表示される先頭の1文字はファイルタイプです。`-`は通常ファイル、`d`はディレクトリ、`l`はシンボリックリンクを表します。

ファイルタイプの後ろの9文字、`rwxr-xr-x`の部分はファイルモードと呼ばれ、これによりファイルのパーミッションを表しています。この9文字は`rwx`、`r-x`、`r-x`というように3文字ごとに1つのブロックになっていて、それぞれが**「オーナー」**、**「グループ」**、**「その他のユーザ」に対するパーミッション**を意味しています。

図09-03 ファイルモード

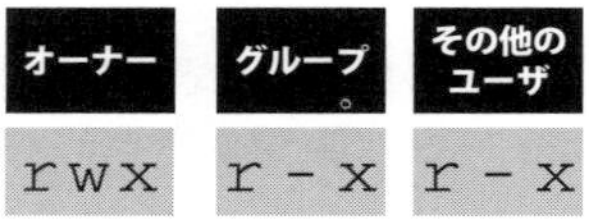


この中で、rやwといった記号は、許可されるファイルへの操作を意味しています。操作は**「読み取り」、「書き込み」、「実行」**と3つの種類があり、それぞれ「r」「w」「x」の記号でパーミッションが表現されています。

表09-01 パーミッションの記号と意味

| 記号 | 意味 |
|---|---|
| r | 読み取り(**r**ead) |
| w | 書き込み(**w**rite) |
| x | 実行(e**x**ecute) |

lsコマンドの-lオプションでは、操作が許可されているときはこれら「r」「w」「x」という記号が表示され、逆に許可されていないときは「-」が表示されます。

つまり先ほどの/bin/catファイルは、以下のようなパーミッションが設定されています。

表09-02 /bin/catファイルのパーミッション「rwxr-xr-x」

| ユーザ種別 | 読み取り | 書き込み | 実行 |
|---|---|---|---|
| オーナー | 許可 | 許可 | 許可 |
| rootグループに所属するユーザ | 許可 | 禁止 | 許可 |
| その他のユーザ | 許可 | 禁止 | 許可 |

このファイルはオーナーにしか書き込み権限がありませんから、その他のユーザはファイルを上書きすることができません。また、どのユーザにも実行権限が付いているため、誰でも実行可能です。

もう1つ、別のファイルを見てみましょう。これまでに何度か内容を確認した、/etc/crontabファイルのパーミッションを表示してみます。

▼/etc/crontabファイルのパーミッション

```
$ ls -l /etc/crontab
-rw-r--r--. 1 root root 451  6月 10  2014 /etc/crontab
```

このファイルのパーミッションは、次の図のようになっています。

図09-04 /etc/crontabファイルのパーミッション

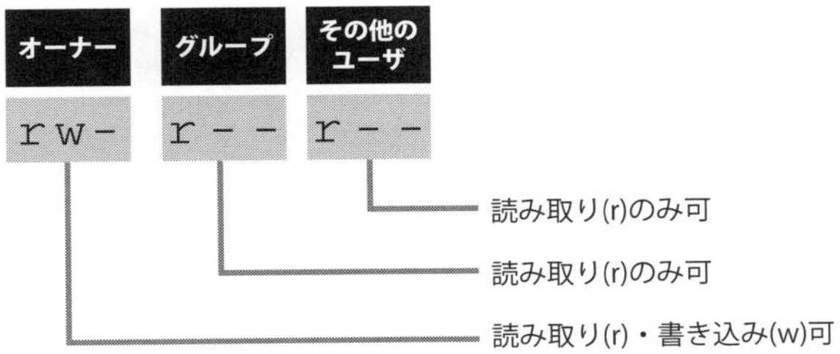


このファイルもrootユーザにしか書き込み権限がありませんから、その他のユーザはエディタなどで上書き保存しようとしても、失敗してエラーが表示されます。また、どのユーザに対しても実行権限が与えられていないので、次のようにコマンドとして実行することもできません。

▼実行権限 (x) がないため、実行できない

```
$ /etc/crontab
-bash: /etc/crontab: 許可がありません
```

## ディレクトリのパーミッション

ファイルと同様に、ディレクトリにもパーミッションが設定されています。lsコマンドでディレクトリのパーミッションを確認するには、-lオプションに加えて、ディレクトリ自身の情報を表示する-dオプションを使います。

▼ディレクトリdir1のパーミッションを表示

```
$ ls -ld dir1
drwxrwxr-x. 2 osumi osumi 6 12月 25 23:17 dir1
```

ディレクトリのパーミッションの表示も、ファイルと同じく「r」「w」「x」という記号を利用します。ただし、それぞれの記号は次の表のように、**ファイルの場合とは違った意味**を持ちます。

表09-03 ディレクトリのパーミッションの記号と意味

| 記号 | 意味 |
|---|---|
| r | 読み取り：ディレクトリに含まれるファイル一覧の取得 |
| w | 書き込み：ディレクトリの下にあるファイル・ディレクトリの作成・削除 |
| x | 実行：ディレクトリをカレントディレクトリにする |

ディレクトリのパーミッションに読み取り (r) が設定されている場合、そのディレクト

リに含まれるファイル一覧が取得できます。読み取りが設定されていない場合は、次のようにlsコマンドがエラーとなりファイル一覧を取得することができません。

▼読み取り (r) できないディレクトリdir2は、ファイル一覧が取得できない

```
$ ls -ld dir2  ← ディレクトリdir2のパーミッションを確認
d-wx-wx--x. 2 osumi osumi 6 12月 25 23:18 dir2
$ ls dir2  ← ディレクトリdir2内のファイルを表示
ls: ディレクトリ dir2 を開くことができません: 許可がありません
```

ディレクトリのパーミッションに書き込み (w) が設定されている場合、そのディレクトリ下のファイルの作成・削除が行えます。ここで、**ファイルの削除ができるかどうかはディレクトリのパーミッションで決まり**、ファイル自身のパーミッションは関係ないことに注意してください。

次の例では、誤って上書きしないようにファイルのパーミッションを「r--r--r--」(読み取りのみ可) と設定されているreadonly.txtが、rmコマンドで削除されています。

▼ファイル自体は書き込み不可でも削除できてしまう

```
$ ls -l dir1/readonly.txt
-r--r--r--. 1 osumi osumi 65 12月 25 23:24 dir1/readonly.txt  ← 書き込み不可
$ rm dir1/readonly.txt
rm: 書き込み保護されたファイル 通常ファイル `dir1/readonly.txt' を削除しますか? yes
$
```

ディレクトリのパーミッションに実行 (x) が設定されている場合、cdコマンドでそのディレクトリに移動したり、ディレクトリ下にあるファイルの読み書きを行うことができます。次の例では、ディレクトリに実行 (x) が設定されていないため、cdコマンドがエラーとなっています。

▼実行 (x) が設定されていないディレクトリへはアクセスできない

```
$ ls -ld dir3
drw-rw-r--. 2 osumi osumi 6 12月 25 23:47 dir3
$ cd dir3
-bash: cd: dir3: 許可がありません
```

たとえば、他のユーザから閲覧されてもよいディレクトリの場合は、通常「rwxr-xr-x」というパーミッションを設定します。これでオーナーはすべての操作が可能ですし、その他のユーザもcdコマンドでそのディレクトリに移動してファイルの読み取りをすることができます。ただし、その他のユーザがファイルを作成したり削除したりすることはできません。

また、他のユーザから閲覧されたくないディレクトリの場合は「rwx------」というパー

ミッションにします。こうすると、他のユーザからはこのディレクトリの内容を一切知ることができなくなります。



## chmodコマンド - ファイルモードを変更する

ファイルやディレクトリのパーミッションを設定するには、ファイルモードを変更するchmodコマンドを使用します。chmodコマンドには「シンボルモード」による指定と「数値モード」による指定の2種類の方法があり、どちらもよく使われます。以下、順番にこの2つのモードの使い方を見ていきましょう。

なおファイルのパーミッションは、そのオーナーか、この章の後半で解説するスーパーユーザしか変更することはできません。誰でもパーミッションを変更できてしまうと、パーミッションで操作を禁止する意味がないためです。

### シンボルモード

シンボルモードでは、次のような書式でchmodコマンドを実行します。

書式 シンボルモードによるパーミッションの変更

```
chmod [ugoa][+-=][rwx] <ファイル名>
```

シンボルモードの指定は、「誰に、どのような権限を追加(もしくは禁止)するのか」というのがわかりやすくなっています。

図09-05 シンボルモードでの指定

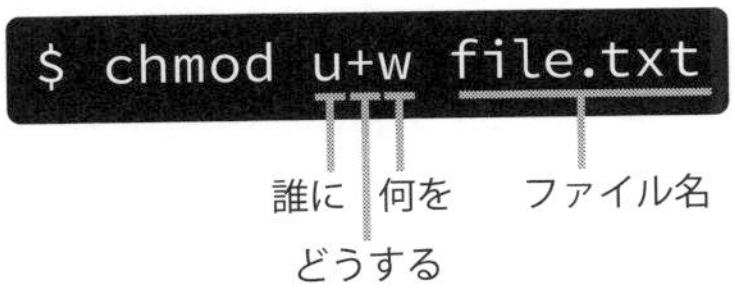


はじめの「ugoa」は、どのユーザに対するパーミッションを変更するのかを指定しています。それぞれの記号の意味は次のとおりです。

表09-04 chmodコマンドのユーザ指定

| 記号 | 意味 |
|---|---|
| u | オーナー |
| g | グループ |
| o | その他のユーザ |
| a | ugoすべて |

なおユーザ指定を省略すると、aを指定したものとみなされます。
その次の「+-=」は、権限を追加するのか禁止するのかの操作を表しています。

|表09-05| chmodコマンドの演算子

| 記号 | 意味 |
|---|---|
| + | 権限を追加する |
| - | 権限を禁止する |
| = | 指定した権限と等しくする |

最後の「rwx」は、ls -lコマンドの出力で表示されたものと同じく、「読み取り」「書き込み」「実行」それぞれのパーミッションを意味します。

では、シンボルモードでのパーミッション設定例を見てみましょう。次のコマンドでは**+**を利用して、file.txtというファイルに対してオーナーの書き込み権限を追加しています。

▼オーナーの書き込み権限を追加

```
$ chmod u+w file.txt
```

この結果として、file.txtファイルのパーミッションが元々は「r--r--r--」であったとすると、「rw-r--r--」に変わります。

|図09-06| シンボルモードでの権限追加

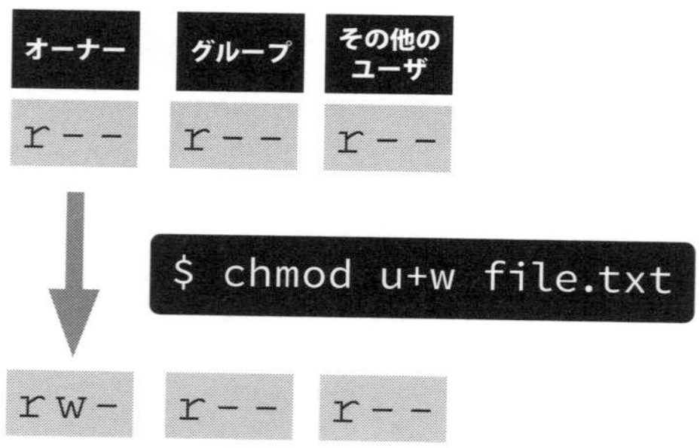


次のコマンドでは**-**を利用して、グループの書き込みを禁止しています。

▼グループの書き込み権限を削除

```
$ chmod g-w file.txt
```

この結果として、file.txtファイルのパーミッションが元々は「rw-rw-r--」であったとすると、「rw-r--r--」に変わります。元々はオーナーとグループに書き込み許可を与えていたファイルを、自分しか書き込めないように変更する、というケースでこのような操作を行います。

図09-07 シンボルモードでの権限削除

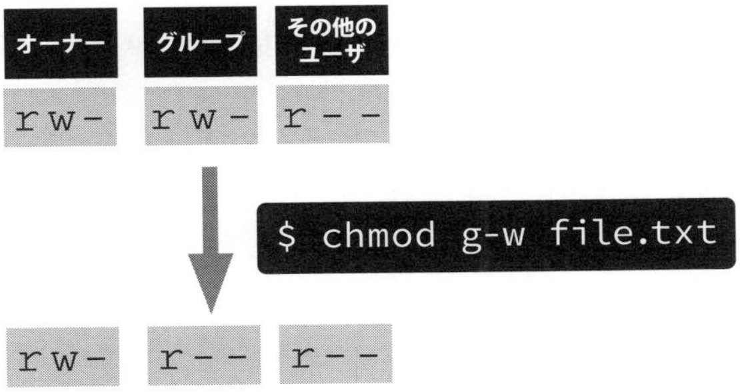


複数のユーザをまとめて指定することもできます。次のコマンドでは=を利用して、グループおよびその他のユーザに対するパーミッションを「読み取り」だけにしています。

▼複数のユーザの権限をまとめて指定

```
$ chmod go=r file.txt
```

この結果として、file.txtファイルのパーミッションが元々は「rwxrwxrwx」であったとすると、「rwxr--r--」に変わります。

図09-08 シンボルモードでの権限指定

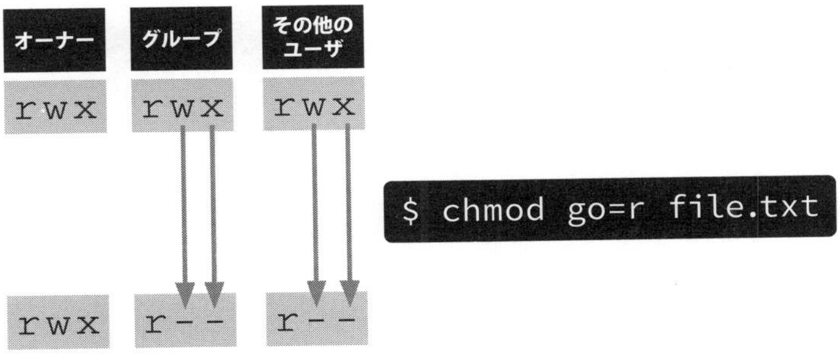


ここで紹介したシンボルモードは、相対的な指定方法です。つまり、指定したパーミッション以外は変化しません。これは、「オーナーの権限のみ」など**パーミッションの一部だけを変更したいときに便利**です。

### 数値モード

一方、数値モードでは次のような書式になります。

**書式** **数値モードによるパーミッションの変更**

```
chmod <8進数の数値> <ファイル名>
```

シンボルモードが相対的指定であったのとは逆に、数値モードは**元のパーミッションに関わらず新しいパーミッションの値へと変更する**、絶対指定の方法です。

パーミッションを数値で表現するには、rwxのうち許可する操作を、以下の表のとおりの数字に置き換えて、それを足し算します。

表09-06 数値モードでのパーミッションの数値

| 意味 | 数字 |
|---|---|
| 読み取り (r) | 4 |
| 書き込み (w) | 2 |
| 実行 (x) | 1 |

足した値を、「オーナー」「グループ」「その他のユーザ」の順に3つ並べて指定します。この3桁の数字がパーミッションを指定するための値です。たとえば、「rwxr-xr-x」というパーミッションは、数値に変換すると次のように「755」となります。

図09-09 数値モードでのパーミッションの数字

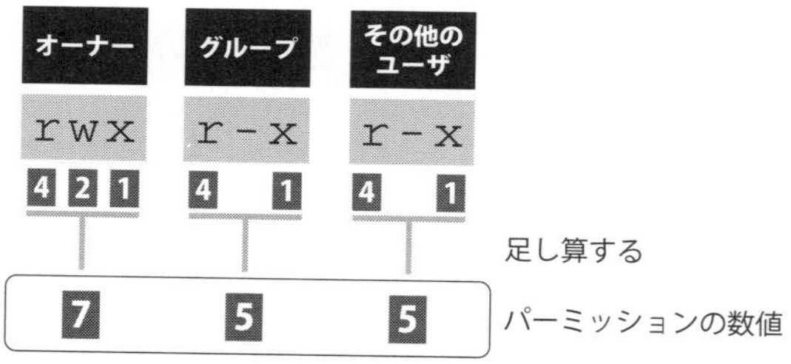


chmodコマンドにこの755を指定することで、元のパーミッションがなんであれ、「rwxr-xr-x」というパーミッションに変更されます。

▼数値モードで「755」とパーミッション指定

```
$ chmod 755 file.txt
$ ls -l file.txt
-rwxr-xr-x 1 osumi osumi 0 12月 25 12:17 file.txt
```

この755は、オーナーは読み書き実行が可能、その他のユーザは読み取りと実行が可能という状態です。他のユーザに見られてもよい実行可能ファイルは通常このパーミッションにします。

もう1つ例を見てみましょう。「rw-r--r--」というパーミッションは、いくつになるでしょうか。

図09-10　数値モードでのパーミッションの数字（例2）

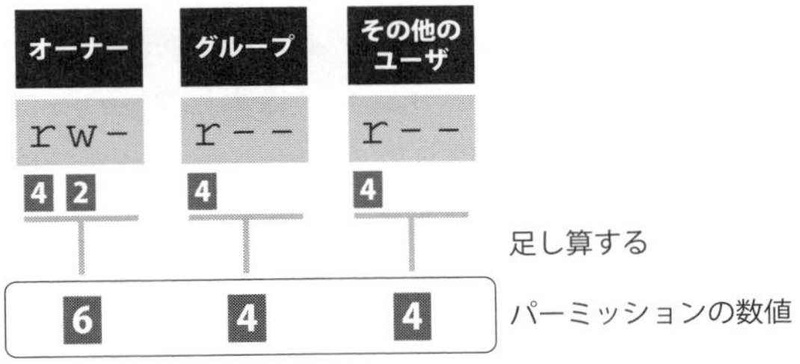


上図のとおり、計算すると「644」になります。これは、オーナーは読み書き可能、その他のユーザは読み取りだけ可能という状態です。他のユーザに見られてもよいファイルは、通常このパーミッションにします。

# 03 スーパーユーザ

Linuxのユーザの中には、スーパーユーザと呼ばれる、管理者権限を持つ特別なユーザが存在します。**スーパーユーザは、ユーザ名がrootであることから「rootユーザ」とも呼ばれます。**一方、ここまでの例で使用してきたosumiなど、通常の作業に利用するユーザは一般ユーザと呼ばれます。

スーパーユーザはあらゆる操作が許可された強い権限を持つユーザであり、システムの設定ファイルを変更したり、新しいアプリケーションをインストールしたりすることができます。また、スーパーユーザはファイルのパーミッションの影響を受けずに、すべてのファイルの読み込み、書き込み、削除が可能です。このような操作は一般ユーザでは行えませんから、Linuxのシステム管理を行う上ではスーパーユーザが必要となります。

しかしスーパーユーザは、Linuxを動作させる上で必須のファイルを削除するなど、危険な操作も実行できてしまいます。一般ユーザで操作を誤ったとしても、重要なシステムファイルなどは削除できませんし、最悪でもそのユーザが作成したファイルが壊れるだけで済みます。一方スーパーユーザで操作を誤ると、Linuxシステム自体を破壊してしまうこともあります。そのため、**通常は一般ユーザでログインして操作し、必要なときだけスーパーユーザとして作業する**というように、スーパーユーザの利用は必要最小限にとどめることが大切です。

一般ユーザからスーパーユーザに変わる方法として、suコマンドとsudoコマンドが用意されています。次にこの2つのコマンドについて、順に解説します。

## suコマンド - ユーザを変更する

suコマンドは、一時的に別のユーザになるためのコマンドです。実行すると、ログアウトせずに他のユーザに切り替わることができます。

suコマンドでは任意のユーザになることができますが、このコマンドは主に**スーパーユーザに変わる**ために使います。Linuxではセキュリティ上の理由からスーパーユーザで直接ログインすることができないように設定されていることもあるため、まず一般ユーザでログインしてからsuコマンドでスーパーユーザになる、という形で利用します。

図09-11　suコマンドでスーパーユーザになる

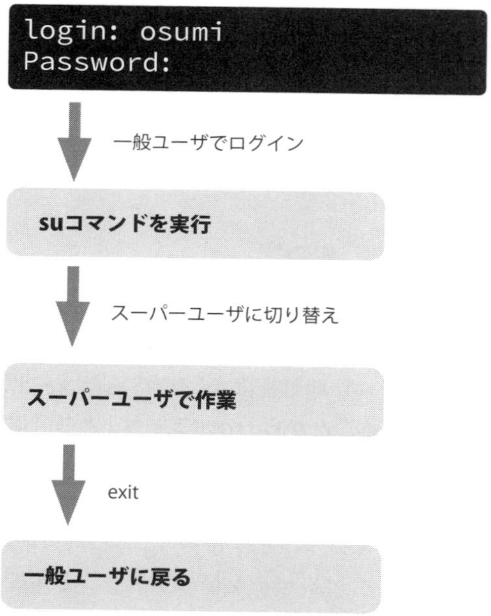


それでは、実際にスーパーユーザになってみましょう。suコマンドを引数なしで実行すると、スーパーユーザになることができます。この際、次のようにパスワードを尋ねられます。ここでスーパーユーザのパスワードを入力すると、スーパーユーザに切り替わります。一般的な設定では、次のようにプロンプトが**$**から**#**に変わります。

▼suコマンドの実行

```
$ su
パスワード:  ←  スーパーユーザのパスワードを入力
#            ←  プロンプトが#になった(スーパーユーザになった)
```

なおディストリビューションの種類やインストール時の設定によってはスーパーユーザのパスワードが設定されず、suコマンドでスーパーユーザになれないことがあります。このような場合には、次に紹介するsudoコマンドを利用してください。

スーパーユーザとして作業を終えたら、exitコマンドで元の一般ユーザに戻ることができます。

▼スーパーユーザから一般ユーザに戻る

```
# exit   ←スーパーユーザでexitコマンドを実行
exit
$        ←元の一般ユーザに戻った
```

なお、オプションを付けないsuコマンドでユーザを切り替えると、環境変数やカレントディレクトリなど現在の環境を維持したままユーザだけが切り替わります。一方、次のようにsuコマンドに-(ハイフン)を付けて実行すると、スーパーユーザの環境に初期化されてユーザが切り替わります。

▼スーパーユーザの環境に初期化して切り替える

```
$ su -
```

一般ユーザの環境変数などを引き継いだままスーパーユーザになると、アプリケーションによってはうまく動作しないことがあります。そのため通常は上の例のように、-(ハイフン)を付けてsuコマンドを実行してください。

## sudoコマンド - コマンドを別のユーザとして実行する

sudoコマンドは、別のユーザとしてコマンドを実行するために利用されます。ユーザを特に指定しない場合は、スーパーユーザとしてコマンドを実行します。これは主に、**一般ユーザでログインしているときに、スーパーユーザでないと実行できないコマンドを実行する**ために使用されます。

sudoコマンドの利用例を見てみましょう。現在、osumiという一般ユーザでログインしているとします。この状態で/etc/shadowというパスワードファイルの内容を閲覧しようとしても、読み取り権限がないためエラーになります。

▼読み取り権限がないためエラー

```
$ cat /etc/shadow
cat: /etc/shadow: 許可がありません
```

ここでsudoコマンドを使用します。

**書式** スーパーユーザとしてコマンドを実行する

```
sudo <実行したいコマンド>
```

▼sudoコマンドの実行

```
$ sudo cat /etc/shadow
[sudo] password for osumi:
```

sudoコマンドを実行すると、上の例のようにまずパスワードを尋ねられます。ここでは、**現在ログインしているユーザ**（ここではosumi）のパスワードを入力します。

正しくパスワードを入力すれば、sudoの後に指定したコマンドがスーパーユーザとして実行され、ここでは/etc/shadowの中身が次のように表示されるはずです。ただし、CHAPTER01の手順でCentOS Streamをインストールした際に、ユーザの作成画面（→P.11）で「このユーザーを管理者にする」をチェックしなかった場合は、たとえば「osumi は sudoersファイル内にありません。」というエラーメッセージが表示されて実行できません。これについては、次節で解説します。

▼スーパーユーザとして/etc/shadowファイルをcatして表示

```
$ sudo cat /etc/shadow
[sudo] password for osumi:
root:!:16194:0:99999:7:::
daemon:*:16179:0:99999:7:::
bin:*:16179:0:99999:7:::
sys:*:16179:0:99999:7:::
sync:*:16179:0:99999:7:::
....（省略）....
```

sudoはsuと似ていますが、**1つのコマンドだけをスーパーユーザ権限で実行する**ところが異なります。先ほどsuコマンドでスーパーユーザに切り替わったときは、明示的にexitするまでスーパーユーザのままでした。一方、sudoでコマンドを実行した場合は、そのコマンドが終了すれば元の一般ユーザの状態に自動的に戻ります。

また、sudoを実行する際に入力するパスワードは、スーパーユーザのパスワードではなく、今ログインしているユーザのパスワードであることに注意してください。suコマンドにはスーパーユーザのパスワードが必要でしたが、sudoを使用するには不要です。この点も、suとsudoの大きな違いです。

### ❖ sudoコマンドの設定

sudoは一般ユーザにスーパーユーザの権限を与えるコマンドです。この際、すべてのユーザがsudoコマンドを使えるようにしてしまうと、スーパーユーザと一般ユーザを区別している意味がなくなってしまいます。

そのためsudoコマンドは、どのユーザにどのコマンドを実行する権限を与えるのか、という設定を行うことができます。Linuxをインストールした直後の状態でsudoが許可されているかどうかは、ディストリビューションやインストール時に選んだ設定によって異なります。ここでは、その設定を変更して特定のユーザにsudoコマンドの実行を許可する手順について解説します。

ユーザにsudoを許可するかどうかは、/etc/sudoersファイルで管理されています。このファイルは一般ユーザには読み込み権限が与えられていないため、内容を確認するにはsuまたはsudoでスーパーユーザとしてcatコマンドを実行します。

▼sudoコマンドの設定ファイルの確認

```
$ su -
パスワード:
# cat /etc/sudoers
```

sudoersファイルは、「<ユーザ> <マシン名>=(<権限>) <コマンド>」の形式で記述します。<ユーザ>の部分は、直接ユーザ名を書くか、%<グループ名>の形でグループを指定します。

たとえば、初期状態でsudoが許可されているディストリビューションの場合は、/etc/sudoersに次のように設定されています。

```
%wheel ALL=(ALL) ALL
```

これは「wheelグループに所属するユーザは、すべてのマシンで、すべてのユーザとして、すべてのコマンドを実行できる」という意味になります。wheelグループとはシステム管理を行うためのグループで、ディストリビューションによっては、wheelの代わりにadminやsudoというグループ名が使われていることもあります。

あるユーザにsudoが許可されていない場合には、スーパーユーザが/etc/sudoersファイルに追記して権限を追加することができます。たとえばosumiユーザに、sudoを使ってすべてのコマンドを実行する権限を与えるには、次の行を追加します。

```
osumi ALL=(ALL) ALL
```

なお学習用のマシンならばこのような簡単な設定でかまいませんが、業務において複数人でLinuxマシンを使うような場合には、sudoで与える権限には十分注意してください。安易に上記のようなALL設定をしてしまうと、スーパーユーザのパスワードを知らない人も管理者権限を取得できる、というセキュリティ上の問題が発生します。

### ❖ visudoコマンド - sudoersファイルを編集する

sudoの設定を行う際、/etc/sudoersファイルを**直接テキストエディタで開いて編集してはいけません**。書き方を誤るとsudoが動作せずに、どのユーザもsudoが使えなくなってしまうことがあるためです。この場合、/etc/sudoersの誤りを修正するにはスーパーユーザの権限が必要なため、二度とスーパーユーザの権限を取得できない状態に陥ってしまいます。

これから/etc/sudoersを編集する手順を紹介しますが、この操作は慎重に行ってください。もしLinuxやエディタの操作にまだ慣れていない場合は、この操作は行わずにディストリビューションの初期設定のままにしておいてください。

/etc/sudoersを編集するには、visudoという特別なコマンドを使用します。このコマンドの実行にはスーパーユーザの権限が必要なため、suまたはsudoを使ってvisudoコマンドを実行します。

▼visudoコマンドをスーパーユーザとして実行

```
$ su -
パスワード:
# visudo
```

visudoコマンドを実行すると、テキストエディタが起動して/etc/sudoersファイルを開いた状態になります。この際、特に設定していない場合はエディタとしてVimが起動します。エディタの操作で必要な項目を/etc/sudoersファイルに追加し、保存して終了（Vimならば**:w**して**:q**）すると内容が反映されます。

なお、もしエディタでの編集内容に文法上の誤りがある場合は、終了しようとしたときに次のようなエラーが表示されます。

▼/etc/sudoersに文法エラーがある

```
visudo: >>> /etc/sudoers: syntax error (120行付近) <<<
次は何でしょうか?
```

この例では、「syntax error（文法エラー）」が警告されています。ここでEnterキーを押すと、次のようにエラーに対してどう処理するのか尋ねられます。

▼/etc/sudoersの編集エラーへの対応

```
オプション:
  e -- sudoers ファイルを再度編集します
  x -- sudoers ファイルへの変更を保存せずに終了します
  Q -- sudoers ファイルへの変更を保存して終了します (*危険です!*)
```

ここで、エディタに戻って誤りを修正したいときはeを、変更を破棄して終了したいときはxを入力します。なおQを入力すると、誤りがあったとしても強制的に/etc/sudoersファイルを上書き保存します。これはメッセージにも表示されているように危険な操作ですから、通常はQを使用しないようにしてください。

このように、visudoコマンドを使用するとファイルを上書きする前に記述内容の文法チェックが行われるので、直接/etc/sudoersファイルをエディタで編集するよりも安全に作業できます。

ではCHAPTER01の手順でCentOS Streamをインストールした方は、スーパーユーザになってからvisudoを実行し、ファイルの最後に以下の行を追加してください。

```
ユーザ名 ALL=(ALL) ALL
```

「ユーザ名」にはあなたのユーザ名を記述します。ファイルを保存した後は、sudoコマンドが実行できるようになっているはずです。

## suとsudoのどちらを使うか

ここまでsuとsudoを紹介してきました。使い方に違いはありますが、どちらもスーパーユーザの権限でコマンドを実行するという点は共通しています。それではsuとsudoのどちらを使うべきでしょうか。

suはexitコマンドで明示的に終了するまで、スーパーユーザ権限が継続するという特徴があります。そのため、スーパーユーザで作業する時間が長くなる傾向があります。一方、sudoは1つのコマンドだけをスーパーユーザ権限で実行するので、必要なときだけスーパーユーザとしてコマンドを実行する、という使い方になります。

スーパーユーザでの操作は、システムに必須なファイルを削除してしまうなど、小さなミスが致命的な問題を引き起こす可能性があります。そのためスーパーユーザでの操作は、最小限に抑えることが推奨されています。このような目的には、suよりもsudoがよく合致します。またsudoは一部のコマンドだけを許可したりといった、細かな制御も可能です。

このため現在は、**suよりもsudoの方がよく使われる**ようになりつつあります。実際、最近のLinuxディストリビューションでは、インストール中に作成した一般ユーザにはじめからsudoの権限が付与されていることが多くなっています。

しかしsudoを使うための設定変更は、Linuxに慣れないうちは少々難しいのも事実です。まず始めは、皆さんが使用しているディストリビューションの初期設定に合わせて、sudoが使える場合はそれを使う、そうでない場合はsuを使う、という利用をしてみてください。そして、Linuxの操作に慣れてきた頃にsudoの設定変更を行うことを検討すればよいでしょう。

**おわりに**

この章ではファイルのパーミッションとスーパーユーザでの操作について解説しました。これから皆さんが新規にアプリケーションをインストールしたり、自分でシェルスクリプトを作成するときにこのような操作が必要になるので、覚えておいてください。

## Column　ターミナルマルチプレクサ

Linuxで作業をしていると、シェルを複数同時に起動して操作したくなることがあります。このとき単純にターミナルエミュレータを複数起動してもよいのですが、ターミナルマルチプレクサと呼ばれるアプリケーションを利用するともっと効率よく作業できるようになります。

ターミナルマルチプレクサとは、1つの端末の中に複数の仮想的な端末を作成して管理するためのアプリケーションです。今回はその中でもtmuxを紹介します。tmuxはターミナルマルチプレクサの一種で、比較的新しく人気も高いアプリケーションです。

tmuxはtmuxというパッケージでインストールできるので、まずはdnfやaptでインストールしましょう。その後tmuxコマンドを実行するとtmuxが起動します。

tmuxを起動するとその中でログインシェルが起動されるので、そのまま通常通りシェルの操作ができます。新しく別のシェルを使用したくなったら、Ctrl+bの後にcを押してください。tmuxによって仮想的な端末が新規に作成され、その画面に切り替わります。このような仮想的な端末のことを、tmuxでは「ウィンドウ」と呼びます。

作成したウィンドウは自由に切り替えて表示することができます。ウィンドウを切り替えるキーバインドは次の表の通りです。

| | |
|---|---|
| **Ctrl+b n** | 次のウィンドウへ移動する |
| **Ctrl+b p** | 前のウィンドウへ移動する |
| **Ctrl+b <数字>** | 指定した番号のウィンドウへ移動する |
| **Ctrl+b l** | 直前に表示していたウィンドウへ移動する |

一旦ウィンドウを切り変えた後でも、元のウィンドウに戻ってくると切り替える前の状態が復元されます。これによって、ウィンドウを切り替えながら複数の作業を並行して行えるようになります。

作成したウィンドウを閉じる場合はCtrl+bの後に&を押すか、exitコマンドでシェルを終了してください。すべてのウィンドウを閉じるとtmux自体も終了します。

tmuxには、キーバインドを変更したり、1つのウィンドウをさらに細かく分割したり、ウィンドウに表示されている文字列をコピー、ペーストする機能があります。ターミナルエミュレータのタブ機能を使っても同じようなことはできますが、tmuxを使うとターミナルエミュレータの種類によらずに、キーボードだけで効率よく操作できるようになります。使い方もそれほど難しくないので、一度試してみてください。

# Chapter 10

# プロセスとジョブ

現在使われている多くのOSでは、複数のプログラムを同時に並行して実行できるマルチタスク機能が搭載されています。Linuxももちろんマルチタスクに対応しており、ファイルのコピー待ちの間にテキストファイルを開いて読むというように、ユーザは1つ1つのプログラムの終了を待たずに効率よく作業が行えます。

この章では、実行中のプログラムを操作する方法や、シェルから複数のプログラムを並行して実行したり停止したりするといった、マルチタスクを活かした便利な使い方を紹介します。

# 01 プロセスとは

これまで多くのコマンドを紹介してきましたが、これらのコマンドの実体はディスク上に保存されたファイルです。シェルからコマンドを実行すると、Linuxカーネルはディスクから実行ファイルを読み出してメモリに格納し、そのメモリ内容に従ってCPUがプログラムを実行します。ここで、**メモリ上で実行状態にあるプログラム**のことを「プロセス」と呼びます。

図10-01　プロセスとは、実行中のプログラム

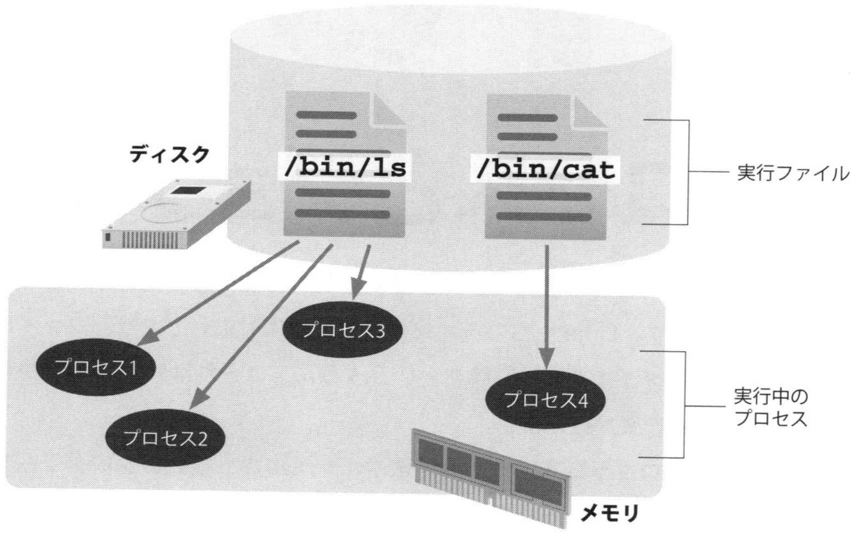


プロセスは、同一のコマンドから実行されていてもそれぞれ別個のメモリ領域を持ちます。そのため、たとえばlsコマンドが3個同時に実行されても、それら3個のプロセスが内部に持つデータがお互いに混ざってしまったりはしません。またプロセスには、ファイルのオーナーと同様に「実効ユーザ」が設定されており、他人のプロセスを勝手に操作することもできないようになっています。

これは、Linuxカーネルが1つ1つのプロセスに「プロセスID」という一意の番号を割り振って、適切にプロセスを管理してくれているおかげです。プロセス管理は、Linuxカーネルが持つ重要な機能の1つです。

なおLinuxでプロセスが新しく作られるときには、無から発生するのではなく、既に存在している別のプロセスを元に作成されるというモデルを取っています。これを親子関係

で表現し、作成するプロセスを親プロセス、作成されるプロセスを子プロセスと呼びます。たとえばシェルからlsコマンドを実行すると、シェルが親プロセス、lsコマンドのプロセスが子プロセスとなります。

## psコマンド - プロセスの表示

現在動作しているプロセスを表示するには、psコマンドを使います。引数なしでpsコマンドを実行すると、現在のターミナルで実行しているプロセスだけを表示します。

▼psコマンドによるプロセス確認

```
$ ps
  PID TTY          TIME CMD
 3007 pts/0    00:00:00 bash
 3034 pts/0    00:00:00 ps
```

上の例では、はじめのPIDというカラムがプロセスID、CMDというカラムが実行されているコマンドです。ここでは、プロセスIDが3007のbashと、3034のpsという2つのプロセスが動作しています。bashは現在実行しているシェル、psは今まさに実行したpsコマンドです。

次は、lessコマンドを2つ実行している例です。同名のlessというプロセスが2つありますが、それぞれのプロセスIDは「3035」「3040」と異なっているため、2つのプロセスは区別することができます。

▼lessコマンドが2つあるが、プロセスID（PID）が違う

```
$ ps
  PID TTY          TIME CMD
 3007 pts/0    00:00:00 bash
 3035 pts/0    00:00:00 less
 3040 pts/0    00:00:00 less
 3043 pts/0    00:00:00 ps
```

プロセスIDは、プロセスが起動してから終了するまで変化しません。そのためプロセスを操作するときは、このプロセスIDを使ってプロセスを特定することができます。

### 現在のターミナル以外のプロセスも表示する

別のターミナルで実行しているコマンドや、「デーモン（daemon）」と呼ばれるターミナルに接続していないプロセスを表示する場合には、xオプションを利用します。これにより、**現在のユーザが実行しているすべてのプロセスを表示**できます。

次の例ではxオプションと、プロセスの親子関係を表示するfオプションも合わせて指定して、プロセスの親子関係も見えるようにしています。

▼現在のユーザが実行中のすべてのプロセスを表示

```
$ ps xf
  PID TTY      STAT   TIME COMMAND
 3048 ?        S      0:00 sshd: osumi@pts/1
 3049 pts/1    Ss     0:00  \_ -bash
 3071 pts/1    S+     0:00      \_ man bash
 3080 pts/1    S+     0:00          \_ less -s
 3006 ?        S      0:00 sshd: osumi@pts/0
 3007 pts/0    Ss     0:00  \_ -bash
 3035 pts/0    T      0:00      \_ less /etc/crontab
 3040 pts/0    T      0:00      \_ less /etc/hostname
 3089 pts/0    R+     0:00      \_ ps xf
```

上の例では、プロセスID 3048のsshdプロセスからbashが起動され、さらにそこから「man bash」が実行されている様子がわかります。manコマンドは内部でlessコマンドを起動するため、さらにlessの子プロセスを引き連れています。これがプロセスの親子関係です。

なおTTYというカラムは、ターミナルを意味します。上の例ではpts/0とpts/1という2つのターミナルでログインして作業しています。また、sshdというSSH接続（→P.414）を終端するプロセスはTTYに**?**と表示されており、これはターミナルに接続していないプロセス（デーモン）であることを意味します。

### ❖ オプション形式

先ほどpsコマンドを実行した際、オプションの指定に`ps xf`と入力し、-（ハイフン）が不要であったことに注意してください。Linuxのpsコマンドは、歴史的な理由から以下の**2種類のオプション形式**があります。

- UNIXオプション：ハイフン付きでオプションを指定する。`ps -aef`など
- BSDオプション：ハイフンなしでオプションを指定する。`ps xf`など

この2種類はそれぞれオプション記号の意味も異なるため、別物として覚える必要があります。本書では、現在主流であるBSDオプションでの例を紹介し、UNIXオプションでの指定は紹介していません。UNIXオプションに興味のある方は、psコマンドのマニュアルを参照してみてください。

### ❖ すべてのプロセスの表示

Linuxではログイン中のユーザが実行しているプロセス以外にも、Linuxのシステム自体を管理するためのプロセスがはじめから動いています。これらの多くはスーパーユーザの権限で実行されています。

自分のプロセスだけでなく、システムで動いているすべてのプロセスを表示するには、先ほどのxオプションに加えてaオプションを指定します。

▼システムで動作しているすべてのプロセスを表示

```
$ ps ax
  PID TTY      STAT   TIME COMMAND
    1 ?        Ss     0:00 /usr/lib/systemd/systemd --switched-root
--system --deserialize 24
    2 ?        S      0:00 [kthreadd]
    3 ?        S      0:00 [ksoftirqd/0]
    5 ?        S<     0:00 [kworker/0:0H]
    6 ?        S      0:00 [kworker/u2:0]
    7 ?        S      0:00 [migration/0]
....（省略）....
 2999 ?        S      0:00 [kworker/0:2]
 3000 ?        R+     0:00 [kworker/0:1]
 3001 ?        S      0:00 pickup -l -t unix -u
 3002 ?        Ss     0:00 sshd: osumi [priv]
 3006 ?        S      0:00 sshd: osumi@pts/0
 3007 pts/0    Ss     0:00 -bash
 3033 ?        S      0:00 [kworker/0:3]
 3097 pts/0    R+     0:00 ps ax
```

筆者の環境では、**ps ax**により85個のプロセスが表示されました。環境にもよりますが、Linuxを起動してログイン直後の何も作業をしていない状態でも、通常は数十個以上のプロセスが動いています。ここでは個別のプロセスについて1つ1つ解説はしませんが、**Linuxではマルチタスク機能によって、さまざまなプロセスが同時に動作**しているということは覚えておいてください。

### よく使われるオプション

psコマンドには非常に多くのオプションがあり、ここですべてを紹介することはできません。そのため、よく使われるオプションの組み合わせ例を以下に挙げておきます。これらはどれも便利でよく使われますから、ぜひ覚えておいてください。

表10-01 psコマンドのオプション組み合わせ例（BSDオプション）

| オプション | 意味 |
|---|---|
| x | psコマンドを実行したユーザのプロセスすべてを表示 |
| ux | psコマンドを実行したユーザのプロセスすべてを、詳細情報を合わせて表示 |
| ax | すべてのユーザのプロセスを表示 |
| aux | すべてのユーザのプロセスを、詳細情報を合わせて表示 |
| auxww | auxオプションで、コマンドラインが長くターミナルの右端で切れてしまう際に、表示幅を制限せずすべて表示 |

psコマンドのオプションについて詳しく知りたい方は、**man ps**としてpsコマンドのマニュアルを読んでみてください。

# 02 ジョブとは

さきほど紹介したプロセスは、Linuxカーネルから見た処理の単位でした。これに対して、**シェルから見た処理の単位**をジョブと呼びます。シェルのコマンドラインに入力している1つの行が、1つのジョブにあたります。

コマンドが1つだけの場合には、プロセスとジョブは同じ単位となります。一方、コマンドをパイプ(詳しくはCHAPTER11参照)でつないだ場合には、プロセスはコマンドごとに生成されるのに対してジョブはコマンドライン全体で1つとなります。

図10-02 プロセスとジョブの単位

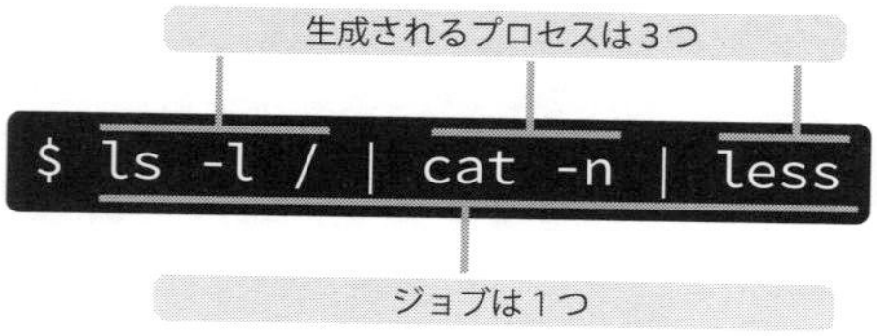


プロセスはシステム全体で一意のプロセスIDを持ちますが、ジョブはシェルごとにジョブ番号を持ちます。そのため、複数のターミナルエミュレータを起動して2つ以上のシェルを同時に使っている場合、ジョブ番号は重複します。

図10-03 ジョブはシェルごとの処理単位

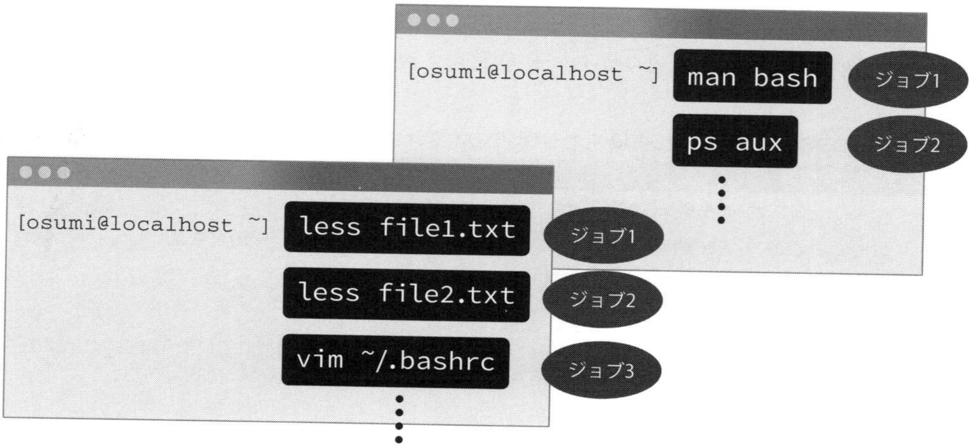

シェルの機能を使うと、ジョブを一時停止させたり、バックグラウンドで実行させたりといった、ジョブ制御が可能になります。このジョブ制御機能をうまく使いこなせば、さまざまな作業を並行して効率よく実行できます。

では、次からジョブ制御の例を見ていきましょう。ここでは「bashのmanページを読みながら、エディタで~/.bashrcファイルを編集する」という作業を例として紹介します。



## コマンドを一時停止する

まず、manコマンドでbashのマニュアルを表示しましょう。

▼manを起動する

```
$ man bash
```

ここで表示されたマニュアルを閲覧中に、~/.bashrcファイルを編集したくなったとします。この際、**q**を入力してmanを終了してしまうと、manの続きを読みたくなったときには改めて**man bash**を実行して、先ほど読み進めていたページに手動でスクロールし直さないといけません。

ここで、bashのマニュアルが表示されている状態で**Ctrl + z**を押してみましょう。すると次のように「停止」と表示され、プロンプト**$**が表示されます。これでシェルにコマンドを入力できる状態に戻りました。

▼Ctrl + zでコマンドを停止

```
[1]+  停止                    man bash
$
```

これは一見したところmanコマンドが終了したように見えますが、そうではありません。上の例では「man bash」という**ジョブが停止状態に移行**したのです。一時的に停止しているだけでありジョブは残っているため、また後で再開することができます。

では、「man bash」のジョブを停止状態としたまま、次にエディタを起動して~/.bashrcを編集してみましょう。

▼vimの起動

```
$ vim ~/.bashrc
```

しばらくファイルを編集しているうちに、先ほど表示していたbashのマニュアルページを確認したくなりました。まだファイルの編集中ですから、Vimは終了させずに、Ctrl + zを押して停止状態とします。

▼Ctrl + zでVimを停止

```
[2]+  停止                    vim ~/.bashrc
$
```

ここで、現在のジョブを確認してみましょう。**ジョブの一覧を表示するには、jobsコマンド**を使用します。

▼jobsコマンド現在のジョブ一覧を表示

```
$ jobs
[1]-  停止                    man bash
[2]+  停止                    vim ~/.bashrc
```

停止状態の2つのジョブが表示されました。先頭の[1]や[2]は、ジョブ番号を表しています。この例の場合は、「man bash」のジョブ番号は1、「vim ~/.bashrc」のジョブ番号は2で、どちらも停止状態です。

なお、ジョブ番号だけでなく、プロセスIDも表示したい場合には-lを付けます。

▼ジョブ一覧にプロセスIDも表示

```
$ jobs -l
[1]-  4473 停止                    man bash
[2]+  4475 停止                    vim ~/.bashrc
```

## fgコマンド - ジョブをフォアグラウンドにする

ここではbashのマニュアルを再度確認したいので、「man bash」のジョブを停止状態からユーザが対話的に操作できる元の状態に戻してみましょう。そのようなユーザ入力を受け付けるジョブの状態を、フォアグラウンドと呼びます。

ジョブをフォアグラウンドにするには、fgコマンドを使います。

書式　ジョブをフォアグラウンドにする

```
fg %<ジョブ番号>
```

今回はジョブ番号が1番の「man bash」が対象ですから、次のように実行します。

▼ジョブ番号1をフォアグラウンドジョブへ

```
$ fg %1
```

これで元々表示していたbashのmanページが画面に表示され、キーボードで操作できる状態に戻ります。

ここで、fgコマンドで復帰したときには、スクロール位置など停止状態にする直前の状態が復元されていることに注意してください。複数のコマンドを実行する際には、こうしてジョブを停止状態として切り替えていくことで、効率的に作業を行うことができるわけです。

図10-04 ジョブの停止とフォアグラウンド

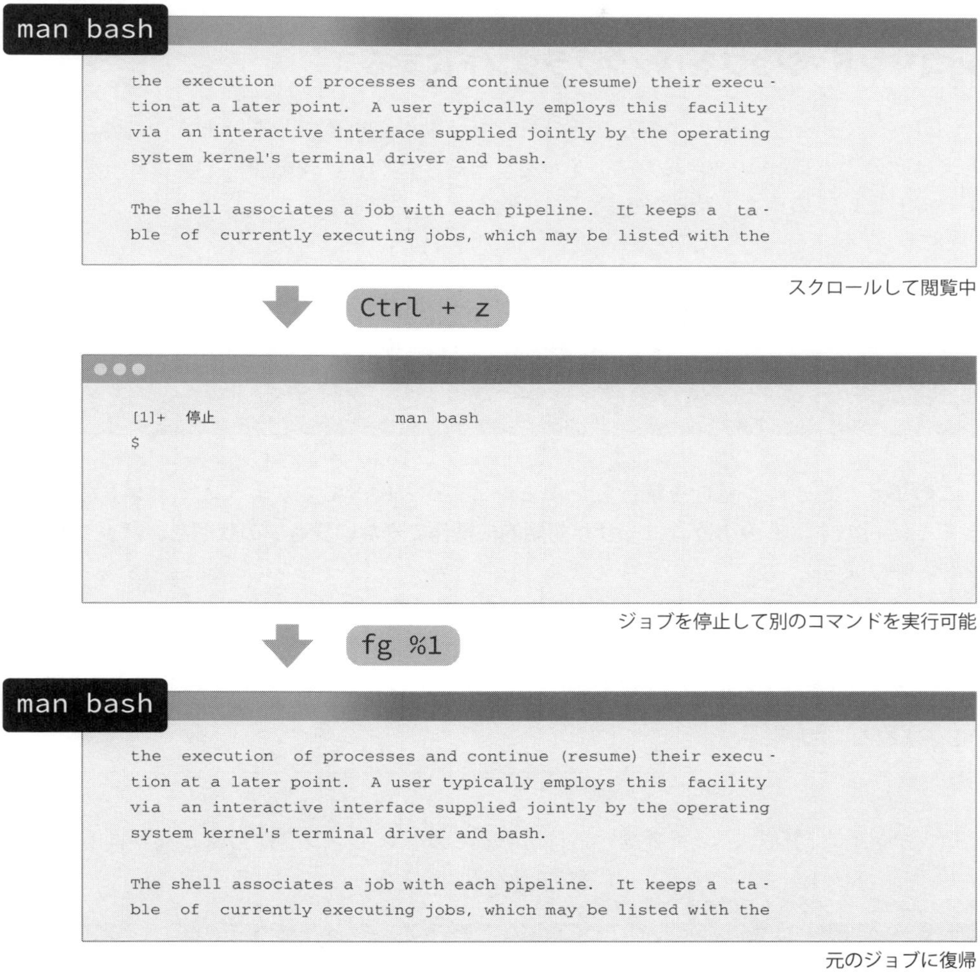


なお、fgコマンドでジョブ番号を省略すると、カレントジョブ（jobsコマンドで**+**が表示されているジョブ）がフォアグラウンドになります。停止状態のジョブが1つだけのときは、それが必ずカレントジョブですからfgコマンドで指定するジョブ番号は省略できます。

次の例は、Vimでファイルを編集中に、いったんシェルに戻ってlsコマンドを実行して結果を確認してから元に戻りたい、というケースです。この場合、fgコマンドにジョブ番号の指定は不要です。

▼カレントジョブが対象ならばジョブ番号の指定は不要

```
$ vim file1.txt
....（ファイルの編集中）....  ← Ctrl + zを押す

[1]+  停止                    vim file1.txt
$ ls /  ← lsコマンドの結果を確認
$ fg  ← Vim編集作業に戻る
```

## bgコマンド - ジョブをバックグラウンドにする

Ctrl + zでジョブを停止すると、そのジョブは動作を止めてしまいます。このため、たとえば次のようにcpコマンドでファイルをコピー中にCtrl + zを押すと、コピー処理は停止してしまい、いつまで待っても完了しません。

▼cpコマンド実行中にCtrl + zを押すと、コピーも停止する

```
$ cp file1 file2
^Z  ← Ctrl + zを入力
[1]+  停止                    cp file1 file2
$
```

このようなときは、処理を続行したままシェルへと戻ってくるようにコマンドを実行できると便利です。そのようなユーザが対話的に操作できないジョブの状態を、**バックグラウンド**と呼びます。

ジョブをバックグラウンドにするには、bgコマンドを使用します。

**書 式** ジョブをバックグラウンドにする

```
bg %<ジョブ番号>
```

fgコマンドと同様に、ジョブ番号を省略するとカレントジョブが対象となります。

▼ジョブをバックグラウンドにする

```
$ bg %1
[1]+  cp file1 file2 &
$
```

上の例では、cpコマンドによるファイルコピーのジョブをバックグラウンドにしました。プロンプトが表示されてシェルに戻ってきましたから、ここで自由に別のコマンドを入力して作業を行うことができます。また、その間にも**バックグラウンドジョブは動作を続行している**ため、ファイルはコピーされています。このように、長い時間がかかるコマンドをバックグラウンド処理させることで、コマンドの実行終了までの待ち時間を無駄に

しなくて済みます。

バックグラウンドのジョブも、jobsコマンドで状態を確認することができます。

▼バックグラウンドジョブの確認

```
$ jobs
[1]+  実行中                 cp file1 file2 &
```

先ほどCtrl + zでジョブを停止したときは「停止」と表示されていましたが、上の例では「実行中」と表示されています。これはジョブが実行中で、コピー処理が行われていることを意味しています。末尾の「&」という記号は、ジョブがバックグラウンドの状態であることを表します。

バックグラウンドのジョブが完了すると、次のようなメッセージが表示されます。これでジョブの処理が完了したことがわかります。

▼バックグラウンドジョブの終了

```
[1]+  終了                   cp file1 file2
```

なお、はじめからジョブをバックグラウンドで実行したいときは、**コマンドラインの末尾に&を追加**します。

▼cpコマンドをバックグラウンドで実行

```
$ cp file1 file2 &
[1] 4810
```

こうすれば、いちいちCtrl + zで停止してからbgコマンドでバックグラウンドにする、という操作は不要です。

## ジョブの状態遷移

ここまでに紹介したジョブの状態を表にまとめておきます。

表10-02　ジョブの状態

| 状態 | 内容 |
|---|---|
| フォアグラウンド | ユーザが対話的に操作しながら処理が実行されている状態 |
| バックグラウンド | ユーザが対話的に操作せずに処理が実行されている状態 |
| 停止 | 処理を一時的に中断している状態 |

これらのジョブの状態は、次のようにCtrl + z、fgコマンド、bgコマンドで遷移させることができます。

図10-05 ジョブの停止とフォアグラウンド

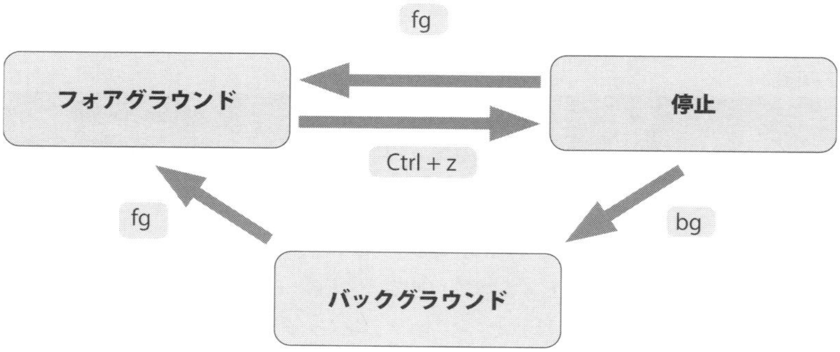


なお、ジョブの操作コマンドであるjobs、fg、bgはすべてシェルの組み込みコマンドです。

▼jobs, fg, bgはシェルの組み込みコマンド

```
$ type jobs fg bg
jobs はシェル組み込み関数です
fg はシェル組み込み関数です
bg はシェル組み込み関数です
```

プロセスはLinuxカーネルから見た処理単位であり、ジョブはシェルごとの処理単位である、ということを思い出してください。すべてのプロセスにはプロセスIDが付加されていますから、本質的にはプロセスIDで操作できれば事足ります。しかしユーザはシェルから操作を行いますから、プロセスという単位よりも、ジョブという単位の方が多くの場面では利便性が高いのです。

# 03 ジョブ・プロセスの終了

コマンドを誤って実行してしまったり、プログラムの不具合などによってコマンドが操作を受け付けなくなった場合には、シェルからコマンドを終了させる必要があります。ジョブやプロセスを終了するための操作方法を、次に見ていきましょう。

## ジョブの終了

ジョブを終了させるには、そのジョブの状態により操作が変わってきます。

フォアグランドジョブを実行中の場合は、キーボードの入力待ちになっていますから、

**終了するにはそこでCtrl + c**を押します。多くのプログラムはCtrl + cを押すことで終了するように設計されているためです。

次の例では、誤って実行したcpコマンドをCtrl + cで終了しています。

▼Ctrl + cを入力するとフォアグラウンドジョブが終了する

```
$ cp file1 file2
^C  ◀────────── Ctrl + cを入力
$   ◀────────── 終了してシェルに戻った
```

一方、バックグラウンドまたは停止の状態にあるジョブはキーボード入力を受け付けていませんから、Ctrl + cを入力することができません。そのためそのようなジョブを終了させるには、ジョブ番号を指定してkillコマンドを使います。

書 式 ジョブを終了させる

```
kill %<ジョブ番号>
```

たとえば今、次のように停止状態のジョブが3つあるとします。

▼停止状態のジョブが3つある状態

```
$ jobs
[1]   停止                    man bash
[2]-  停止                    vim ~/.bashrc
[3]+  停止                    less /etc/crontab
```

このうち、「man bash」のジョブを終了したいとします。これはジョブ番号が1番ですから、`kill %1`と入力することで終了できます。

▼停止状態のジョブの終了

```
$ kill %1
[1]   Terminated              man bash
```

ジョブが終了できると、上記のように「Terminated」というメッセージが表示されます。なお環境によっては、日本語で「終了しました」と表示されます。

正しくジョブを終了できたか、確認してみましょう。再びjobsコマンドを実行します。

▼「man bash」のジョブが表示されなくなった

```
$ jobs
[2]-  停止                    vim ~/.bashrc
[3]+  停止                    less /etc/crontab
```

先ほどのジョブ番号1、「man bash」のジョブが表示されなくなりました。これにより、正しくジョブが終了されたことが確認できます。

## プロセスの終了

プロセスを終了するには、バックグラウンドジョブの終了と同様にkillコマンドを使います。

**書式** プロセスを終了させる

```
kill <プロセスID>
```

プロセスの場合は、%を付けずにプロセスIDをそのまま指定します。

次の例は、2つのターミナルで作業をしており、片方のターミナルではlessコマンドでファイルを閲覧している状態です。

▼2つのターミナルのプロセス一覧

```
$ ps xf
  PID TTY      STAT   TIME COMMAND
 4611 ?        S      0:00 sshd: osumi@pts/1
 4612 pts/1    Ss     0:00  \_ -bash
 4657 pts/1    R+     0:00      \_ ps xf
 3006 ?        S      0:00 sshd: osumi@pts/0
 3007 pts/0    Ss     0:00  \_ -bash
 4654 pts/0    S+     0:00      \_ less /etc/crontab
```

ここでプロセスID 4654のlessコマンドを終了させるには、もう1つのターミナルから次のようにプロセスIDを指定してkillコマンドを実行します。

▼プロセスを終了させる

```
$ kill 4654
```

これでプロセスID 4654のプロセスが終了できます。

なお、他人のプロセスを勝手に終了させることができないように、プロセスを終了できるのはその実行ユーザのみとなっています。

次の例ではユーザmiyakeが、ユーザosumiのプロセスをkillコマンドで終了しようとしましたが、エラーとなり失敗しています。

▼別ユーザのプロセスは終了できない

```
[miyake@localhost ~]$ ps aux  ◀── ユーザmiyakeがプロセスを確認
....（省略）....
```

```
root       4665  0.1  0.4 131524  4824 ?        Ss   02:43   0:00 sshd: miyake [priv]
miyake     4670  0.0  0.2 131524  2164 ?        S    02:43   0:00 sshd: miyake@pts/1
miyake     4671  0.0  0.2 115656  2128 pts/1    Ss   02:43   0:00 -bash
osumi      4695  0.0  0.0 110248   956 pts/0    S+   02:43   0:00 less /etc/crontab
miyake     4717  0.0  0.1 123356  1384 pts/1    R+   02:44   0:00 ps aux

[miyake@localhost ~]$ kill 4695   ← ユーザmiyakeが、osumiのプロセスを終了
-bash: kill: (4695) - 許可されていない操作です
```

ただし例外として、スーパーユーザはすべてのユーザのプロセスを終了させることができます。

なお本書の扱う範囲では、ジョブの終了操作さえ覚えておけば、プロセスの終了はほとんど使う機会はないでしょう。しかし読者がこれからLinuxのシステム管理・運用を行うようになると、サービスを提供するアプリケーションの多くは端末から切り離して実行されるため、ジョブ番号を持ちません。このため、Linuxのシステム管理を行うにはプロセスの終了操作の知識が必要となります。

## killコマンド - シグナルを送信する

先ほど登場したkillコマンドは、実は「ジョブ・プロセスを終了させる」コマンドではなく、正しく言うと**「シグナルを送信する」コマンド**です。本章の最後に、この「シグナル」について簡単に解説しておきましょう。

シグナルとは、その名のとおりプロセスに送信される信号です。プロセスは受け取ったシグナルの種類によって、「終了」、「停止」、「再起動」などさまざまな振る舞いを示します。このように実行中のプロセスに対してシグナルを送ることで、プロセス間で通信を行うことができます。

killコマンドで送信するシグナルの種類は、「kill -<シグナル名>」という形で指定できます。シグナル名を省略すると、デフォルト値としてTERMというシグナルを送信します。つまり、次の2つは同じ意味です。

```
kill 4695
kill -TERM 4695
```

またそれぞれのシグナルには番号が付いており、killコマンドではこのシグナル番号で指定してもかまいません。TERMシグナルのシグナル番号は15番ですから、次の例も**kill 4695**と同じ意味です。

```
kill -15 4695
```

ここで登場したTERMというシグナルは「Terminate」、つまり終了を指示します。この

ため、シグナルを指定せずkillコマンドを実行すると、デフォルトのTERMシグナルが送信されてジョブ・プロセスは終了したわけです。

また、フォアグラウンドジョブに対するCtrl + zやCtrl + cも、実はシグナルを送信するための操作です。Ctrl + zはTSTP、Ctrl + cはINTというシグナルを送信します。これにより、ジョブは受け取ったシグナルの内容を元に「停止」や「終了」するわけです。

システムで利用可能なシグナル一覧は、killコマンドに-lを付けて実行することで確認できます。なおこの際、シグナル名は先頭に"SIG"という接頭辞を付けて表示されます。

▼利用可能なシグナル一覧の表示

```
$ kill -l
 1) SIGHUP    2) SIGINT    3) SIGQUIT   4) SIGILL    5) SIGTRAP
 6) SIGABRT   7) SIGBUS    8) SIGFPE    9) SIGKILL  10) SIGUSR1
11) SIGSEGV  12) SIGUSR2  13) SIGPIPE  14) SIGALRM  15) SIGTERM
16) SIGSTKFLT 17) SIGCHLD 18) SIGCONT  19) SIGSTOP  20) SIGTSTP
....（省略）....
```

上の例のうち、「9) SIGKILL」は例外的なシグナルです。このシグナルだけは、プロセスに渡されずに直接Linuxカーネルが処理します。LinuxカーネルはKILLシグナルを捕捉すると、指定されたプロセスを強制的に終了します。このためKILLシグナルは、TERMシグナルを受け付けなくなった異常プロセスを終了するために用いられます。

ただし、KILLシグナルは最後の手段として使用してください。プログラムの種類によっては、TERMシグナルを受信したときに現在の状態を保存したり、一時ファイルを削除したりといったように、最後に必要な処理を行ってから終了するものがあります。KILLシグナルを使うとそのような終了処理をせずに強制的にプロセスが終了してしまいます。

そのためkillコマンドでプロセスを終了させる場合は、まず始めにTERMシグナルを試して、それでもうまく終了できないときだけKILLシグナルを使用するようにしてください。

**おわりに**

この章で紹介したプロセスやジョブの操作は、初めのうちはわかりにくいかもしれません。しかしプロセス管理という仕組みはLinuxにおいて非常に重要な技術であり、その基礎知識は知っておいた方がよいでしょう。皆さんがLinuxに慣れてきて作業を並行して行うことが多くなってきたら、ジョブ制御の操作などを試してみてください。

# Chapter 11

# 標準入出力とパイプライン

Linuxには多くのコマンドが用意されていますが、1つ1つのコマンドはできるだけ小さく、シンプルな動作をするように設計されています。これは、コマンドにあれもこれもと機能を詰め込みすぎるよりも、1つのコマンドは1つの機能を提供することに徹して、単純にした方がわかりやすく使いやすいためです。

Linuxでさまざまな処理を行うためには、これらの小さなコマンドを連携させる仕組みが必要です。この章で紹介する「リダイレクト」と「パイプライン」は、コマンドをうまく組み合わせて連携させるための仕組みです。

# 01 標準入力、標準出力、標準エラー出力

コマンドを連携するやり方を学ぶ前に、まずはコマンド間で情報をやりとりする仕組みを理解する必要があります。そのため、まずは予備知識として標準入出力という言葉について解説します。

Linuxでは、catなどのコマンドが起動されると、自動的に標準的な入出力チャネルが開かれます。チャネルとは日本語では「水路」や「経路」という意味ですが、ここでは「データの流れる道」という意味にとらえておいてください。

図11-01　コマンドを実行すると、標準入出力チャネルが開かれる

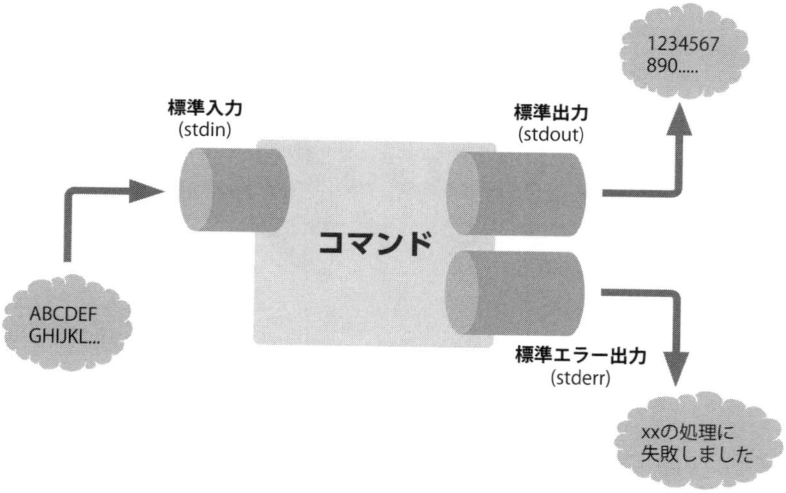


標準的な入出力チャネルとは、具体的には以下の3つです。

**標準入力(stdin)**　　　：プログラムの標準的な入力です。通常はキーボードが使われます。
**標準出力(stdout)**　　　：プログラムの標準的な出力です。通常は端末ディスプレイが使われます。
**標準エラー出力(stderr)**：プログラムのエラーメッセージを出力するための標準的な出力です。通常は標準出力と同じく、端末ディスプレイが使われます。

これら3つをあわせて標準入出力と呼びます。

各コマンドは、内部で「キーボードから入力されている」とか「ディスプレイに出力する」とは考えていません。シンプルに、「標準入力から入力し、標準出力に出力する」だけです。

標準入力は通常はキーボードに割り当てられていますが、ファイルでもかまいません。また標準出力は通常は端末ディスプレイに割り当てられていますが、プリンタでもファイルでもかまわないわけです。

図11-02　標準入出力チャネルとコマンド

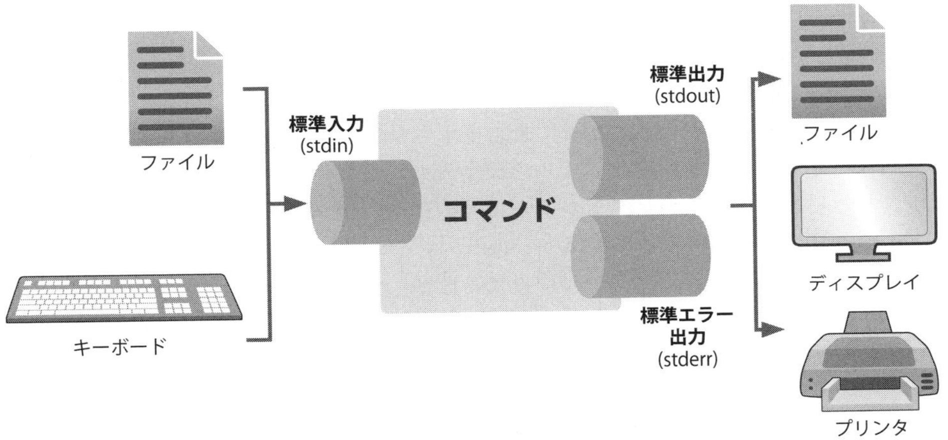


なお、標準入出力を実際にどこにつなぐかは、ユーザが自由に設定できるようにシェルで制御できます。

このようにLinuxでは、コマンドの入出力先を「標準入出力」という形で抽象化しているため、コマンド内部の動作を変更せずに標準入出力先を柔軟に変更することができます。

# 02 リダイレクト

先ほど解説した、**標準入出力先を変更する機能のことをリダイレクト**と呼びます。入力・出力ともにリダイレクトすることが可能です。そのやり方を次に見ていきましょう。

## 標準入力のリダイレクト

ここで、CHAPTER05で紹介したcatコマンドをもう一度見てみます。CHAPTER05では、catコマンドの引数にファイルを指定しないと、キーボードからの入力を待つようになるという動きを紹介しました。

▼引数を指定せずにcatコマンドを実行

```
$ cat
Hello     ← キーボードからHelloと入力
Hello     ← Helloと表示された
          ← Ctrl + dを入力
$         ← プロンプトに戻った
```

これはcatコマンドが、「標準入力の内容を入力として読み込んで、それを標準出力にそのまま出力する」という動きをするコマンドのためです。標準入力は通常はキーボードであるため、今はキーボードの入力がそのまま表示されました。

では、キーボードの代わりにファイルを標準入力につないでみましょう。これを**入力リダイレクト**と呼びます。入力リダイレクトは**<**を使います。次の例では、標準入力がつながっている先を、キーボードから/etc/crontabファイルに変更しています。

これにより、/etc/crontabファイルの内容が、標準入力としてcatコマンドに渡されます。catコマンドはこれを標準出力にそのまま出力します。結果として、次のように/etc/crontabファイルの内容が表示されます。

▼/etc/crontabファイルを入力リダイレクトしてcatコマンドを実行

```
$ cat < /etc/crontab
SHELL=/bin/bash
PATH=/sbin:/bin:/usr/sbin:/usr/bin
MAILTO=root

# For details see man 4 crontabs

# Example of job definition:
# .---------------- minute (0 - 59)
# |  .------------- hour (0 - 23)
# |  |  .---------- day of month (1 - 31)
# |  |  |  .------- month (1 - 12) OR jan,feb,mar,apr ...
# |  |  |  |  .---- day of week (0 - 6) (Sunday=0 or 7) OR
sun,mon,tue,wed,thu,fri,sat
# |  |  |  |  |
# *  *  *  *  * user-name  command to be executed
```

### ❖ 入力リダイレクトとファイル指定

catコマンドは、コマンドライン引数にファイルを指定するとそのファイルの内容を表示するため、入力リダイレクトで書いてもファイル指定で書いても同じ動作となります。

```
cat < /etc/crontab     ← 入力リダイレクトでの書き方
cat /etc/crontab       ← ファイル指定での書き方
```

しかしこの2つは、得られる結果は同じですがコマンド内部での動きは結構違います。

入力リダイレクト**<**を用いた方は、catコマンドとしては標準入力を読み込んで出力しています。シェルのリダイレクト機能によって標準入力が/etc/crontabにつながっているので、結果としてそのファイルの内容が表示されます。一方ファイルを指定した方は、catコマンド自身が引数として指定されたファイルを開いて出力しています。

細かい話になりましたが、皆さんが今後Linuxで何かしらのコマンドを作る際には、他のLinuxコマンドと同様に入力データを標準入力から読み込む仕組みを備えるようにしましょう。その方が、より汎用性が高く、他のプログラムとの連携もしやすくなります。



## 標準出力のリダイレクト

標準出力も、リダイレクト機能により変更できます。よく使われるケースとしては、**コマンドの実行結果を画面に表示するのではなくファイルに保存したい**場合です。

標準出力をリダイレクトするには、**>**という記号を使います。次の例では、lsコマンドの実行結果をlist.txtというファイルに保存しています。コマンドの結果は、通常は標準出力へ出力するようになっていますが、これをファイルへ出力するよう向きを変えている(リダイレクトしている)わけです。

こうすれば、コマンドの実行結果をlist.txtというファイルに保存できますから、後でその内容を参照することができます。

▼lsコマンドの結果をファイルに保存

```
$ ls -l / > list.txt   ◀── コマンドの実行結果をlist.txtへリダイレクト
$ cat list.txt         ◀── list.txtの内容を確認
合計 28
lrwxrwxrwx.   1 root root    7  7月 21 19:30 bin -> usr/bin
dr-xr-xr-x.   4 root root 4096  9月  4 00:01 boot
drwxr-xr-x   18 root root 2900 10月 26 17:41 dev
drwxr-xr-x.  74 root root 8192 10月 27 12:08 etc
drwxr-xr-x.   3 root root   20  7月 21 19:39 home
lrwxrwxrwx.   1 root root    7  7月 21 19:30 lib -> usr/lib
lrwxrwxrwx.   1 root root    9  7月 21 19:30 lib64 -> usr/lib64
drwxr-xr-x.   2 root root    6  6月 10 09:11 media
drwxr-xr-x.   2 root root    6  6月 10 09:11 mnt
drwxr-xr-x.   3 root root   38  7月 21 19:40 opt
dr-xr-xr-x  101 root root    0 10月 26 17:41 proc
....以下省略....
```

なお、リダイレクト先のファイルは自動的に作成されますから、事前にtouchコマンドなどでファイルを作っておく必要はありません。

## 標準エラー出力

出力チャネルには先ほど紹介した標準出力に加えて、標準エラー出力というものが用意されています。

標準エラー出力は、**主にプログラムのエラーメッセージを出力するため**に使用されます。たとえば、lsコマンドで存在しないファイルを指定した場合は、次のようなエラーメッセージが表示されますが、このエラーメッセージは標準エラー出力に出力されています。

▼コマンドのエラーメッセージは標準エラー出力に出力されている

```
$ ls /xxxxx
ls: /xxxxx にアクセスできません: そのようなファイルやディレクトリはありません
```

通常、標準エラー出力は標準出力と同じく、端末ディスプレイにつながっています。そのため、このままでは表示されているメッセージが標準出力のものか標準エラー出力のものかを区別することはできません。

|図11-03| 標準エラー出力は標準出力と同じく端末ディスプレイにつながっている

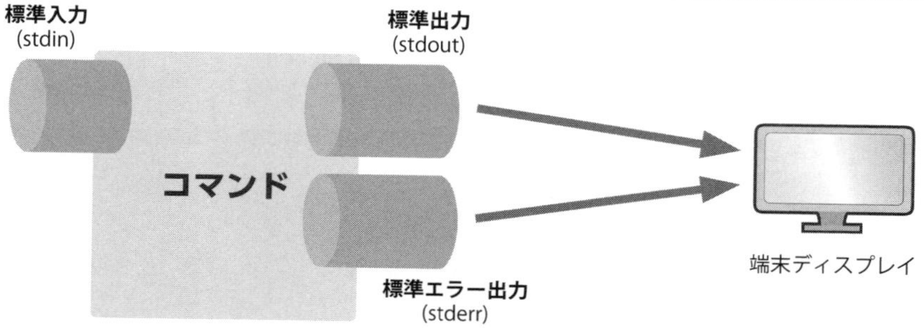


しかし、標準出力をファイルにリダイレクトして、画面に表示させないようにするとその違いがわかります。

次の例では、標準出力をlist.txtというファイルにリダイレクトしています。そのため、コマンドの結果はlist.txtに書き込まれ、端末ディスプレイには何も表示されないように思われます。

▼標準出力をファイルにリダイレクトしてもエラーメッセージは表示される

```
$ ls /xxxxx > list.txt
ls: /xxxxx にアクセスできません: そのようなファイルやディレクトリはありません
```

しかし実際には画面にエラーメッセージが表示されました。これは、**標準出力と標準エラー出力が別々のチャネルになっている**ためです。

図11-04 標準出力をファイルにリダイレクトすると、標準エラー出力のみが表示される

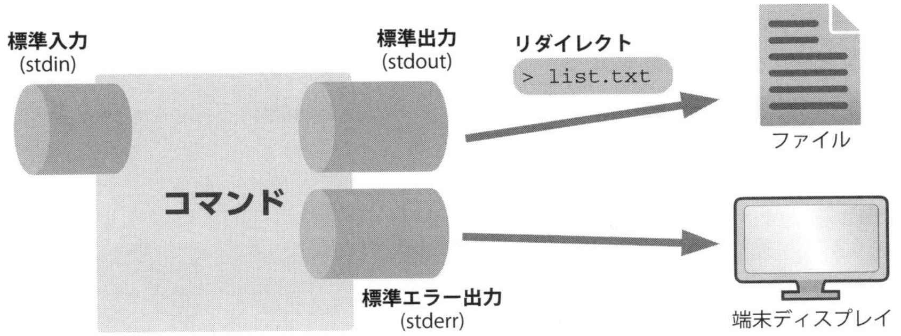


標準出力はファイルにリダイレクトしましたが、標準エラー出力は変更していないので、エラーメッセージはそのまま画面に表示されます。この仕組みのおかげで、標準出力をファイルにリダイレクトしたときでも、エラーメッセージは画面に表示されるため見逃さずにすみます。

なお、標準エラー出力もファイルにリダイレクトすることができます。標準出力のリダイレクトと区別するために、**標準エラー出力のリダイレクトは2>という記号**を使います。

次の例では、標準エラー出力の出力先をerror.txtというファイルにリダイレクトしています。コマンド実行時には画面に何も表示されず、エラーメッセージがファイルerror.txtに出力されていることがわかります。

▼エラーメッセージをファイルに保存

```
$ ls /xxxxx 2> error.txt
$ cat error.txt
ls: /xxxxx にアクセスできません: そのようなファイルやディレクトリはありません
```

このように、コマンドの結果とエラーメッセージは分けておくと何かと便利なため、標準出力とは別に標準エラー出力が用意されているわけです。

また、次のようにリダイレクトを同時に指定することで、標準出力と標準エラー出力をそれぞれ別のファイルにリダイレクトすることもできます。

▼2つのファイルにリダイレクトする

```
$ ls /xxxxx > list.txt 2> error.txt
```

この場合、画面には何も表示されません。lsコマンドの実行結果はlist.txtに、エラーメッセージはerror.txtに出力されていますから、コマンドの実行結果をファイルに残しておいて後から確認することができます。

## 標準出力と標準エラー出力をまとめる

標準出力と標準エラー出力の両方を、1つのファイルにまとめてリダイレクトしたい場合があります。これは、次のように**標準出力をリダイレクトした後ろに、2>&1と書く**とうまくいきます。

▼標準出力と標準エラー出力をまとめてresult.txtにリダイレクト

```
$ ls /xxxxx > result.txt 2>&1
```

意味としては、まず**>**を用いて標準出力をresult.txtというファイルにリダイレクトしています。続いて標準エラー出力を、**&1**と同じものへリダイレクトしています。この**&1**とは、標準出力を指しています。

表11-01 標準入出力の数値

| 入出力チャネル | 数値 |
|---|---|
| 標準入力 | 0 |
| 標準出力 | 1 |
| 標準エラー出力 | 2 |

上の表のように、Linuxの内部では**標準入出力が数値として管理**されています。先ほどの例では、標準エラー出力(2)を、標準出力(1)と同じファイルへ**2>&1**と書いてリダイレクト指定したわけです。

このように標準出力と標準エラー出力をまとめてリダイレクトする手法は、コマンドの結果とエラーメッセージを合わせて1つのログファイルとしておきたい場合などによく使われますから覚えておきましょう。

## リダイレクトによる上書き

**>**で標準出力をリダイレクトする際に、指定したファイル名と同一のファイルが存在する場合は、**上書きされて**元のファイルが失われてしまいます。

▼リダイレクトによる既存ファイル上書き

```
$ echo 123 > number.txt
$ cat number.txt
123  ←「123」と記述されたnumber.txtを作成
$ echo 456 > number.txt  ←同一のファイル名でリダイレクトする
$ cat number.txt
456  ←元のnumber.txtファイルが上書きされてしまった!
```

このようなリダイレクト先の指定の誤りで重要なファイルを失ってしまうというのは、ベテランでも犯しがちなミスです。

これを防ぐには、**>**の代わりに**>>**と書くことで、上書きではなく**ファイル末尾に追記**する形で出力リダイレクトすることができます。

▼追記リダイレクトを使えば、既存ファイルを上書きしない

```
$ echo 789 >> number.txt   ◀── 先ほどのファイルに追記リダイレクト
$ cat number.txt
456
789   ◀── 追記された
```

新規ファイルに対して**>>**を使っても問題ありませんから、上書きしてしまうことが心配な場合は常に**>>**を使うとよいでしょう。

また別の方法として、シェルのオプションでnoclobberという値をsetコマンドで設定すると、リダイレクトで上書きしてしまう際にはエラーとなるようbashの動作を変えることができます。

▼リダイレクトによるファイル上書きの防止

```
$ set -o noclobber
$ ls -l > list.txt
-bash: list.txt: 存在するファイルを上書きできません
```

リダイレクトについて、ここまでに出てきた記号を最後にまとめておきます。

表11-02　リダイレクトの記法

| 記号 | 内容 |
|---|---|
| **<** FILE | 標準入力の入力元をFILEに変更する |
| **>** FILE | 標準出力の出力先をFILEに変更する |
| **>>** FILE | 標準出力の出力をFILEの末尾に追記する |
| **2>** FILE | 標準エラー出力の出力先をFILEに変更する |
| **2>>** FILE | 標準エラー出力の出力をFILEの末尾に追記する |
| **>** FILE **2>&1** | 標準出力と標準エラー出力の出力先を、共にFILEに変更する |

## /dev/null

Linuxではリダイレクト先として/dev/nullというファイルがよく使われるので、ここで紹介しておきましょう。皆さんがお使いのシステムにも/dev/nullファイルがあることを、lsコマンドで確認してみてください。

▼/dev/nullファイルの確認

```
$ ls -l /dev/null
crw-rw-rw-. 1 root root 1, 3 12月 15 21:18 /dev/null
```

/dev/nullはスペシャルファイルと呼ばれる特別なファイルで、次のような性質を持っています。

- 入力元として指定しても、何も内容を返さない
- 出力先として指定しても、書き込んだデータはどこにも保存されずに消えてなくなる

たとえば次のように、標準入力を/dev/nullにリダイレクトすると、入力が何もない状態になります。結果として、何も表示されません。

▼標準入力を空っぽにする

```
$ cat < /dev/null
$ ◀──────何も表示されない
```

これは、コマンドのテストなど何かしらの理由で、入力を空っぽにしたいときに使われます。

一方、**標準出力を/dev/nullにリダイレクトすると、本来はコマンドの結果が画面に表示されるところが、何も表示されなくなります**。この際には、標準エラー出力へのエラーメッセージだけが画面に表示されます。

▼標準出力を捨てる

```
$ cat /etc/crontab > /dev/null
$ ◀──────何も表示されない
```

これは次のように、コマンドの表示結果が大量にある場合などに、標準エラー出力に表示されるエラーメッセージだけを読みたいときに使われます。

▼エラーメッセージだけを表示する

```
$ ls / /xxxxx > /dev/null
ls: /xxxxx にアクセスできません: そのようなファイルやディレクトリはありません
```

もう1つの使い方として、標準エラー出力を/dev/nullにリダイレクトすることもできます。こちらは、エラーメッセージが大量に出るときや、あらかじめわかっているエラーメッセージが表示されるときに、それらエラーメッセージを非表示にしてコマンドの通常の出力結果だけを読みたいときに役に立ちます。

▼エラーメッセージを非表示にする

```
$ ls / /xxxxx 2> /dev/null
/:
bin   boot  dev  etc   home  lib  lib64  media  mnt  opt
proc  root  run  sbin  srv   sys  tmp    usr    var
```

また、次のように標準出力と標準エラー出力を両方とも/dev/nullにリダイレクトすると、画面には何も表示されなくなります。

▼標準出力と標準エラー出力を両方とも捨てる

```
$ ls / /xxxxx > /dev/null 2>&1
```

これは、あらかじめわかっている不要なメッセージを非表示にするときや、コマンドの実行時間を計る際などにメッセージ出力を抑止したいときに利用します。

# 03 パイプライン

複数のコマンドを連携させるには、あるコマンドの結果を別のコマンドで利用するための仕組みが必要です。このためにLinuxでは、**コマンドの標準出力を別のコマンドの標準入力につなぐ「パイプライン」**という機能でコマンド連携させることができます。

たとえばlsコマンドの実行時、ファイルがたくさんあり表示結果が1画面内に収まらないことがあります。このようなとき、lsコマンドの結果をいったんファイルにリダイレクトして、lessコマンドにより、後からそのファイルを閲覧する方法があります。

▼コマンドの結果を一時ファイルを作って閲覧

```
$ ls -l / > temp_list.txt
$ less temp_list.txt
```

しかし、コマンドを実行するたびにいちいちこのような中間ファイルを作るのはスマートではありません。中間ファイルを作成せずに、1つのコマンドの結果を別のコマンドに直接送り込んでコマンドを連携させる機能がパイプラインです。パイプラインは|（パイプ）という記号を使って、次のように書きます。

書式 パイプライン

```
<コマンド1> | <コマンド2>[| <コマンド3>]...
```

これで1つ目のコマンドの標準出力が、2つ目のコマンドの標準入力に送り込まれます。

図11-05　2つのコマンドをパイプラインでつなぐ

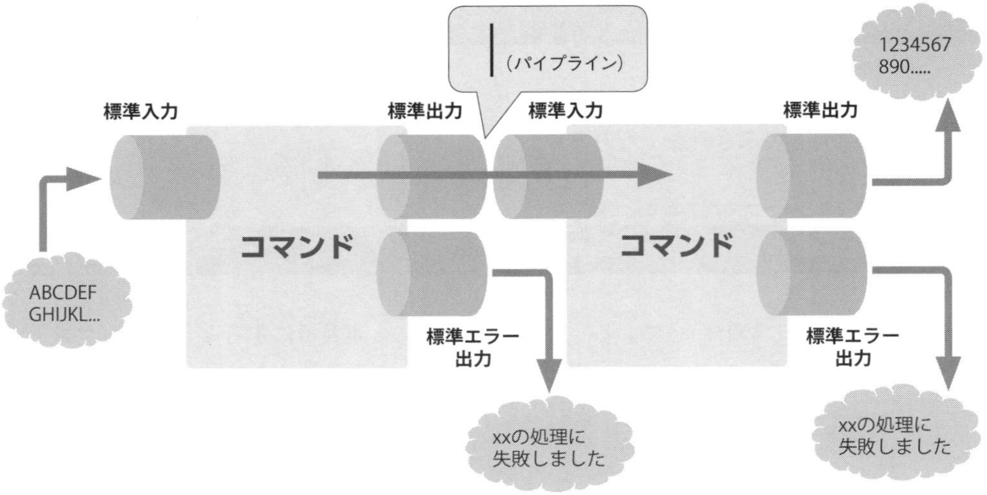


次の例では、1つ目のコマンド`ls -l /`の標準出力が、2つ目のコマンド`less`の標準入力になります。

▼lsコマンドの結果をlessコマンドに送り込む

```
$ ls -l / | less
合計 28
lrwxrwxrwx.   1 root root    7  7月 21 19:30 bin -> usr/bin
dr-xr-xr-x.   4 root root 4096  9月  4 00:01 boot
drwxr-xr-x   18 root root 2900 10月 26 17:41 dev
...省略...
drwxr-xr-x.  20 root root 4096 10月 26 17:41 var
(END)
```

lessコマンドもcatコマンドと同じく、ファイルを指定しなかった場合は標準入力を入力として読み込みます。そのため上の例では、結果としてlsコマンドの出力をlessコマンドで閲覧できます。これはコマンドの表示結果が長くなるときに、よく使われる手法です。

この他にも、標準出力に結果を表示するコマンドは、何でもパイプでlessにつなぐことができます。もう一例として、historyというコマンドでのパイプの使用例を見てみましょう。

bashに入力したコマンドラインは、~/.bash_historyというファイルに履歴として保存されています。これをコマンドライン履歴と呼びます。保存されたコマンドライン履歴は、次のようにhistoryコマンドで表示することができます。

▼コマンドライン履歴の表示

```
$ history
 1  ls
 2  mkdir tmp
 3  cd tmp
 4  ls
 5  touch file1.txt
....(以下省略)....
```

コマンドライン履歴がたくさんあるときは1つの画面内に表示しきれませんが、これも次のようにパイプラインでlessコマンドと連携することで1ページずつ閲覧できます。

▼コマンド履歴をlessで読む

```
$ history | less
```

また、パイプラインは|により、好きなだけいくつでもつなげることができます。次の例では、lsコマンドの結果を、catコマンドにより行番号付きで表示し、それをlessで1ページずつ閲覧しています。

▼3つのコマンドをつなげる

```
$ ls -l /etc | cat -n | less
     1  合計 32
     2  lrwxrwxrwx.   1 root root    7  3月 18 14:13 bin -> usr/bin
     3  dr-xr-xr-x.   4 root root 4096  3月 18 15:14 boot
     4  drwxr-xr-x.  20 root root 3160  3月 26 22:55 dev
     5  drwxr-xr-x. 129 root root 8192  3月 27 20:34 etc
     6  drwxr-xr-x.   3 root root   18  3月 18 14:47 home
     7  lrwxrwxrwx.   1 root root    7  3月 18 14:13 lib -> usr/lib
```

catコマンドにより追加された行番号

このようにコマンドをパイプラインでつないでいくことで、Linuxではシンプルなコマンドを部品として組み合わせ、さまざまな複雑な処理が行えるようになっています。

なお、パイプラインは標準出力だけを次のコマンドに送ります。標準エラー出力もまとめてパイプラインに送りたいときは、先ほど紹介した**2>&1**という記法を利用して、標準エラー出力を標準出力へリダイレクトしておきます。次の例では、lsコマンドの標準出力と標準エラー出力の両方をlessコマンドで閲覧しています。

▼標準エラー出力もパイプラインに送る

```
$ ls -l / /xxxxx 2>&1 | less
```

# 04 フィルタ

ここまで見てきたcatコマンドのように、Linuxには**標準入力を入力として受け取り標準出力に出力するコマンド**が多くあります。このようなコマンドをまとめてフィルタと呼びます。

## フィルタの例 - headコマンド

フィルタの例として、headコマンドを紹介します。このコマンドは、ファイルの先頭から指定した行数だけを標準出力に出力するコマンドです。また、特に行数を指定しない場合は、最初の10行を表示します。次の例では、行数を指定していないため/etc/crontabファイルの先頭10行を表示しています。

▼ファイルの先頭10行を表示

```
$ head /etc/crontab
SHELL=/bin/bash
PATH=/sbin:/bin:/usr/sbin:/usr/bin
MAILTO=root

# For details see man 4 crontabs

# Example of job definition:
# .---------------- minute (0 - 59)
# |  .------------- hour (0 - 23)
# |  |  .---------- day of month (1 - 31)
```

headコマンドは、入力ファイルを指定しない場合は標準入力が入力として使用されます。そのため、headコマンドはフィルタの一種です。headコマンドをhistoryコマンドと組み合わせることで、次のようにコマンド履歴の先頭10行だけを表示できます。

▼コマンド履歴を10行だけを表示する

```
$ history | head
  1  ls
  2  mkdir tmp
  3  cd tmp
  4  ls
  5  touch file1.txt
  6  cat file1.txt
```

```
  7  cp file1.txt file2.txt
  8  rm file1.txt
  9  ls
 10  cd /
$
```

このように、フィルタをパイプラインと組み合わせることでさまざまな処理が行えます。



## 代表的なフィルタコマンド

Linuxには、フィルタとして使用できるコマンドがたくさん用意されています。このうち、よく使われる代表的なフィルタを次の表に挙げておきます。

表11-03 代表的なフィルタコマンド

| コマンド | 役割 |
|---|---|
| cat | 入力をそのまま出力する |
| head | 先頭の部分を表示する |
| tail | 末尾の部分を表示する |
| grep | 指定した検索パターンに一致する行だけを表示する |
| sort | 順番に並べ替える |
| uniq | 重複した行を取り除く |
| tac | 逆順に出力する |
| wc | 行数やバイト数を出力する |

これらのコマンドについてここでは詳しく解説しませんから、興味のある方はmanを参照してください。なお、grepやsortなど特に大事なコマンドは、CHAPTER12以降で紹介しています。

## コマンド組み合わせの例

フィルタは単独でも役に立ちますが、パイプラインを使って他のコマンドと組み合わせると便利です。本章の最後に、フィルタを利用してどのようにコマンドを組み合わせていくのか、具体的な例を挙げて紹介します。

ここでは、「/binディレクトリの中のファイルを、サイズの大きい順に並べたい」という問題を考えてみましょう。

ファイルのサイズを調べるコマンドはいくつかありますが、ここではduコマンドを使うことにします。

書 式 **指定したファイルやディレクトリの使用容量を表示する**

```
du [オプション] [ファイル/ディレクトリ]
```

duコマンドは-bオプションを指定すると、引数で指定されたファイルのサイズをバイト単位で表示します。次の例では引数に**/bin/***と指定することで、/binディレクトリの中のすべてのファイルを対象としています。

▼duコマンドでファイルサイズを表示

```
$ du -b /bin/*
41448   /bin/[
107824  /bin/a2p
29016   /bin/addr2line
29      /bin/alias
6       /bin/apropos
58464   /bin/ar
33048   /bin/arch
365224  /bin/as
28800   /bin/aserver
...以下省略...
```

duコマンドの結果について、各行で左側に表示されている数値がファイルのバイト数、右側がファイル名です。

では続いて、このduコマンドの結果をサイズ順に並べ替えてみましょう。入力された各行について順番を並べ替えるには、sortコマンドを利用します。sortコマンドはオプションを指定しない場合は「ABC...」と辞書順に行を並べ替えますが、ここでは数値として比較したいので、数値順でソートする-nオプションを利用します。

では、先ほどのduコマンドに、パイプでsortコマンドをつないでみましょう。

▼ファイルサイズの小さい順に表示

```
$ du -b /bin/* | sort -n
2       /bin/ex
2       /bin/rvi
2       /bin/rview
2       /bin/unxz
2       /bin/view
2       /bin/xzcat
3       /bin/captoinfo
3       /bin/geqn
...以下省略...
```

sortコマンドは各行を昇順(小さい順)に並べ替えますから、duコマンドの結果が、ファイルサイズの小さい順に並べ替えて表示されました。なお、このsortコマンドについては、P.205で詳しく解説します。

続いて、これを降順(大きい順)にしてみましょう。実はsortコマンドには出力を逆順にする-rというオプションもあるのですが、ここではパイプの練習のため-rオプションは使わず、入力行の順序を逆にして出力するtacコマンドを使用してみます。これをパイプでつなぐことで、sortで並べ替えた順番が逆になります。

▼ファイルサイズの大きい順に表示

```
$ du -b /bin/* | sort -n | tac
4166368  /bin/ld.gold
3005888  /bin/dwp
2289656  /bin/vim
1062552  /bin/grub2-fstest
1017232  /bin/grub2-mkrescue
960368 /bin/bash
910040 /bin/vi
902480 /bin/ld.bfd
838536 /bin/grub2-render-label
...以下省略...
```

これでファイルサイズの大きい順に表示することができました。

もしファイルサイズの大きい上位5つだけを確認したい場合には、headコマンドの-nオプションを使用すれば最初の5行だけを表示できます。これもパイプでつないでみましょう。

▼ファイルサイズの大きい上位5つを表示

```
$ du -b /bin/* | sort -n | tac | head -n 5
4166368  /bin/ld.gold
3005888  /bin/dwp
2289656  /bin/vim
1062552  /bin/grub2-fstest
1017232  /bin/grub2-mkrescue
$
```

このように、それぞれのフィルタは単純なコマンドですが、パイプラインで組み合わせることで複雑な処理ができるようになっています。「指定されたディレクトリ内にあるファイルのファイルサイズを調べて、上位5つを表示する」という専用のコマンドを作るよりも、「順番を並べ替える」などのシンプルなコマンドを必要に応じて組み合わせる方がずっと便利ですし、さまざまなケースに柔軟に対応できるわけです。

図11-06　パイプラインを組み合わせる

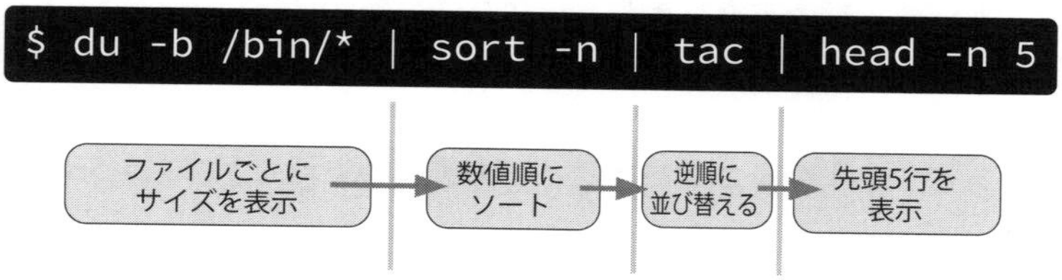


　このようなパイプライン処理が行えることと、さまざまなフィルタが用意されていることが、Linuxがテキスト処理に強いと言われている理由の1つとなっています。

**おわりに**

　この章ではリダイレクトとパイプラインについて解説しました。これはLinuxを使う上で非常に重要な概念です。後でシェルスクリプトを作成するときにもまた出てくるので、しっかり理解しておいてください。

# Chapter 12

# テキスト処理

Linuxではアプリケーションのデータやシステムの設定項目などの多くがテキスト（文字列）として表現されており、これらのテキストを扱うことがLinuxでの主な作業となります。

このためLinuxには、テキストを集計したり並べ替えたりといった、テキスト処理を効率よく行うための便利なコマンドがいくつも用意されています。これらのコマンドはCHAPTER11で紹介したフィルタとして実装されているため、コマンドをうまく組み合わせることで、さまざまな処理ができるようになります。

この節では、Linuxでテキストを扱う際によく使われる基本的なコマンド群を紹介します。

# 01 wcコマンド ──バイト数・単語数・行数を数える

wcは、入力ファイルの行数・単語数・バイト数を数えるコマンドです。オプションを指定しない場合は、次のようにファイルの「行数」「単語数」「バイト数」を順に表示します。

図12-01 wcコマンドの表示

```
$ wc /etc/passwd
 21  31 973 /etc/passwd
```

行数　単語数　バイト数　ファイル名

また、「-l」「-w」「-c」オプションを指定すると、それぞれ「行数」「単語数」「バイト数」だけを表示します。

▼wcコマンドのオプション

```
$ wc -l /etc/passwd
21 /etc/passwd          ◀── 行数を表示

$ wc -w /etc/passwd
31 /etc/passwd          ◀── 単語数を表示

$ wc -c /etc/passwd
973 /etc/passwd         ◀── バイト数を表示
```

この中で、**行数を表示する-l**はよく使われるオプションです。たとえば1行に1件の測定データが記録されているデータファイルの行数を数えれば、データの件数がわかります。また、次のように`ls /`の出力の行数を数えれば、ルートディレクトリの直下にあるファイルやディレクトリの数を調べることができます。

▼ルートディレクトリ直下のファイル・ディレクトリ数をカウント

```
$ ls / | wc -l
20
```

上の例では、wcコマンドに入力ファイル名を指定していません。これはCHAPTER11で学んだように、フィルタは入力ファイル名を指定しない場合は標準入力から読み込むためです。本章で紹介するコマンド群は、これと同様にファイル名を指定しないと標準入力から読み込みます。

なおフィルタを使う際に標準入力から読み込むことを明示的に指定したい場合は、次のように-を入力ファイル名として利用します。

▼入力ファイルに-を指定して標準入力から読み込む

```
$ ls / | wc -l -
20 -
```

# 02 sortコマンド ――行を並べ替える

sortは、行単位でテキストをソートするコマンドです。「ソート」とは一定の規則に基づいて行を並べ替えることです。sortコマンドのデフォルトでは、辞書順(アルファベット順)に行を並べ替えます。

たとえば、file1というファイルに次のように書かれているとします。なお、本章のサンプルで使用するテキストファイルは、著者のWebサイトからダウンロードできます。詳細はP.ivを参照してください。

リスト12-01 file1の内容

```
Hokkaido
Aomori
Iwate
Miyagi
Akita
Yamagata
Fukushima
```

このファイルをsortコマンドでソートすると、次のようにアルファベット順に並べ替えられます。

▼file1をアルファベット順にソート

```
$ sort file1
Akita
Aomori
Fukushima
Hokkaido
Iwate
Miyagi
Yamagata
```

sortコマンドは行の先頭から文字を比較していきますが、行の途中の特定の項目を対象としてソートすることもできます。ここではプロセス一覧を表示するpsコマンドの出力を例として見てみましょう。

psコマンドの結果は、次のようにプロセスID (PID) 順に表示されます。

▼psコマンドの出力はPID順

```
$ ps x
  PID TTY      STAT   TIME COMMAND
 8154 ?        S      0:00 sshd: osumi@pts/0
 8155 pts/0    Ss     0:00 -bash
 9320 ?        S      0:00 sshd: osumi@pts/1
 9321 pts/1    Ss+    0:00 -bash
 9344 pts/1    T      0:00 man bash
 9353 pts/1    T      0:00 less -s
 9362 pts/1    T      0:00 less file1.txt
 9374 pts/1    T      0:00 info cp
 9490 pts/1    T      0:00 bzip2 zero.dat
 9491 pts/0    R+     0:00 ps x
```

出力結果はそれぞれの項目がスペース区切りとなっており、この各項目をフィールドと呼びます。上の例では先頭のフィールドPIDが第1フィールドで、TTYが第2フィールドです。

ここで、コマンド名(COMMAND)フィールドを対象として行を並べ替えたいとしましょう。ソートするフィールドは、-kオプションを利用してフィールド番号を指定します。COMMANDフィールドは第5フィールドですから、指定するオプションは次のように**-k 5**となります。

▼psコマンドの結果をコマンド名でソート

```
$ ps x | sort -k 5
 8155 pts/0    Ss     0:00 -bash
 9321 pts/1    Ss+    0:00 -bash
  PID TTY      STAT   TIME COMMAND
 9490 pts/1    T      0:00 bzip2 zero.dat
 9374 pts/1    T      0:00 info cp
 9353 pts/1    T      0:00 less -s
 9362 pts/1    T      0:00 less file1.txt
 9344 pts/1    T      0:00 man bash
 9492 pts/0    R+     0:00 ps x
 9493 pts/0    S+     0:00 sort -k 5
 8154 ?        S      0:00 sshd: osumi@pts/0
 9320 ?        S      0:00 sshd: osumi@pts/1
```

なお上の出力例を見ると、「COMMAND」の次に「bzip2 zero.dat」の行が来ており、C→bという並びのため純粋に辞書順とはなっていません。これは、sortコマンドがASCIIコード順にソートするためです。

ASCIIコードとは、コンピュータ上で文字を表現するためのコード体系の1つです。コンピュータの内部ではアルファベットや数字・記号などのいわゆる半角英数字には1つ1つ番号が振られており、この番号のことをASCIIコードと呼びます。歴史的な理由から、ASCIIコードのアルファベットは大文字の方が番号が小さく、小文字の方が大きい番号が割り当てられています。たとえばASCIIコードで大文字のAは65、Bは66ですが、小文字のaは97、bは98です。sortコマンドはこのASCIIコードの順にソートするため、大文字→小文字の順序で並べ替えされているわけです。

この他にsortコマンドでよく使うオプションとして、-n（数値順にソート）と-r（逆順にソート）があります。これらのオプションについて次に解説します。



## 数値順にソート(-n)

sortコマンドの-nは、**文字列を数値とみなして並べ替える**ためのオプションです。たとえば次のように、1から10までの数値がランダムに書かれたテキストファイルnumber.txtがあるとします。

リスト12-02 1から10までランダムな数字が書かれたテキストファイル（number.txt）

```
5
6
8
2
9
10
1
7
3
4
```

このファイルをsortコマンドでソートすると、以下の例のように、1の次が10、その次が2となります。

▼オプションなしのソートでは数値順とならない

```
$ sort number.txt
1
10
2
3
```

```
4
5
6
7
8
9
```

これはsortコマンドが各行を文字列として評価するためです。各行の値を数値として評価するための-nオプションを付ければ、数値順にソートできます。

▼各行を数値として評価すれば正しく昇順になる

```
$ sort -n number.txt
1
2
3
4
5
6
7
8
9
10
```

## 逆順にソート(-r)

sortコマンドの-rは、逆順にソートするためのオプションです。sortコマンドはデフォルトでは昇順にソートされますが、-rを付けると次のように降順にソートされます。

▼逆順（降順）にソート

```
$ sort -r file1
Yamagata
Miyagi
Iwate
Hokkaido
Fukushima
Aomori
Akita
```

また、数値ソートの-nと逆順ソートの-rを組み合わせることで、**数値データが記録されたファイルなどを値の大きい順に並べ替える**ことができます。

次の例は、lsコマンドの結果をファイルサイズの大きい順に並べ替えるものです。

▼ファイルサイズの大きい順にファイルを表示

```
$ ls -l /bin/ | sort -rn -k 5
-rwxr-xr-x. 1 root root   4166368  6月 10  2014 ld.gold
-rwxr-xr-x. 1 root root   3005888  6月 10  2014 dwp
-rwxr-xr-x. 1 root root   1062552  7月  1 01:17 grub2-fstest
-rwxr-xr-x. 1 root root   1017232  7月  1 01:17 grub2-mkrescue
-rwxr-xr-x. 1 root root    960368  6月 10  2014 bash
-rwxr-xr-x. 1 root root    910040  6月 10  2014 vi
-rwxr-xr-x. 1 root root    902480  6月 10  2014 ld.bfd
-rwxr-xr-x. 1 root root    838536  7月  1 01:17 grub2-render-label
-rwxr-xr-x. 1 root root    829472  7月  1 01:17 grub2-file
-rwxr-xr-x. 1 root root    768592  6月 10  2014 cpp
....（以下省略）....
```

lsコマンドの-lオプションでは第5フィールドにファイルサイズが表示されますから、この値でソートするように`-k 5`と指定しています。さらに`-rn`と、逆順ソートおよび数値ソートを組み合わせることで、ファイルサイズの大きい順に表示することができます。

# 03 uniqコマンド ――重複行を取り除く

uniqは、連続した同じ内容の行を省くコマンドです。IDリストなどのファイルから、重複を取り除くためによく利用されます。

たとえば、次のように重複行を含むfile2というファイルがあるとします。

リスト12-03　重複行を含むファイルfile2の内容

```
Hokkaido
Hokkaido
Aomori
Iwate
Iwate
Iwate
Miyagi
```

このファイルに対してuniqコマンドを使うと、次のように重複していた「Hokkaido」「Iwate」が1行だけになります。

▼重複行が1行になった

```
$ uniq file2
Hokkaido
Aomori
Iwate
Miyagi
```

なおuniqコマンドは、**同じ内容の行が連続している場合にのみ重複を取り除く**ことに注意してください。次の例では「Hokkaido」の行が離れた位置にあるため、uniqコマンド実行後も重複行が残ってしまっています。

リスト12-04　重複した行が離れている場合（file3）

```
Hokkaido
Hokkaido
Aomori
Miyagi
Hokkaido
```

▼重複行が連続していない場合には、取り除かれない

```
$ uniq file3
Hokkaido
Aomori
Miyagi
Hokkaido  ←  重複が残っている
```

このような場合には、いったんsortコマンドを使って対象ファイルの内容を並べ替えておくと、ファイル全体から重複行を取り除くことができます。

▼sortしてからuniqすれば、ファイル全体から重複行を取り除く

```
$ sort file3 | uniq
Aomori
Hokkaido
Miyagi
```

既にソートされているファイルにsortコマンドを実行しても、入力と出力が同じになるだけで特に問題はありません。そのため、基本的にuniqコマンド利用の際は、常にsortコマンドとセットで実行するとよいでしょう。

なおsortコマンドには、重複行を一度しか表示しない-uオプションが用意されています。このオプションを利用すれば、uniqコマンドを使わずに重複行を取り除くことができます。

▼sortコマンドの-uオプションで重複行を取り除く

```
$ sort -u file3
Aomori
Hokkaido
Miyagi
```

## 重複行を数える

uniqコマンドにはさまざまなオプションがありますが、その中でもよく使われる-cオプションを紹介しましょう。これは、重複している行数を数えて表示するためのオプションです。たとえば対象が何かしらのデータを記録しているファイルならば、各データがそれぞれ何件あるかを表示することができます。

次の例では、ファイル中に「Hokkaido」という行が2行、「Iwate」という行が3行あることを-cオプションで表示しています。

▼-cオプションで重複行数を数える

```
$ sort file2 | uniq -c
      1 Aomori
      2 Hokkaido
      3 Iwate
      1 Miyagi
```

この**uniq -c**の出力は、さらにパイプでsortコマンドに渡す手法がよく使われます。こうすると、**uniq -c**で表示される行頭の出現回数でソートされますから、結果として重複行の多い順(-rn)あるいは少ない順(-n)に表示することができます。

▼-cオプションの結果をさらにソートして多い順に表示

```
$ sort file2 | uniq -c | sort -rn
      3 Iwate
      2 Hokkaido
      1 Miyagi
      1 Aomori
```

▼-cオプションの結果をさらにソートして少ない順に表示

```
$ sort file2 | uniq -c | sort -n
      1 Aomori
      1 Miyagi
      2 Hokkaido
      3 Iwate
```

このようにsortコマンドとuniqコマンドを組み合わせることで、データファイルから簡単に出現回数のランキングを作成することができます。

# 04 cutコマンド ——入力の一部を切り出す

cutは、入力行の一部分を切り出して出力するコマンドです。

**書式** 入力の一部を切り出して出力する

```
cut -d <区切り文字> -f <フィールド番号>  [<ファイル名>]
```

<区切り文字>で指定した文字で入力行を分割し、その中の<フィールド番号>で指定したフィールドだけを出力します。

たとえば次のように**-d , -f 3**と指定すると、区切り文字を「,」とみなして3番目のフィールドだけが表示されます。これはCSVファイルの特定のカラムを取り出すときに使うことができます。

```
cut -d , -f 3 file.csv
```

なお-dオプションを付けずに区切り文字を指定しない場合は、デフォルト値としてタブが区切り文字とみなされます。

もう1つ例を見てみましょう。ここではサンプルとして、/etc/passwdファイルを対象とします。このファイルは、次のようにユーザの情報を「:」区切りで記述したファイルです。

▼/etc/passwdファイル

```
$ cat /etc/passwd
root:x:0:0:root:/root:/bin/bash
bin:x:1:1:bin:/bin:/sbin/nologin
daemon:x:2:2:daemon:/sbin:/sbin/nologin
adm:x:3:4:adm:/var/adm:/sbin/nologin
lp:x:4:7:lp:/var/spool/lpd:/sbin/nologin
sync:x:5:0:sync:/sbin:/bin/sync
....（以下省略）....
```

/etc/passwdファイルのそれぞれのフィールドは、次のような意味を持っています。

1. ユーザ名
2. パスワード（本当のパスワードではなく、ダミー値が入力されています）
3. ユーザID
4. グループID
5. コメント（本名など）
6. ホームディレクトリ
7. ログインシェル

この中でログインシェルだけを出力したい場合は、次のように「:」区切りで7番目のフィールドを指定します。

▼コロン区切りで7番目のフィールドを切り出して表示

```
$ cut -d : -f 7 /etc/passwd
/bin/bash
/sbin/nologin
/sbin/nologin
/sbin/nologin
/sbin/nologin
/bin/sync
....（以下省略）....
```

出力するフィールド番号は、カンマを付けて複数指定できます。次の例ではフィールド1番のユーザ名、6番のホームディレクトリ、7番のログインシェルを表示しています。

▼1,6,7番目のフィールドを表示

```
$ cut -d : -f 1,6,7 /etc/passwd
root:/root:/bin/bash
bin:/bin:/sbin/nologin
daemon:/sbin:/sbin/nologin
adm:/var/adm:/sbin/nologin
lp:/var/spool/lpd:/sbin/nologin
sync:/sbin:/bin/sync
....（以下省略）....
```

このようにcutコマンドは、元のデータから特定の部分だけを取り出したい場合に便利なコマンドです。

# 05 trコマンド ——文字を変換・削除する

trは文字を置き換えるコマンドです。

**書式** 入力の文字を置き換える

```
tr <置換前の文字> <置換後の文字>
```

次の例では、先ほどサンプルとして挙げた/etc/passwdファイルの区切り文字「:」を、trコマンドで「,」に置き換えてカンマ区切りの形式で出力しています。

▼:を,に置換する

```
$ cat /etc/passwd | tr : ,
root,x,0,0,root,/root,/bin/bash
bin,x,1,1,bin,/bin,/sbin/nologin
daemon,x,2,2,daemon,/sbin,/sbin/nologin
adm,x,3,4,adm,/var/adm,/sbin/nologin
lp,x,4,7,lp,/var/spool/lpd,/sbin/nologin
sync,x,5,0,sync,/sbin,/bin/sync
....（以下省略）....
```

複数の文字を同時に置き換えることもできます。次の例ではaをA、bをB、cをCに置き換えています。

▼複数の文字を置換する

```
$ cat /etc/passwd | tr abc ABC
root:x:0:0:root:/root:/Bin/BAsh
Bin:x:1:1:Bin:/Bin:/sBin/nologin
dAemon:x:2:2:dAemon:/sBin:/sBin/nologin
Adm:x:3:4:Adm:/vAr/Adm:/sBin/nologin
lp:x:4:7:lp:/vAr/spool/lpd:/sBin/nologin
synC:x:5:0:synC:/sBin:/Bin/synC
....（省略）....
```

この例ではa、b、cという単独の文字を、それぞれA、B、Cという文字に置き換えていることに注意してください。abcという文字列をABCに置き換えているわけではありません。

図12-02 trコマンドの文字置換

また、置換文字に-(ハイフン)を利用することで、文字範囲を指定することができます。たとえば**a-g**と書くと、**abcdefg**と同じ意味になります。次の例では、**a-z**を**A-Z**に置換することで小文字から大文字への変換をしています。

▼小文字から大文字へ変換

```
$ cat /etc/passwd | tr a-z A-Z
ROOT:X:0:0:ROOT:/ROOT:/BIN/BASH
BIN:X:1:1:BIN:/BIN:/SBIN/NOLOGIN
DAEMON:X:2:2:DAEMON:/SBIN:/SBIN/NOLOGIN
ADM:X:3:4:ADM:/VAR/ADM:/SBIN/NOLOGIN
LP:X:4:7:LP:/VAR/SPOOL/LPD:/SBIN/NOLOGIN
SYNC:X:5:0:SYNC:/SBIN:/BIN/SYNC
....(省略)....
```

**a-z**はアルファベットの小文字すべて、**A-Z**はアルファベットの大文字すべてを表しますから、**tr a-z A-Z**というコマンドを実行することで小文字から大文字へ変換することができるわけです。これはtrコマンドで非常によく使われる手法です。

なお、**trコマンドは1文字単位の文字置換**です。文字列の置換を行いたい場合には、trコマンドではなく、CHAPTER14で紹介するsedコマンドやawkコマンドを利用します。

## ファイル指定の注意

テキストファイルに対してtrコマンドを利用する際には、注意が必要です。これまで紹介してきたsortコマンドやcutコマンドなど多くのLinuxのフィルタは、標準入力に対して作用する一方で、ファイル名を指定するとそのファイルを読み込んで実行する、という動作をします。

しかしtrコマンドは純粋なフィルタとして設計されており、**ファイルから直接読み込むことはできません**。そのため、trコマンドにファイル名を指定してもエラーとなります。

▼trコマンドにファイルを指定するとエラー

```
$ tr : , /etc/passwd
tr: 余分な演算子 `/etc/passwd'
Try 'tr --help' for more information.
```

そのためテキストファイルの内容に対してtrコマンドを実行したい場合には、次の例のようにファイルをcatしてパイプで渡すか、もしくは入力リダイレクトを行う必要があります。

```
cat /etc/passwd | tr : ,      ← パイプを使う場合
tr : , < /etc/passwd          ← リダイレクトを使う場合
```

## 文字の削除

trコマンドでは、文字を削除することもできます。

**書式　trコマンドによる文字の削除**

```
tr -d <削除文字>
```

削除機能がよく使われるのは、改行コードを取り除いて1行にしたいケースです。次のように-dオプションに改行コード「\n」を指定することで、入力行すべての改行コードを削除して、全体を1行のテキストにすることができます。

▼改行を削除する

```
$ cat /etc/passwd | tr -d '\n'
root:x:0:0:root:/root:/bin/bashbin:x:1:1:bin:/bin:/sbin/nologin
....（以下省略）....
↑
すべての行の改行が消えて1行になった
```

# 06 tailコマンド ——末尾部分を表示する

tailは、ファイルの末尾を表示するコマンドです。オプションを指定しない場合は、次のようにファイルの末尾10行が表示されます。

▼オプションなしのデフォルトでは末尾10行を表示

```
$ tail /etc/passwd
games:x:12:100:games:/usr/games:/sbin/nologin
ftp:x:14:50:FTP User:/var/ftp:/sbin/nologin
nobody:x:99:99:Nobody:/:/sbin/nologin
dbus:x:81:81:System message bus:/:/sbin/nologin
```

```
polkitd:x:999:998:User for polkitd:/:/sbin/nologin
avahi:x:70:70:Avahi mDNS/DNS-SD Stack:/var/run/avahi-daemon:/sbin/
nologin
avahi-autoipd:x:170:170:Avahi IPv4LL Stack:/var/lib/avahi-autoipd:/
sbin/nologin
postfix:x:89:89::/var/spool/postfix:/sbin/nologin
sshd:x:74:74:Privilege-separated SSH:/var/empty/sshd:/sbin/nologin
osumi:x:1001:1001::/home/osumi:/bin/bash
```

tailコマンドで表示する行数は、-nオプションで指定します。次の例では、**-n 1**と指定してファイルの末尾1行のみを表示しています。

▼末尾1行のみ表示

```
$ tail -n 1 /etc/passwd
osumi:x:1001:1001::/home/osumi:/bin/bash
```

tailとは逆に、ファイルの先頭部分を表示するheadというコマンドもあります。デフォルトでは先頭10行を表示しますが、これも-nオプションで表示する行数を指定できます。

▼ファイルの先頭1行のみを表示

```
$ head -n 1 /etc/passwd
root:x:0:0:root:/root:/bin/bash
```

## ファイルへの追記を監視する

ログの出力やデータ収集などで常時追記されていくファイルを表示する際に、追記されるたびにその内容を表示してファイル監視をしたい場合があります。このようなケースでは、tailコマンドの-fオプションを利用します。

書式 tailコマンドでファイルを監視する

```
tail -f <ファイル名>
```

これにより、ファイルの内容が書き換えられると、その都度**リアルタイムに表示**されます。次の例では、output.logというファイルへの追記を監視しています。

▼output.logへの追記を監視

```
$ touch output.log        ◀── output.logファイルを作成
$ tail -f output.log
  ◀── ここでカーソルが止まる
```

上の例のように-fオプションを付けてtailコマンドを実行すると、コマンドは終了せずにカーソルが止まったように見えます。この状態で別のターミナルから、output.logへ「Hello」という文字列を追記してみましょう。

▼output.logへ追記する

```
$ echo Hello >> output.log
```

こうすると、先ほど**tail -f**を実行していたターミナル上に、追記内容の「Hello」が表示されます。

▼output.logへの追記を監視

```
$ tail -f output.log
Hello    ←ファイルへの追記内容が表示された
         ←再びここでカーソルが止まる
```

これは、Linuxの運用作業などでログファイルの監視によく使われる方法です。なお-fオプションを付けて実行したtailコマンドを終了するには、Ctrl + cを押します。

# 07 diffコマンド ——差分を表示する

diffは、2つのファイルの差分を表示するコマンドです。

書式 ファイルを比較する

```
diff [オプション] <比較元ファイル> <比較先ファイル>
```

このコマンドは設定ファイルやプログラムのソースコードなどに対して、**編集前と編集後の変更内容を確認**するためによく使われます。

ここでは、bashの設定ファイル.bashrcを編集するケースを例として、diffコマンドの使い方を見てみましょう。まずはじめに編集前のファイルを、.bashrc.orgというファイル名でコピーしておきます。

▼編集ファイルのバックアップ

```
$ cp .bashrc .bashrc.org
```

続いて、Vimなどのテキストエディタで.bashrcを編集します。ここでは、プロンプトをカスタマイズするためにbashのシェル変数PS1の値を編集したとしましょう。編集後にdiffコマンドを実行して元のファイルとの差分を確認することで、どこを編集したかがすぐに確認できます。

▼diffによる差分表示の例

```
$ diff .bashrc.org .bashrc
12c12
< PS1='\$ '
---
> PS1='[\u@\h] \w\$ '
```

この差分の見方は少々難しいので、以下に詳しく解説しましょう。

まず最初の「12c12」は、元ファイルからどの行をどのように変更したのかを示しています。この部分は「変更コマンド」と呼ばれ、「<変更範囲1><変更種別><変更範囲2>」という形式です。変更種別は以下の表のとおりa、c、dの3つの種類があり、それぞれAdd（追加）のa、Change（変更）のc、Delete（削除）のdとして表されています。

表12-01　変更コマンド内の変更種別

| 記号 | 内容 |
| --- | --- |
| <範囲1>a<範囲2> | 1つ目のファイルの範囲1の後に、2つ目のファイルの範囲2の内容が追加された |
| <範囲1>c<範囲2> | 1つ目のファイルの範囲1の箇所が、2つ目のファイルの範囲2の内容に変更された |
| <範囲1>d<範囲2> | 1つ目のファイルの範囲1の箇所が削除された |

つまり先ほどの例は、「.bashrc.orgファイルの12行目が.bashrcファイルの12行目に変更された」ということを意味しています。

図12-03　diffの変更種別

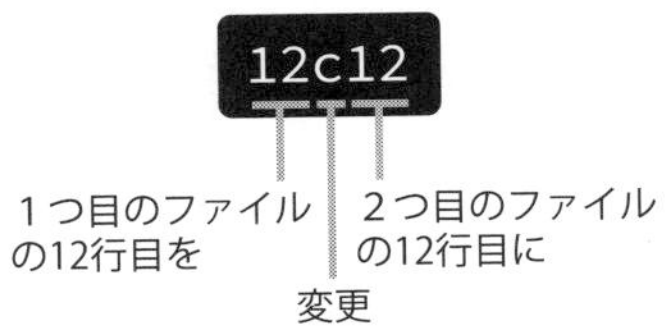


diffコマンドの出力の2行目以降は、ファイルの実際の変更内容を表示しています。行の先頭にある**<**は1つ目のファイルにだけある行を表し、同様に**>**は2つ目のファイルにだけある行を表しています。つまり、1つ目のファイルから2つ目のファイルへと変更する際に、**<**は削除された行、**>**は追加された行という意味になります。

またこの際には変更のあった行のみが表示されるため、2つのファイルで共通する行は表示されません。2つのファイルが全く同一の内容ならば、diffコマンドの結果は何も表示されず、差分がないということになります。

ファイル内で複数の行を変更した場合には、それぞれの箇所が差分として表示されます。次は3箇所を変更した場合の表示例です。なお、それぞれの差分表示ひとかたまりのことを、ハンク（hunk）と呼びます。

図12-04　複数箇所を変更した場合のdiffによる差分表示の例

```
$ diff .bashrc.org .bashrc
12c12
< PS1='\$ '
---
> PS1='[\u@\h] \w\$ '
20,21d19
<
< set -o ignoreeof
40a39,41
> alias ls='ls -F'
> alias la='ls -a'
> alias ll='ls -l'
```

(A)：12c12 〜 > PS1='[\u@\h] \w\$ '
(B)：20,21d19 〜 < set -o ignoreeof
(C)：40a39,41 〜 > alias ll='ls -l'

上の例は、次の3つの変更を表しています。

(A) 1つ目のファイルの12行目を、2つ目のファイルの12行目に変更した
(B) 1つ目のファイルの20行目と21行目を削除した
(C) 1つ目のファイルの40行目の後に、2つ目のファイルの39行目から41行目までを追加した

実際に変更された内容は、それぞれ<と>で始まる行に書かれています。こうして差分を見ることで、ファイルにどのような変更が加えられたかを確認することができるわけです。

## ユニファイド出力形式

diffコマンドの差分表示には、さまざまな形式が用意されています。デフォルトでは先ほど紹介した<と>で表現されますが、この他によく使われる形式として**「ユニファイド形式（Unified format）」**があります。

ユニファイド形式は、diffコマンドに-uオプションを指定すると出力できます。次は、3箇所の変更があるファイルを、ユニファイド形式で差分表示したときの例です。

▼ユニファイド形式によるdiffの差分出力の例

```
$ diff -u .bashrc.org .bashrc
--- .bashrc.org 2014-12-29 20:52:58.057859289 +0900
+++ .bashrc      2014-12-29 22:14:59.132862787 +0900
@@ -9,7 +9,7 @@
 # export SYSTEMD_PAGER=

 export LANG=ja_JP.UTF-8
-PS1='\$ '
+PS1='[\u@\h] \w\$ '

 # history
 shopt -s histappend
@@ -17,8 +17,6 @@
 HISTFILESIZE=1000000

 # option
-
-set -o ignoreeof

 # User specific aliases and functions

@@ -38,4 +36,7 @@
 alias rm='rm -i'
 alias cp='cp -i'
 alias mv='mv -i'
+alias ls='ls -F'
+alias la='ls -a'
+alias ll='ls ?l'
```

ファイルの種類
ハンク(A)
ハンク(B)
ハンク(C)

ユニファイド形式では、最初の2行に指定した2つのファイルのファイル名と更新日時が表示されます。3行目からが差分の表示で、追加された行は先頭に+が、削除された行には先頭に-が表示されます。

なおユニファイド形式での差分は、変更のあった行だけでなくそれらの前後何行かも合わせて表示されます。そのため、似たような複数の変更箇所がある場合に、ファイルのどこを変更したのかがわかりやすいという特長があります。

それぞれの差分表示の冒頭、@@から始まる行は、その差分が元のファイルの何行目に対応しているのかを表しています。これは「@@ -<1つ目のファイルの変更開始行>,<変更行数> +<2つ目のファイルの変更開始行>,<変更行数> @@」という形式で表されます。ここで「変更開始行」とはそれぞれのファイル中での行番号を指し、「変更行数」とは、各ハンク部分の行数(変更のあった行だけでなくその前後も含む)を指します。

たとえば上記の実行例でハンク(B)の部分、「@@ -17,8 +17,6 @@」という表示は、その直後の差分が、

- 1つ目のファイルにおいては17行目から8行ぶん
- 2つ目のファイルにおいては17行目から6行ぶん

に対応していることを意味しています。

図12-05　ハンクごとのヘッダ

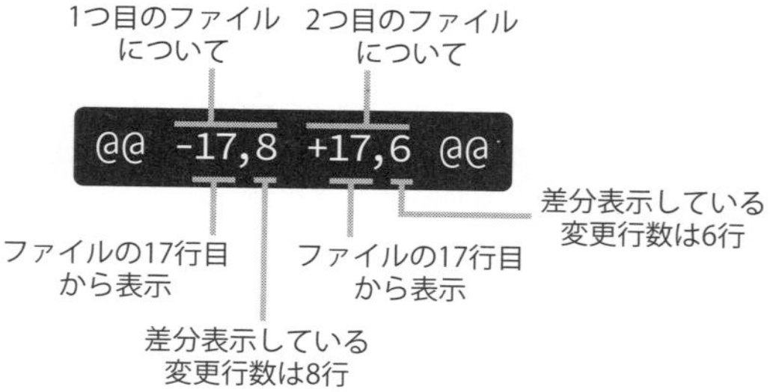


## 差分の使い方とパッチ

あるファイルを変更した内容を他の人に伝える際に、変更後のファイル全体を送るのではなく、diffコマンドで出力された差分だけを送ることもできます。差分を受け取った側は、元のファイルと差分ファイルから、変更後のファイルを復元できます。このようにすれば、大きなファイルに修正を加えた場合でも、ファイル全体を共有しなくて済みます。

修正内容を共有する目的で使用するこのような差分ファイルを、元のファイルへの修正という意味を込めて**「パッチ」**と呼びます。diffコマンドで出力した差分は、patchコマンドでパッチを当てる（修正を適用する）ことができます。

パッチを当てる際、元のファイルが変更されていて行番号がずれていると、エラーとなることがあります。しかしユニファイド形式ならば前後の内容も含まれているため、元のファイルの行が多少ずれていてもパッチとして適用できます。このため、見た目のわかりやすさと利便性から、現在では差分を表現する形式としてユニファイド形式がよく使われます。

ユニファイド形式はdiffコマンドだけでなく、たとえばバージョン管理システムGitの差分表示にも利用されています。皆さんもこれから目にする機会が多いでしょうから、ぜひこの形式に慣れておいてください。

**おわりに**

この章ではテキスト処理とフィルタについて解説しました。フィルタは、1つ1つは単純なコマンドですが、使いこなすと実に強力な機能を持つことがわかります。11章で解説したパイプラインの機能と組み合わせると工夫次第でさまざまな処理ができるようになるので、いろいろ試してみてください。

# Chapter 13

# 正規表現

これまでの章で見てきたように、Linuxでは多くのテキストファイルを扱います。そのように大量のテキストファイルを扱う際に重要な機能が、テキストから指定した文字列パターンを探し出す検索機能です。

Linuxで文字列検索を行うには、grepコマンドを利用します。このコマンドは大変に強力な検索機能を持つことから、Linuxでテキストファイルを扱う上で非常に利用頻度の高いコマンドです。またgrepコマンドでは検索対象として単に文字列を指定するだけでなく、正規表現と呼ばれる形式で指定することで、「exで始まってtxtで終わる行」などのさまざまなパターンを検索することができます。

本章ではgrepコマンドと、そこで利用する正規表現について学びます。正規表現はgrepコマンドだけでなく、他の多くのLinuxコマンドでも利用することができますから、書き方をきちんと身につけておけばさまざまなテキスト処理がとても楽にこなせるようになることでしょう。

# 01 grepコマンドと正規表現

grepは文字列を検索するコマンドで、Linuxでは非常によく使われます。

**書式** 文字列を検索する

```
grep [オプション] <検索パターン> <ファイル名>
```

<ファイル名>から<検索パターン>に一致する行を出力します。この際、検索パターンが一致することを「マッチする」と言います。

次の例では、検索パターンに「bash」という文字列を指定して、/etc/passwdファイルからbashという文字列を含む行を表示しています。

▼文字列「bash」を含む行を出力

```
$ grep bash /etc/passwd
root:x:0:0:root:/root:/bin/bash
osumi:x:1001:1001::/home/osumi:/bin/bash
miyake:x:1002:1002::/home/miyake:/bin/bash
```

grepコマンドにはさまざまなオプションがありますが、ここではよく使われる代表的なものを3つ挙げておきましょう。

マッチした行の行番号を表示させたいときは、-nオプションを指定します。これは、検索したいパターンがファイルのどの辺りにあるのかを調べるために便利です。次の例では、/etc/bashrcファイル内で「PS1」という文字列を含む行を、行番号付きで表示しています。

▼行番号付きでマッチ結果を表示

```
$ grep -n PS1 /etc/bashrc
12:if [ "$PS1" ]; then
41:  [ "$PS1" = "\\s-\\v\\\$ " ] && PS1="[\u@\h \W]\\$ "
45:  # if [ "$PS1" ]; then
46:  #   PS1="[\u@\h:\l \W]\\$ "
81:            if [ "$PS1" ]; then
```

大文字小文字を区別せずにマッチさせたいときは、-iオプションを指定します。次の例では、検索パターンに「system」と指定しています。オプションを付けないと何もマッチしませんが、-iオプションを付けると大文字を含む「System」にマッチしています。

▼大文字と小文字を区別せずに検索

```
$ grep system /etc/passwd        ← 何もマッチしない
$ grep -i system /etc/passwd     ← 大文字小文字を区別しないとマッチする
dbus:x:81:81:System message bus:/:/sbin/nologin
```

通常のgrepとは逆に、マッチしなかった行を表示させたいときは、-vオプションを指定します。これは、ログファイルやデータファイルなどから、不要な値を持つ行を除いて表示したいときに便利です。次の例では、「bash」を含まない行だけを表示しています。

▼文字列「bash」を含まない行を出力

```
$ grep -v bash /etc/passwd
bin:x:1:1:bin:/bin:/sbin/nologin
daemon:x:2:2:daemon:/sbin:/sbin/nologin
adm:x:3:4:adm:/var/adm:/sbin/nologin
lp:x:4:7:lp:/var/spool/lpd:/sbin/nologin
sync:x:5:0:sync:/sbin:/bin/sync
....（省略）....
```



他のフィルタと同様にgrepコマンドも、対象のファイル名を指定しない場合には標準入力から読み込みます。次の例では、lsコマンドの結果をgrepで検索しています。これは、ディレクトリの中から特定の名前のファイルやディレクトリを探したいときに役に立ちます。このように**別のコマンドの結果をgrepで検索する**、というのもよく使われる手法です。

▼/etcディレクトリ配下の、cronという文字列を含むファイル・ディレクトリを検索

```
$ ls /etc | grep cron
anacrontab
cron.d
cron.daily
cron.deny
cron.hourly
cron.monthly
cron.weekly
crontab
```

なお**grepコマンドはマッチした部分だけではなく、マッチした行全体を表示**します。上の例では「anacrontab」のように、指定した検索パターンが行の途中に含まれているだけの場合でも、その行すべてが表示されることに注意しておいてください。

## 正規表現って何？

grepコマンドでは、通常の文字列以外に正規表現という検索パターンを指定すること

ができます。

ふだん私たちが検索したいものは、固定文字列ばかりではないでしょう。たとえば「先頭がcronという文字列ではじまる行」「アルファベットのみで、数値を含まない行」など、さまざまなパターンを持つはずです。このような検索を行うときに、**条件に合致する文字列集合を表現するための記法**が正規表現です。

例を見てみましょう。正規表現では、**^**という記号が行の先頭を意味します。そのため**^cron**と書くと「行の先頭がcronという文字列である」という意味の正規表現になります。これによって、次のようにanacrontabという行が検索結果から除外されます。

▼正規表現^を用いて、先頭が「cron」である行のみ表示

```
$ ls /etc | grep '^cron'
cron.d
cron.daily
cron.deny
cron.hourly
cron.monthly
cron.weekly
crontab
```

なお上の例では、正規表現を**''**(シングルクォート)で囲んで指定しました。これは、シェルに正規表現を展開させないようにするためです。

正規表現では*** {} $**などの記号が特別な意味を持ちます。正規表現で意味を持つこのような記号をメタ文字と呼びます。これらのメタ文字の多くは、シェルに対してもまた別の意味があります。たとえば*****はシェルに渡されると、パス名展開のワイルドカード記号として解釈されてしまいます。

図13-01　正規表現をクォートしないとシェルに解釈される

そのため正規表現として使用したい記号は、シングルクォートで囲んで**'ab*'**のように指定することで、シェルによる展開をさせずにgrepコマンドに直接渡すことができます。

正規表現で利用するメタ文字の中にはシングルクォートで囲む必要のないものもありますが、通常は正規表現の部分を常に`''`で囲んで指定しておいて問題ないでしょう。本章でもこれ以降、正規表現の部分を`''`で囲んで指定します。

それでは、正規表現の種類について次に見ていきましょう。なお正規表現はとても高機能で、詳しく紹介していくとそれだけで1冊の本となってしまいます。そのため本書では、よく使われる正規表現パターンの紹介を中心として、そのエッセンスに絞って解説することとします。

# 02 文字にマッチするメタ文字



まずはじめに、よく使われる**.(ドット)**というメタ文字を紹介しましょう。これは**任意の1文字にマッチ**します。

たとえば、次のような内容のテキストファイルexample.txtがあるとします。このファイルのダウンロード方法については、P.ivを参照してください。

リスト13-01　検索対象のテキストファイル(example.txt)

```
test.example.net
tfst.example.net
tzst.example.net
tzzst.example.net
www.example.com
www.example.org
netapp.example.com
mail1.example.com
mail3.example.com
mail7.example.com
borg.example.com
```

ここで、「test」「tfst」「tzst」など、「tの後ろに任意の1文字が続き、その後ろにstという文字列が来る」パターンを検索したいとします。**.**は任意の1文字にマッチするメタ文字ですから、これを利用して**t.st**というパターンで次のように検索できます。

▼ドットによる任意の1文字を利用して検索

```
$ grep 't.st' example.txt
test.example.net
tfst.example.net
tzst.example.net
```

メタ文字は続けていくつも書けますから、次のように**t..st**と書くと「t ＋ 任意の2文字 ＋ st」という意味になり、tzzstという文字列にマッチします。

▼t..stというパターンで検索

```
$ grep 't..st' example.txt
tzzst.example.net
```

なお、.（ドット）は任意の1文字にマッチすると書きましたが、これはアルファベットや数字だけでなく、記号やドットそのものも含みます。**.org**というパターンで検索すると、次のように「borg」という文字列だけでなく、「.org」という文字列にもマッチします。

▼ドットは記号にもマッチする

```
$ grep '.org' example.txt
www.example.org
borg.example.com
```

.（ドット）そのものを検索したいときは、ドットの前に\を付けて**\.**と書きます。このようにメタ文字の前に\を置くことで、そのメタ文字の意味を打ち消すことができます。次の例では、「.org」という文字列を検索しています。この場合には、「borg」はマッチしません。

▼ドットそのものにマッチさせる

```
$ grep '\.org' example.txt
www.example.org
```

このように、**直前に\を置いてメタ文字の意味を打ち消すことを「エスケープする」**と言います。

## 特定の文字を指定する

任意の1文字ではなく、ある**特定の文字を指定したい場合には[ ]というメタ文字**を使います。これは、「カッコ内の文字のいずれかに一致するもの」という意味になります。たとえば次のように**t[ef]st**と書くと、testまたはtfstという文字列にマッチします。

▼testまたはtfstにマッチさせる

```
$ grep 't[ef]st' example.txt
test.example.net
tfst.example.net
```

なお、たとえばアルファベットのaからkまでを指定したいときに**[abcdefghijk]**と全部並べるのは大変ですから、文字の範囲を意味する-（ハイフン）を利用して`[a-k]`と書くことができます。ハイフンを利用したパターンをさらに続けて書くこともできますから、`[a-zA-Z]`はアルファベットの大文字小文字すべてにマッチします。

次の例ではハイフンを利用して、mail1、mail2、mail3、mail4という文字列を検索しています。

▼mail1からmail4にマッチ

```
$ grep 'mail[1-4]' example.txt
mail1.example.com
mail3.example.com
```

`[ ]`を利用して、「指定した文字以外」をマッチさせることもできます。この場合は、カッコ内の文字を並べる先頭に`^`を指定します。たとえば次のように`mail[^13]`と書くと「mailの後に1と3以外の文字がある」という意味になり、「mail1」と「mail3」にはマッチしません。結果として、example.txtからはmail7の行しかマッチしません。

▼指定した文字以外とのマッチ

```
$ grep 'mail[^13]' example.txt
mail7.example.com
```

ここまでに紹介したメタ文字は次のようになります。

表13-01　文字にマッチするメタ文字

| メタ文字 | 意味 |
|---|---|
| `.` | 任意の1文字 |
| `[ ]` | [ ]の中に含まれる、いずれかの1文字 |
| `[^ ]` | [ ]の中に含まれない、いずれかの1文字 |
| `\` | 直後のメタ文字の意味を打ち消す |

# 03　位置にマッチするメタ文字

次に、位置にマッチするメタ文字を紹介します。これは**他のメタ文字と組み合わせて、マッチする箇所を指定する**ために利用されます。

たとえば、行頭がnetという文字列で始まる行を検索したいとしましょう。しかし単純にnetというパターンでgrepコマンドを実行しても、次のようにnetという文字列を含む行すべてが表示されてしまいます。

▼行頭がnet以外の行も表示される

```
$ grep 'net' example.txt
test.example.net
tfst.example.net
tzst.example.net
tzzst.example.net
netapp.example.com
```

ここで、行頭を意味する**^**を利用して**^net**と指定すれば、次のように行頭にnetという文字列がある行だけが表示されます。

▼行頭がnetの行のみを検索

```
$ grep '^net' example.txt
netapp.example.com
```

一方、行末を意味するメタ文字は**$**です。これを利用して**net$**と指定すれば、netという文字列で終わる行だけを検索できます。

▼行末がnetの行のみを検索

```
$ grep 'net$' example.txt
test.example.net
tfst.example.net
tzst.example.net
tzzst.example.net
```

なお、**^**と**$**を同時に組み合わせることもできます。たとえば**^$**というパターンは、行頭の直後が行末、すなわち空行にマッチします。grepコマンドの-vオプションを利用して**^$**にマッチしない行を出力すると、ファイルから空行だけを取り除いて表示することができます。

# 04 繰り返しを指定するメタ文字

次に、繰り返しを表すメタ文字を紹介します。これは**他の正規表現の後に置いて、直前の正規表現が一定回数繰り返される**ことを意味します。単独で使うのではなく、必ず後ろにくっついて置かれるということに注意してください。

ここでは、次のようなテキストファイルをサンプルとして利用しましょう。

リスト13-02　drink.txtの内容

```
Ber
Beer
BeerBeer
BeerBeerBeer
Beeeeeeeer!!!
Bear
Br
My Vodka
My Wine
Wine Wine
WineWine
```

まず、*というメタ文字を紹介します。この*は非常によく使われるメタ文字で、0回以上の繰り返しを表します。ここで**0回とは、その直前の文字が存在しなくてもよい**ということです。

図13-02　メタ文字*による繰り返し

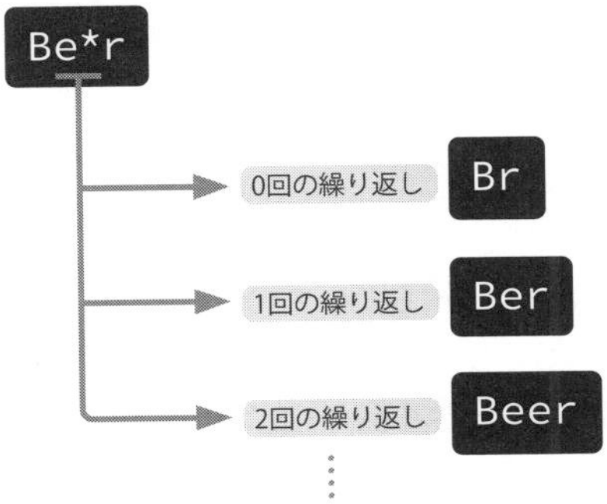


たとえば**Be*r**と書くと、「Ber」「Beer」「Beeeeeer」などだけでなく、「Br」にもマッチします。一方、「Bear」にはマッチしません。

▼*の利用例

```
$ grep 'Be*r' drink.txt
Ber
Beer
BeerBeer
```

```
BeerBeerBeer
Beeeeeeeeer!!!
Br
```

*の直前の文字は、通常の文字列だけではなくメタ文字でもかまいません。次のように**[ea]***と書けば、これは**[ea]**が0回以上繰り返される「Beer」「Bear」「Bar」「Br」などにマッチします。

▼*の利用例2

```
$ grep '^B[ea]*r$' drink.txt
Ber
Beer
Bear
Br
```

また、任意の1文字を表す.（ドット）と組み合わせて、**.***という正規表現もよく使われます。これは任意の文字が0回以上繰り返されているという意味ですから、結局**あらゆる文字列にマッチ**します。たとえば「exで始まってtxtで終わる行」は、**^ex.*txt$**と表現することができます。

*以外にも、繰り返し回数を指定するメタ文字があります。これらは拡張正規表現により定義されています。そこで、これらのメタ文字の説明の前に、拡張正規表現という言葉について先に説明しておきましょう。

## 拡張正規表現とは

本章でこれまで紹介してきた正規表現は「基本正規表現」と呼ばれるもので、正規表現が使えるコマンドすべてで利用できます。これに対し、使えるメタ文字を増やした「拡張正規表現」という正規表現があります。拡張正規表現は基本正規表現と比べて書き方が異なるところもあるため、自分が今どちらの正規表現を使っているのか意識して使い分ける必要があります。

grepコマンドの検索パターンは、オプションを付けない場合には基本正規表現として解釈されます。一方、**-Eオプションを利用すると、拡張正規表現として解釈**されます。次の例は、拡張正規表現のメタ文字**+**を利用してgrepコマンドを実行している例です。

▼拡張正規表現を-Eオプションで利用

```
$ grep 'Be+r' drink.txt          ← 基本正規表現ではマッチしない
$ grep -E 'Be+r' drink.txt       ← 拡張正規表現ではマッチする
Ber
Beer
BeerBeer
```

```
BeerBeerBeer
Beeeeeeeeer!!!
```

なお、Linuxで利用されているgrepコマンド(GNU grep)は独自拡張により、-Eオプションを付けなくてもメタ文字に\記号を付けることで、一部の拡張正規表現と同等のパターンを基本正規表現で利用することができます。

▼基本正規表現で、拡張正規表現のメタ文字を利用

```
$ grep 'Be\+r' drink.txt
Ber
Beer
BeerBeer
BeerBeerBeer
Beeeeeeeeer!!!
```



しかし基本正規表現と拡張正規表現を混ぜて使うと、このGNU grepのような独自拡張をしていない他のコマンドを利用する際につまずく原因となります。そのため拡張正規表現を使いたいときは、-Eオプションを付けて明示的に拡張正規表現を利用することをお勧めします。

## 拡張正規表現による繰り返し回数の指定

拡張正規表現による繰り返しのメタ文字には、+と?があります。

+は、直前の文字の1回以上の繰り返しを意味します。これは*に似ていますが、0回は含みません。そのため**直前の文字が少なくとも1つは必要**であることを意味します。

図13-03 メタ文字+による繰り返し

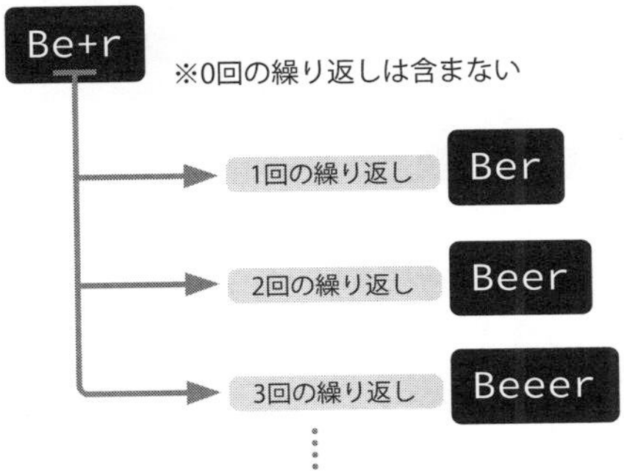


たとえば次のように**Be+r**と指定すると「Br」はマッチしません。

▼eが1回以上繰り返す行を検索

```
$ grep -E 'Be+r' drink.txt
Ber
Beer
BeerBeer
BeerBeerBeer
Beeeeeeeeer!!!
```

?は、「0回または1回の繰り返し」を意味します。たとえば次のようにスペース記号に対して、Wine ?Wineと指定することで、2つのWineという単語の間にスペースがあってもなくてもマッチさせることができます。

▼スペース記号の0回または1回の繰り返しでマッチ

```
$ grep -E 'Wine ?Wine' drink.txt
Wine Wine
WineWine
```

## 繰り返し回数の指定をするメタ文字

ここまで紹介した*などは、あまり細かい繰り返し回数の指定はできませんでした。回数を数値で指定したい場合には、{ }というメタ文字を利用することができます。これは基本正規表現と拡張正規表現では記述方法が違うため、ここでは拡張正規表現で紹介します。

{m,n}は、m回以上n回以下の繰り返しを意味します。たとえば次のようにBe{1,2}rと指定することで、「Ber」もしくは「Beer」にマッチします。

▼eの1回以上2回以下の繰り返しにマッチ

```
$ grep -E 'Be{1,2}r' drink.txt
Ber
Beer
BeerBeer
BeerBeerBeer
```

{m}は、ちょうどm回の繰り返しを意味します。次のようにBe{2}rと指定すると、「Beer」にマッチします。

▼eの2回繰り返しにマッチ

```
$ grep -E 'Be{2}r' drink.txt
Beer
BeerBeer
BeerBeerBeer
```

このような「ちょうどm回の繰り返し」は、数字の桁チェックなどに用いることができます。たとえば日本の郵便番号は「3桁-4桁」ですから、**[0-9]{3}-[0-9]{4}**という正規表現で郵便番号にマッチします。

**{m,}**は、m回以上の繰り返しを意味します。次のように**Be{4,}r**と指定すると、「Beeeer」や「Beeeeeeeeeer」などにマッチします。

▼eの4回以上繰り返しにマッチ

```
$ grep -E 'Be{4,}r' drink.txt
Beeeeeeeeer!!!
```

最後に、繰り返しに関連する正規表現をまとめておきます。下の表で示すように、**{ }**を基本正規表現で使う際には****記号を付ける必要があります。

表13-02　繰り返しを指定するメタ文字

| 基本正規表現 | 拡張正規表現 | 意味 |
|---|---|---|
| * | * | 0回以上の繰り返し |
| なし | + | 1回以上の繰り返し |
| なし | ? | 0回または1回の繰り返し |
| \{m,n\} | {m,n} | m回以上n回以下の繰り返し |
| \{m\} | {m} | ちょうどm回の繰り返し |
| \{m,\} | {m,} | m回以上の繰り返し |

なお上の表で**+**と**?**は、先述のとおりGNU grepでは**\+**や**\?**と書くことで基本正規表現でも利用できます。しかしこれはあくまで独自拡張であるため、上の表では「なし」と記載しています。

# 05 その他のメタ文字

本章の最後に、**()**と**|**というメタ文字を紹介します。この2つも基本正規表現と拡張正規表現では記述方法が違うため、ここでは拡張正規表現で紹介します。

**()**は、**正規表現をグループ化**するためのメタ文字です。たとえばWineという単語を2つ以上つなげた、「WineWine」「WineWineWine」などの文字列にマッチさせたいとしましょう。このとき2回以上を意味する**{2,}**を利用して**Wine{2,}**という検索パターンを指定しても、回数を指定するメタ文字は直前の1文字にしか作用しないため「e」にしか作用せず、「Wineeee」などにしかマッチしません。

このようなケースでは、単語などをグループ化する`()`というメタ文字を利用します。たとえば次のように`(Wine){2,}`という検索パターンを指定すれば、Wineという**単語自体の繰り返しをマッチさせる**ことができます。

▼「Wine」という単語の2回以上の繰り返しにマッチ

```
$ grep -E '(Wine){2,}' drink.txt
WineWine
```

`|`というメタ文字は、複数の正規表現をOR（または）条件でつなげることができます。たとえば`abc|xyz`という正規表現は、`abc`または`xyz`という文字列にマッチします。`|`は2つ以上使うこともできますから、`abc|def|xyz`と書けば`abc`、`def`、`xyz`のどれかにマッチします。

`|`は、多くの場合にはグループ化するための`()`とセットで使われます。たとえば次のように`My (Vodka|Wine)`という検索パターンを指定することで、「My Vodka」または「My Wine」にマッチさせることができます。

▼「My Vodka」または「My Wine」にマッチ

```
$ grep -E 'My (Vodka|Wine)' drink.txt
My Vodka
My Wine
```

これらの正規表現を次の表にまとめておきましょう。

表13-03　その他のメタ文字

| 基本正規表現 | 拡張正規表現 | 意味 |
|---|---|---|
| `\(\)` | `()` | グループ化する |
| なし | `|` | 複数の正規表現をOR条件で連結する |

基本正規表現で`()`を利用するには、`{}`と同様に`\`記号を付ける必要があります。また、`|`は基本正規表現では利用できません。

# 06 正規表現の利用

ここまでgrepコマンドによる正規表現の利用例を見てきましたが、正規表現はgrep専用の記法ではなく、他にも多くのコマンドで正規表現が利用できます。

たとえばVimやlessコマンドでは`/`を入力することによりテキスト検索を行うことがで

きますが、この際に検索パターンとして文字列だけでなく正規表現を利用することができます。

図13-04　Vimやlessコマンドで正規表現による検索

また、CHAPTER14で紹介するsedコマンドやawkコマンドでも正規表現が利用できます。この他にもPerlやRuby、Javaなど多くのプログラミング言語では、正規表現を利用するための機能が用意されています。このように正規表現が利用できる分野は非常に幅広く、テキスト処理を行うためには必須の知識と言ってよいでしょう。

**おわりに**

正規表現はさまざまな組み合わせが無限の可能性を持ち、うまく使いこなすことができれば作業効率を大幅に上げることができます。また、条件にマッチする正規表現を考えることにはパズルを解くような楽しさがあり、Linux上級者の間では奇抜な正規表現を考え出すことを競い合うようなケースもよく見られます。

読者の皆さんも、手元にいろいろなテキストファイルを用意して、さまざまな正規表現による検索を試してみてください。難しい条件にマッチする正規表現を作り出せたときには、数学の問題が解けたときのような爽快さが感じられることと思います。

## Column ソフトウェアのサポート期間とアップデート

Linuxでは多くのソフトウェアを利用することができますが、これらのソフトウェアにはサポート期限が設けられているため、いつまでも古いバージョンを使い続けることはできません。そのため、ソフトウェアの定期的なバージョンアップを行う必要があります。

例えばLinuxディストリビューションの1つであるCentOS Streamは、サポート期間が終了するとアップデートパッケージが提供されなくなります。また、Webサーバとして広く利用されているApache httpdサーバーも古いバージョンはサポート外となっており、この場合、何かしら重要な問題が発見されたとしても修正プログラムは提供されません。

OSやミドルウェアだけでなく、PHPやRubyといったプログラム言語にもサポート期間があります。例えば2023年11月にはPHP 8.0系がサポート終了となり、また2023年3月にはRubyの2.7系がサポート終了となりました。

システムを運用する際、このようにサポートが終了したバージョンのソフトウェアを利用し続けていると、大きなセキュリティリスクを抱えることになります。もし危険度の高い脆弱性が発見されたとしても、サポート終了したソフトウェアにはセキュリティ対策を施したバージョンが提供されません。このためシステムにセキュリティ上の問題を抱えたまま運用することとなり、悪意のある攻撃者による格好の餌食となってしまいます。

本書の範囲ではLinuxの運用管理については扱わなかったため、パッケージのアップデート方法などについてもほとんど触れることができませんでした。しかしLinuxディストリビューション付属のパッケージを利用していれば、それらディストリビューションの提供により比較的容易にバージョンアップが行えます。

なお、既にサポートの終了しているソフトウェアであってもディストリビューション独自のパッチを当てていることがあり、この場合にはシステムの延命が可能となります。例えばCentOS Stream 9ではPHPのパッケージとしてPHP 8.0.30を提供していますが、ディストリビューション独自のパッチの提供があるため、CentOS StreamとしてはPHP 8.0系はサポート終了となっていません。

皆さんがこれからLinuxを本格的に使うようになると、利用しているソフトウェアの定期的なバージョンアップが重要な問題となってきます。ソフトウェアはインストールするだけでなく、メンテナンスと運用が必要であるということを理解しておいてください。

Chapter

# 14

# 高度なテキスト処理

前章では、正規表現を利用したテキスト検索について紹介しました。それだけでもさまざまなテキスト処理ができますが、Linuxで行う多くの作業ではテキストの検索や表示だけではなく、その一部を変更したり削除したりといったテキスト編集の処理が必要になります。本章ではこのようなテキスト編集を行うために、sedとawkという2つのコマンドを紹介します。

sedとawkは、どちらもよく使われるテキスト編集のためのコマンドです。sedコマンドは、主に文字列の置換処理に用いられます。もう1つのawkは非常に高機能なコマンドであり、変数や条件式なども使えることから、一種のプログラミング言語であると言ってもよいでしょう。

sedとawkという2つのコマンドに慣れ親しんで、テキストを便利に編集できるようになることが本章の目的です。

# 01 sedコマンド ──ストリームエディタ

まずはじめに、sedコマンドを紹介しましょう。このコマンドは文字列を置換するために用いられることが多く、置換処理の方法だけを覚えておくことでも十分役に立ちます。しかしここではコマンドへの理解を深めるために、その内部の動きをもう少し詳しく見ておきましょう。

## 非対話型エディタとは

sedというコマンド名は「Stream Editor」の略から取られており、その名のとおりsedはエディタです。しかしsedは非対話型エディタであり、その使い方はWindowsのメモ帳やLinuxのVimなどの一般的な対話型エディタとは大きく異なります。

対話型エディタを利用する際には、次の図のようにまずエディタでファイルを開いてバッファ内で編集し、その編集が終わったところでファイルを保存するという使い方が普通です。

図14-01　対話型エディタとは

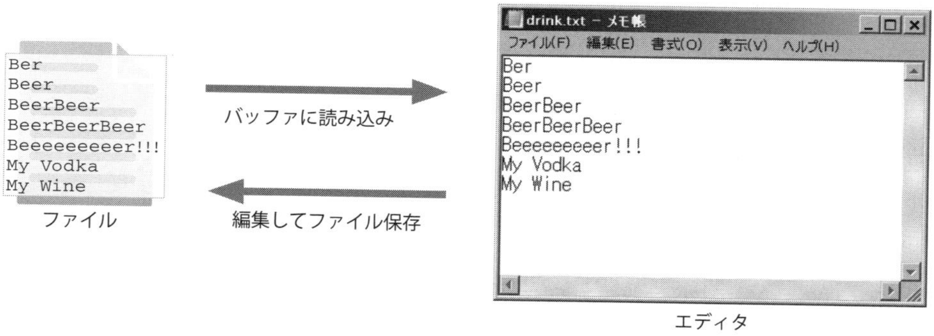


一方、sedは非対話型エディタであるため、その動作は次のような流れとなります。

1. シェルから編集のためのコマンドを引数として与えて、sedコマンドを実行する。
2. sedコマンドは編集対象のテキストに対して、与えられた編集コマンドに対応する編集操作を行う。
3. 編集後のテキストを、sedコマンドが標準出力に出力する。

このようにsedは非対話型でフィルタとして動作し編集処理を行うため、「Osakaという文字列をTokyoに置換する」など、決まったパターンの編集を行うケースでは非常に効率

図14-02 非対話型エディタとは

よく作業することができます。またsedでは正規表現が利用できるため、編集パターンの定義も柔軟に行えます。

なおsedコマンドは編集結果を標準出力に出力するため、**元のファイルは変更しません**。そのため、ファイルを壊す心配をせずに気軽に試してみることができます。またsedはフィルタとして動作するため、編集対象ファイルの指定がない場合には標準入力から読み込みます。このためパイプを使って、他のコマンドの出力結果を編集する目的にもよく使われます。

## sedコマンドの形式

sedコマンドは、以下の形式で実行します。

書 式 **sedによるテキストの編集**

```
sed [オプション] <スクリプト> <対象ファイル>
```

ここで、<スクリプト>とは「アドレス」と「コマンド」を組み合わせた文字列です。コマンドは、さらに引数やフラグを取ることがあります。またアドレスは省略することができ、その場合はすべての行が対象となります。

次の図は、sedコマンドの実行例です。それぞれのコマンドの意味は、後ほど紹介しましょう。

図14-03 sedコマンドの実行例

sedでは多くのコマンドが利用できますが、よく使われるコマンドはそのうちごく僅かです。本書では、行を削除するd、行を表示するp、行を置換するsの3つについて解説します。

なおこれより編集対象のサンプル例として、次のようなファイルdrink2.txtを利用します。

このファイルのダウンロードについては、P.ivを参照してください。

リスト14-01　利用するサンプルファイル drink2.txt

```
Ber
Beer
BeerBeer
BeerBeerBeer
Beeeeeeeeer!!!
My Vodka
My Wine
```

## 行を削除する

dは、行を削除するコマンドです。ここではsedでのアドレスの指定方法と合わせて、使い方を見てみましょう。なお先ほど述べたとおりsedは編集結果を表示するだけで、元のファイルを上書きしたりはしません。そのためこの削除コマンドは、気軽に試してみて問題ありません。

**sedのコマンドは、アドレスで指定された行のみに作用**します。アドレスの指定にはいくつかの形式がありますが、まずは行番号で指定してみましょう。

次の例は、アドレスに**1**を指定して、1行目だけにdコマンドを実行しています。結果として、1行目は削除されて表示されていません。

▼1行目を削除する

```
$ sed 1d drink2.txt
Beer
BeerBeer
BeerBeerBeer
Beeeeeeeeer!!!
My Vodka
My Wine
```

アドレスの範囲は、`n,m`の形で「n行目からm行目まで」と指定できます。次の例では、2行目から5行目までを削除しているため、結果として1行目と6、7行目が表示されています。

▼2行目から5行目を削除

```
$ sed 2,5d drink2.txt
Ber
My Vodka
My Wine
```

また、アドレスに**$**を指定すると最終行を意味します。たとえば**3,$**と指定すれば「3行目から最終行まで」を意味します。次の例では3行目から最終行までを削除しているため、結果として1、2行目のみが表示されます。

▼3行目から最終行までを削除

```
$ sed '3,$d' drink2.txt
Ber
Beer
```

なお**$**を利用する際はシェルに解釈させないために、上の例のようにスクリプト部分はシングルクォートでくくる必要があることに注意してください。

**アドレスを省略すると、コマンドはすべての行に作用**します。次のようにdコマンドでアドレスを省略すると、すべての行が削除されて結果として何も表示されません。

▼全行を削除

```
$ sed d drink2.txt
$  ◀―――――全行削除されて何も表示されない
```

アドレスは行番号だけでなく、**正規表現で書く**こともできます。この際には、正規表現を/(スラッシュ)で囲みます。次の例では、**/^B/**という正規表現を使って「先頭がBで始まる行」をアドレス指定しています。

▼先頭がBで始まる行を削除

```
$ sed /^B/d drink2.txt
My Vodka
My Wine
```

上の例では、アドレスは**/^B/**です。「アドレス」という言葉にしては正規表現なのがちょっと変だと感じるかもしれませんが、sedのアドレスとは「コマンドの作用する範囲」という意味でとらえてください。

## 行を表示する

pは、行を表示するコマンドです。次の例では**1p**として1行目を表示しています。

▼1行目を表示しているが、合わせて全行表示されている

```
$ sed 1p drink2.txt
Ber
Ber
Beer
```

```
BeerBeer
BeerBeerBeer
Beeeeeeeeer!!!
My Vodka
My Wine
```

上の例では、ちょっと予想と違った出力になりました。1行目の「Ber」が2回表示されており、続けて2行目から後の全行がそのまま表示されてしまっています。これは、sedコマンドの「パターンスペースの自動出力」が原因です。

sedコマンドは行を読み込むとまずパターンスペースという場所にいったんコピーし、その**パターンスペースに編集コマンドを実行してから、最後にパターンスペースの内容を出力**します。つまり上の例では、1行目の「Ber」は**1p**のスクリプトで表示された行で、2行目の「Ber」はパターンスペースの出力で表示された行です。

図14-04　sedのパターンスペース

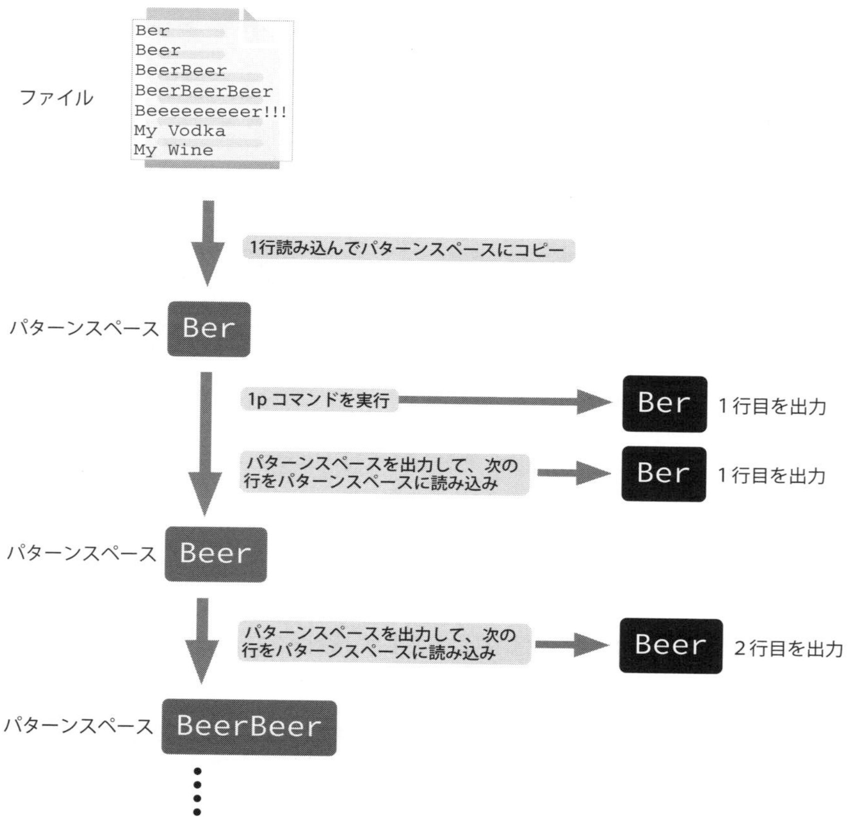

パターンスペースの出力をさせないようにするには、-nオプションを利用します。**pコマンドを-nオプションと同時に利用することで、特定の行だけを表示**することができます。次の例では、1行目だけを表示しています。

▼1行目だけを表示

```
$ sed -n 1p drink2.txt
Ber
```

このような、-nオプションによりパターンスペースの出力をさせないという手法は、次に紹介する置換機能で「置換が発生した場合にだけ出力する」ケースなどに利用されます。

## 行を置換する

sは、行を置換するコマンドです。sedが利用されるほとんどのケースは**置換を目的**としているため、このsコマンドは非常によく使われます。

sコマンドで置換する文字列は、次の形式で指定します。

書 式 sedによる文字列の置換

```
s/置換前文字列/置換後文字列/フラグ
```

ここで、フラグは省略可能です。次の例では、「Beer」という文字列を「Whisky」という文字列に置換しています。アドレスは省略しているので、すべての行が対象となります。

▼「Beer」を「Whisky」に置換

```
$ sed 's/Beer/Whisky/' drink2.txt
Ber
Whisky
WhiskyBeer
WhiskyBeerBeer
Beeeeeeeeer!!!
My Vodka
My Wine
```

なお上の例では、3行目と4行目に「Beer」が残ってしまっています。これはsコマンドでの置換の際には、行頭から探して最初に見つかった文字列だけを置換して、そこで処理を終了するためです。

図14-05 置換は最初の文字列だけが対象

**見つかったすべての文字列を置換するには、次のようにgフラグ**を付けます。これで、「BeerBeerBeer」が、「WhiskyWhiskyWhisky」に置換されました。

▼gフラグを付けて、すべての「Beer」を「Whisky」に置換

```
$ sed 's/Beer/Whisky/g' drink2.txt
Ber
Whisky
WhiskyWhisky
WhiskyWhiskyWhisky
Beeeeeeeeer!!!
My Vodka
My Wine
```

置換前文字列の指定には、正規表現を利用できます。次の例では、正規表現B.*rを利用して「Bで始まりrで終わる」文字列を、「Whisky」という文字列に置換しています。

▼正規表現を利用した置換

```
$ sed 's/B.*r/Whisky/g' drink2.txt
Whisky
Whisky
Whisky
Whisky
Whisky!!!
My Vodka
My Wine
```

なお置換前文字列には正規表現を利用することが多いため、sコマンドを使う際は上の例のように、常にスクリプト全体をシングルクォートでくくっておくことをお勧めします。

**置換後文字列を指定せずに空にすることで、空文字に置換する、すなわち置換前文字列を削除**できます。次の例では、!を削除しています。

▼!を削除

```
$ sed 's/!//g' drink2.txt
Ber
Beer
BeerBeer
BeerBeerBeer
Beeeeeeeeer
My Vodka
My Wine
```

なお、パターンスペースを出力しない-nオプションと、置換が発生した場合に出力するpフラグを組み合わせて利用することで、次のように置換が発生した行だけを表示することができます。これは長いテキストを置換する場合に、どこで置換が発生するかを確認するときに便利です。

▼置換が発生した行だけを表示する

```
$ sed -n 's/!//gp' drink2.txt
Beeeeeeeeer
```

### sedでの拡張正規表現

sedでは正規表現は基本正規表現として解釈されます。拡張正規表現を利用したい場合には、-Eオプションを付けます。次の例では、拡張正規表現**Be+r**を利用して置換しています。

▼拡張正規表現の利用（-Eオプション）

```
$ sed -E 's/Be+r/Whisky/' drink2.txt
Whisky
Whisky
WhiskyBeer
WhiskyBeerBeer
Whisky!!!
My Vodka
My Wine
```

または、-Eオプションの代わりに-rオプションを付けても拡張正規表現が利用できます。

それに加えて、Linuxのsed（GNU sed）の独自拡張により、拡張正規表現の**+**や**?**を、それぞれ**\+**や**\?**のように****記号を前に付けて書くことで基本正規表現として利用することができます。つまり、次の2つは同じ意味となります。

```
sed -E 's/Be+r/Whisky/' drink2.txt    ←―― 拡張正規表現で記述
sed 's/Be\+r/Whisky/' drink2.txt      ←―― 基本正規表現で記述
```

元々のsedでは-Eや-rオプションが使用できず、正規表現としては基本正規表現が使われていました。その後、Linuxのsed（GNU sed）で拡張正規表現が使えるようになり、それを有効にするオプションとして-rオプションが追加されました。しかし他の環境で使われるsedの実装の中には、拡張正規表現を有効にするオプションとして、-rではなく-Eオプションが使われる場合がありました。これでは同じ書き方ができず不便ということで、Linuxのsedでも-Eオプションが使えるように変更されたという経緯があります。現在でも-rオプションや基本正規表現で前に\記号を付ける記法は使用できますが、これからLinuxを勉強する皆さんは他の環境と互換性のある-Eオプションを使うことをお勧めします。

### 後方参照

正規表現を用いて置換する際、**マッチした文字列を置換後に埋め込みたいケース**があります。このような場合には、後方参照を利用します。

後方参照とは、正規表現を`()`でグループ化した際に、そのマッチした文字列を`\1`などの数値で参照できる機能です。この際、基本正規表現と拡張正規表現では次のように書き方が異なります。

表14-01　基本正規表現と拡張正規表現での後方参照

| 基本正規表現 | 拡張正規表現 |
|---|---|
| `\(　\)`でグループ化し、`\1`で参照 | `(　)`でグループ化し、`\1`で参照 |

複数のグループ化をした場合には、それぞれが`\1`、`\2`のように行の先頭からの順番に参照できます。

次の例では「My <文字列>」の、<文字列>部分を`\(.*\)`と書いてグループ化しています。置換後文字列に後方参照`\1`を使うことで、「--Vodka--」のように、マッチした文字列を利用して置換することができます。

▼グループ化して置換

```
$ sed 's/My \(.*\)/--\1--/' drink2.txt
Ber
Beer
BeerBeer
BeerBeerBeer
Beeeeeeeeer!!!
--Vodka--
--Wine--
```

### アドレス指定

sコマンドで置換する際には、dコマンドやpコマンドと同様にアドレス指定できます。この場合、置換対象の行がそのアドレスのみに限られます。これはファイルの一部のみを置換したいときに便利です。

次の例では、1行目から3行目までを置換対象として「Beer」を「Whisky」に置換しています。4行目は置換対象ではないので、「Beer」という文字列がそのまま残っています。

▼アドレス指定して置換

```
$ sed '1,3s/Beer/Whisky/g' drink2.txt
Ber
Whisky
WhiskyWhisky
BeerBeerBeer
Beeeeeeeeer!!!
My Vodka
My Wine
```

### ❖区切り文字の変更

最後に、覚えておくと便利な知識を紹介しておきましょう。

sコマンドで置換する際、文字列内で/（スラッシュ）という文字そのものを指定したい場合には、区切り文字と区別するために\を付けてエスケープして\/と書きます。次の例では、「Beer」を「/Beer/」に置換しています。

▼「Beer」を「/Beer/」に置換

```
$ sed 's/Beer/\/Beer\//g' drink2.txt
Ber
/Beer/
/Beer//Beer/
/Beer//Beer//Beer/
Beeeeeeeeer!!!
My Vodka
My Wine
```

しかし、これにはもっとスマートな解決方法があります。ここまでsコマンドの区切り文字には/を使ってきましたが、実はこの記号は/である必要はありません。**sの後ろの文字が自動的に区切り文字とみなされる**ため、どんな文字でもかまわないのです。そのため置換文字列に/自体が含まれる場合には、区切り文字を変えた方が楽です。

次の例では、区切り文字を!にして置換しています。これならば、/をわざわざ\/とする必要はありません。慣習的に、/以外の区切り文字としては、!や%がよく使われます。

▼区切り文字を「!」に変更して置換

```
$ sed 's!Beer!/Beer/!g' drink2.txt
Ber
/Beer/
/Beer//Beer/
```

```
/Beer//Beer//Beer/
Beeeeeeeeer!!!
My Vodka
My Wine
```

# 02 awkコマンド ——パターン検索・処理言語

awkは、テキストの検索や抽出・加工などの編集操作を行うためのコマンドです。「オーク」と発音されます。

awkはsedのように、シェルから指定した編集操作をテキストに対して実行し、その編集結果を表示します。しかしsedが非対話型エディタと呼ばれるのに対し、awkはsedよりもずっと高機能であるためテキスト処理に特化したプログラミング言語であるとみなされています。

現在では、本格的なテキスト処理を行う際にはRubyやPythonなどのスクリプト言語が使われることが多くなりましたが、awkもまだまだ多くの場面で利用されています。awkを使いこなせばテキストの編集操作が格段に楽になりますから、ぜひ使い方を覚えておきましょう。

## awkコマンドの形式

awkはsedと同様に、「awk <スクリプト> <対象ファイル>」の形で実行します。対象ファイルを指定しない場合は標準入力から読み込んでフィルタとして振る舞う点や、入力テキストを1行ずつ読み込んでスクリプトで指定された処理を行う点もsedと同じです。ただし、awkに指定できるスクリプトの内容は、sedよりもずっと高機能です。

awkのスクリプトは、「パターン」と「アクション」の2つで構成されています。

**書式** awkのスクリプト

```
パターン { アクション }
```

「パターン」には、アクションを実行するかどうかの条件を記述します。この条件は対象のテキストを1行読み込むごとに判定されます。なおawkでは、処理中に読み込んでいく1行の入力テキストをレコードと呼びます。

「アクション」は、テキストの抽出や置換、削除などの実際のテキスト編集処理を記述します。パターンにマッチした場合にのみ、このアクションが実行されます。なお**パターン**

**は省略することが可能で、その場合はすべてのレコードに対してアクションが実行**されます。

awkがどのように動作するのかを示したのが次の図です。なおスクリプトの部分は、シェルに解釈させないようにシングルクォートでくくっておきます。

図14-06 awkの動作

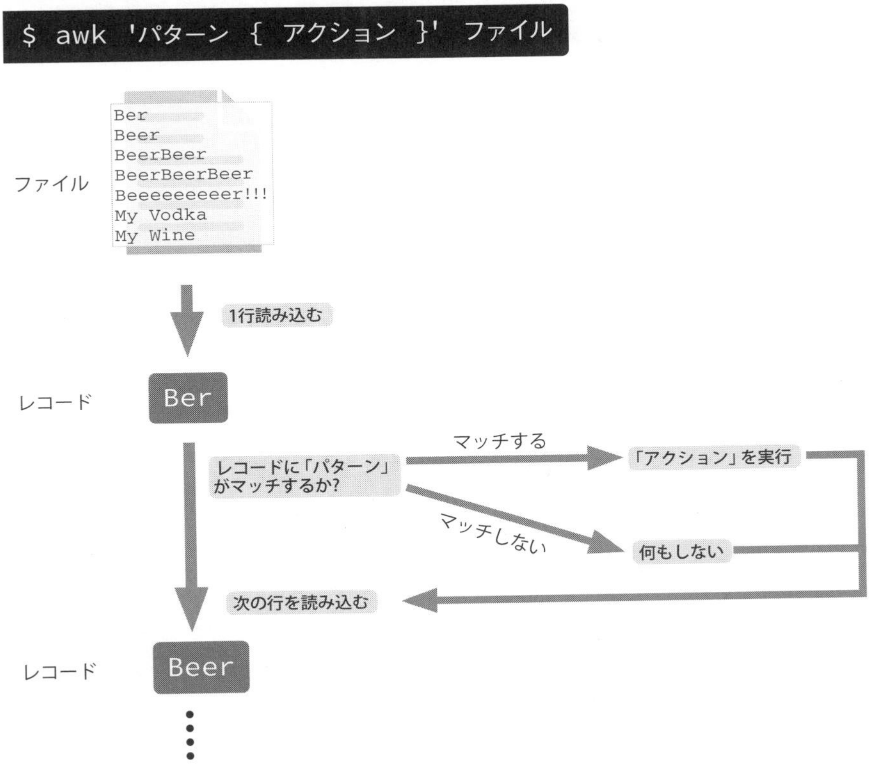


内部動作の図だけ見ていてもわかりにくいでしょうから、いくつかawkの実行例を見てみましょう。次の例では、スペース区切りのファイルscore.txtから、第2フィールドと第3フィールドのみを取り出して表示しています。この例ではパターンを省略して全行にアクションを実行しています。

▼score.txtの第2フィールドと第3フィールドのみを表示

```
$ awk '{print $2,$3}' score.txt
osumi 39
miyake 74
suzuki 59
sato 12
ino 98
sakurama 41
```

次の例では、第1フィールドのメールアドレスの先頭がsから始まるレコードのみを抽出し、それぞれ先頭に行番号を付けて表示しています。

▼第1フィールドがsから始まるレコードのみ、行番号付きで表示

```
$ awk '$1 ~ /^s/ {print NR,$0}' score.txt
3 sushi@example.org suzuki 59
6 ss@example.org tanaka 41
```

これらのコマンドの詳しい意味は、後ほど解説します。

## printとフィールド変数

awkでもっともよく使われる処理は、**特定のフィールドを抽出して表示するという列選択**です。ここでは/usr/binディレクトリを対象として実行した`ls -l`コマンドの出力結果を加工して、ファイルサイズとファイル名だけを表示するというケースを見ていきましょう。

lsコマンドの出力結果は今、次のようになっているとします。

▼/usr/binディレクトリのファイル

```
$ ls -l /usr/bin
....（省略）....
-rwxr-xr-x. 1 root root     24344  6月 18  2014 column
-rwxr-xr-x. 1 root root     37376  6月 10  2014 comm
-rwxr-xr-x  1 root root        31  9月 26 10:53 command
-rwxr-xr-x. 1 root root    151032  6月 10  2014 cp
-rwxr-xr-x. 1 root root    141600  6月 10  2014 cpio
-rwxr-xr-x  1 root root    768592  8月 19 05:00 cpp
-rwxr-xr-x  1 root root     63832 10月 29 03:30 cpupower
-rwxr-xr-x  1 root root    113312  9月 26 19:07 crlutil
-rwsr-xr-x. 1 root root     57536  6月 10  2014 crontab
....（省略）....
```

目的のファイルサイズとファイル名を取り出すには、スペース記号で区切られているlsコマンドの出力から、5列目（ファイルサイズ）と9列目（ファイル名）を取り出せばいいでしょう。これはawkで次のように記述できます。

▼lsコマンドの結果から、5列目と9列目を表示

```
$ ls -l /usr/bin | awk '{print $5,$9}'
....（省略）....
24344 column
37376 comm
31 command
151032 cp
```

```
141600 cpio
768592 cpp
63832 cpupower
113312 crlutil
57536 crontab
....（省略）....
```

上の例では、パターンは省略しているため全行が対象となります。アクションを記述する**{}**内では、printというアクションを利用しています。これはその名のとおり、文字列を表示するためのアクションです。printで表示している**$5**や**$9**などの記号は、フィールド変数と呼ばれるものです。

図14-07　awkのフィールド変数

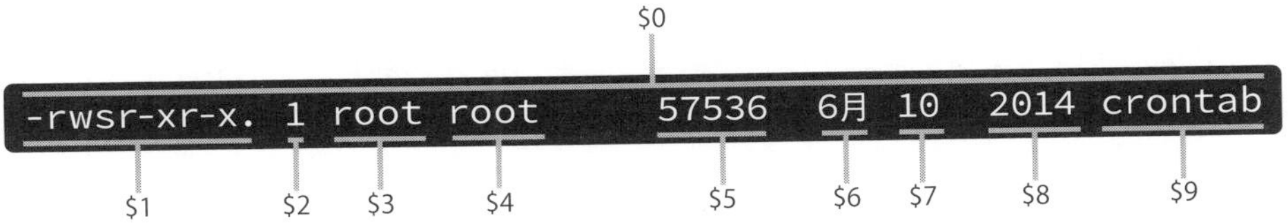


上図のようにawkは各レコードを自動的にフィールドに分割し、それぞれのフィールドを**$1**などのフィールド変数に代入します。またレコード全体は**$0**に代入されます。フィールド分割の際には、スペースもしくはタブが区切り文字とみなされます。スペースはいくつ連続していてもかまいませんから、lsコマンドのように**各フィールド間のスペース数がまちまちの表示を加工する**には便利です。

printする際、変数をカンマ付きで並べると、それぞれの値がスペース区切りで表示されます。なお次のようにprintする際に変数をスペースで並べると、表示結果にはスペースが入りませんから注意してください。

▼スペースで変数を並べると表示結果にはスペースが入らない

```
$ ls -l /usr/bin | awk '{print $5 $9}'
24344column
37376comm
31command
151032cp
141600cpio
768592cpp
63832cpupower
113312crlutil
57536crontab
```

フィールド変数と合わせて、組み込み変数NFの使い方を覚えておくと便利です。NFは、レコードのフィールド数が代入されている変数です。そのため、**$NFをprintするとレコードの最後のフィールドが表示**されます。先ほどの例では、$9の代わりに$NFと指定してもよいわけです。

図14-08　NFは最後のフィールドを指す

またawkではアクション内で演算が行えますから、次のようにNFから1を引いた値$(NF-1)を表示させると、「後ろから数えて2番目のフィールド」も表示できます。これはフィールド数が多いときや、フィールド数が一定しない場合に効果的ですから、覚えておきましょう。

▼一番最後のフィールドと、その1つ前のフィールドを表示

```
$ ls -l /usr/bin | awk '{print $(NF-1),$NF}'
2014 column
2014 comm
10:53 command
2014 cp
2014 cpio
05:00 cpp
03:30 cpupower
19:07 crlutil
2014 crontab
```

## パターンの指定

先ほどまでの例は、パターンを省略したためすべての行がアクションの対象となっていました。続いて、パターンとして「ファイル名の先頭がcpで始まる文字列」という条件を付けてみましょう。

文字列のパターンを設定するには、やはり正規表現を利用します。awkでは記述した正規表現は自動的に拡張正規表現として解釈されるため、本章では以下、単に正規表現と書きます。

awkで**正規表現のパターンを指定するには、/（スラッシュ）で囲って記述**します。各フィールドに対して正規表現がマッチするかどうかを調べるには、~（チルダ）を使って次のように比較します。

図14-09 正規表現のパターン

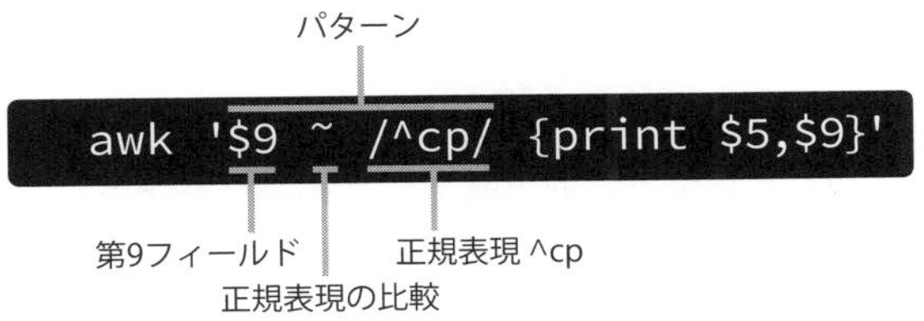


上の例では、第9フィールドが**/^cp/**、つまり先頭がcpという文字列かどうかというパターンを指定しています。結果として、次のようにcpで始まるファイル名だけが対象となります。

▼ファイル名がcpで始まる行のみを対象とする

```
$ ls -l /usr/bin | awk '$9 ~ /^cp/ {print $5,$9}'
151032 cp
141600 cpio
768592 cpp
63832 cpupower
```

なお、正規表現を書く際には比較対象を省略することができます。この場合にはレコード全体が対象となります。たとえば次のようにパターンとして正規表現**/^l/**のみを指定すると、lsコマンドの表示の行頭にlが来ているファイル、すなわちシンボリックリンクだけが表示されます。

▼行の先頭がlで始まる行のみを対象とする

```
$ ls -l /usr/bin | awk '/^l/ {print $5,$9}'
45 VBoxClient
49 VBoxClient-all
46 VBoxControl
6 apropos
4 awk
10 bashbug
5 bunzip2
....（省略）....
```

## アクションの省略

アクションは、省略するとレコードを表示します。つまり、**{print $0}**が実行されます。またprintアクションは引数に何も指定しないとレコードを表示するため、これも**{print $0}**が実行されます。

つまり次の3つは、すべて同じ意味となります。

```
awk '$9 ~ /^cp/'                    ← アクションを省略
awk '$9 ~ /^cp/ {print}'            ← アクションの引数を省略
awk '$9 ~ /^cp/ {print $0}'         ← 省略していない
```

awkは長い歴史を持つことから文法を熟知しているユーザも多く、このような省略はあちこちで見られます。しかし初学者には混乱を招きますから、皆さんはできるだけ省略をせずに、きちんとアクションを書くことをお勧めします。

## 実践例 - CSVファイルからスコア集計

最後に、awkを使った実用的な作業例を見てみましょう。ここでは、次のような「出席番号,名前,点数」が記録されたカンマ区切りのCSVファイル（score.csv）から、点数の平均値を計算するという問題を考えてみます。

リスト14-02　集計対象の記録ファイルscore.csv

```
1,osumi,39
2,miyake,74
3,suzuki,59
4,hasegawa,12
5,ino,98
6,tanaka,41
```

このような問題は表計算ソフトで作業されることが多いでしょうが、awkを使えばコマンド1つで簡単に終わらせることができます。

まず、このファイルはカンマ区切りのためそのままではフィールド分割できません。awkでフィールドの区切り文字を指定するには、次のように-Fオプションを利用して**-F,**と書きます。

▼区切り文字を,（カンマ）に指定

```
$ awk -F, '{print $1,$2,$3}' score.csv
1 osumi 39
2 miyake 74
3 suzuki 59
4 hasegawa 12
5 ino 98
6 tanaka 41
```

続いて点数を取り出します。ここではフィールド変数$3を利用してもよいのですが、名前にスペースやカンマが入る生徒が今後出てくるかもしれませんから、最終フィールドとして取り出す方が安全です。そのため、組み込み変数NFを利用します。

▼最終フィールドの点数を表示

```
$ awk -F, '{print $NF}' score.csv
39
74
59
12
98
41
```

続いて、平均値を計算します。平均値を求めるには点数をすべて足して、それを生徒数(すなわちファイルの行数)で割ればよいでしょう。まずは点数を足すためにsumという変数を作り、それをレコードごとに点数で足し上げていきます。

▼点数の総和を表示

```
$ awk -F, '{sum += $NF} END{print sum}' score.csv
323
```

上の実行例は少し解説が必要でしょう。まずawkの変数は、一般的なプログラミング言語と違って宣言や初期化などをせずに使うことができます。この場合、**数値として扱えば変数の初期値はゼロ**となっていますから、各レコードを処理するたびにsumに対して$NFを足し上げていけば、最後にsumの値は点数の総和となっています。

ここで、sum +=という書き方は、プログラミング初心者には難しいかもしれません。実は、次の2つは同じ意味です。

```
{sum += $NF}
{sum = sum + $NF}
```

このように元の値に+するときに「+=」という形式で記述することは、awkに限らず多くのプログラミング言語で見られる書き方です。こうして、各行の点数を足し上げて変数sumに代入しているわけです。

また先ほど総和を表示する際、ENDという文字列がありました。これはENDパターンという特殊なパターンです。**ENDブロック内のアクションは、すべての入力ファイルを処理し終えてから最後に実行**されます。変数sumにはレコード処理ごとに点数が足されていますから、最後にENDブロック内でsumの値をprintすることで、総和を表示しているわけです。

点数の総和が得られましたから、後は行数で割れば平均値が計算できます。入力ファイルの行数は、組み込み変数NRで取得できます。**NRとはこれまで読み込んだ入力レコード数が代入されている組み込み変数**で、終了時すなわちENDブロック内ではファイルの行数と一致します。ですから、NRでsumを割れば目的の平均値が得られます。

▼平均値が計算できた

```
$ awk -F, '{sum += $NF} END{print "Average:",sum/NR}' score.csv
Average: 53.8333
```

最後に、せっかく平均値を計算するスクリプトを作ったのですから、これを保存しておきましょう。awkコマンドでは、テキストファイルとして保存したスクリプトファイルを、-fオプションで読み込むことができます。これにより、一度作ったawkスクリプトを再利用することができます。

次の例では、先ほどの平均値を計算するawkスクリプトをaverage.awkというファイル名で保存してあります。このスクリプトファイルを-fオプションで読み込んで、平均値を計算しています。

▼awkスクリプトを保存しておき、再利用する

```
$ cat average.awk
{sum += $NF} END{print "Average:",sum/NR}
$ awk -F, -f average.awk score.csv
Average: 53.8333
```

**おわりに**

awkコマンドは非常に高機能であることから、本章で紹介することができた機能もごく僅かです。ここで紹介した機能だけでも十分役に立つとは思いますが、ドキュメントや書籍を読んで、より深い知識をぜひ身につけてください。

# Chapter 15

# シェルスクリプトを書こう

本章からCHAPTER17までは、シェルスクリプトについての解説を行います。シェルスクリプトとはシェルのコマンドを記述しておくファイルで、うまく活用すれば本書でここまで学んできたさまざまなコマンドを組み合わせた処理を、簡単に実行させせることができるようになります。

シェルスクリプトの知識を身につければ多くの作業をとても素早くこなすことができるようになりますし、Linuxを使いこなす上でもシェルスクリプトのさまざまな技法を知っておく必要があります。本章ではまずシェルスクリプトの基礎知識と、その実行方法について解説します。

# 01 シェルスクリプトとは

本書ではここまで、シェルのコマンドラインをキーボードから入力してきました。しかしLinuxでは定期的に決まったコマンドを実行する場面が多く、そのたびに毎回長いコマンドラインをいくつも手で入力するのは大変です。

このようなときには、実行したい一連のコマンドをあらかじめファイルに書いておき、そのファイルをシェルに読み込ませることでコマンドを実行することができます。

図15-01 シェルスクリプトとは

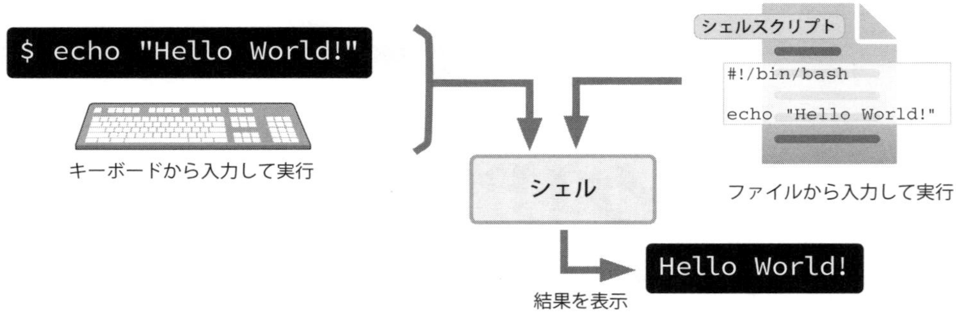


シェルの**コマンドラインをあらかじめ記述しておくファイル**のことを、シェルスクリプトと呼びます。シェルスクリプトは単にコマンドを並べられるだけでなく、条件分岐や繰り返しを利用した複雑な制御構造も記述できることから、一種のプログラミング言語であると言ってもよいでしょう。我々がふだんLinuxを使う際にはシェルを操作しているわけですから、シェルスクリプトは非常に学習しやすく、とっつきやすい言語です。

本章からCHAPTER17までは、シェルスクリプトについて詳しく解説していきます。シェルスクリプトはユーザが利便性のために作成することもあれば、Linuxシステムの根幹部分となるようなプログラムでも使われていることから、非常に幅広い応用分野を持っています。そのため、Linuxを学ぶ上でシェルスクリプトの知識は必須と言えるでしょう。

シェルスクリプトを利用すれば、どんなに複雑なコマンドであっても毎回手で入力する必要はありません。そうして作業を自動化できるということには、次のような大きなメリットがあります。

- 一度シェルスクリプトを作れば、後で同じ処理が必要になったときにそのシェルスクリプトを再利用することができる
- 自分だけでなく、他の人にもシェルスクリプトを配布して使ってもらうことができる
- コマンドを打ち間違えることによる作業ミスをなくすことができる

# 02 シェルの選択

さっそくシェルスクリプトを書きはじめたいところですが、その前にどのシェル向けのシェルスクリプトを書くかを決めなくてはいけません。これはいろいろと議論の火種になりやすいテーマですから、少々込み入った話ですが以下に詳しく解説します。

## どのシェルのシェルスクリプトを書くべきか

シェルスクリプトはシェルによって解釈されるため、シェルの種類が異なれば書き方も変わります。現在シェルスクリプトが書かれる対象のシェルとしては、shまたはbashが一般的です。よってシェルの選択としては、shにするかbashにするかという二択になります。

shはCHAPTER02「シェルの種類」で解説したように、長い歴史を持つ反面、設計が古く現在では低機能なシェルです。ただし、過去のシェルスクリプトの多くがsh向けに書かれていることや、すべてのLinuxには必ずshが存在することから、一般的には互換性・移植性に配慮してシェルスクリプトはbash向けではなくsh向けに書いた方がよいとされています。

しかしshのシェルスクリプトにはさまざまな問題点があり、むしろbashでシェルスクリプトを書いた方が好ましいという意見も近年は強くなっています。このため本書でも、**シェルスクリプトはshではなくbashで記述**して、bashでの実行例を紹介します。shを使わずbashを使う理由として、次の2点を挙げることができます。

### shでシェルスクリプトを書いても互換性の問題は解決しない

現在のLinuxにおいて、CentOS StreamなどのRed Hat系ディストリビューションはshをbashの別名として実装しています。そのためRed Hat系ディストリビューションでは、shとbashの実体は同じものです（ただし、bashはshという名前で起動されるとshモードで動くため、若干動作は変わります）。一方、UbuntuなどDebian系ディストリビューションでは、shをdashという原始的なシェルで実装しています。

これはつまり、shの実装がディストリビューションごとにバラバラであり、その動作も変わってくるということです。実際CentOS Streamユーザの間では、sh向けのシェルスクリプトと言いながら、bashの機能を気づかずに使ってしまっていることがあり注意が必要です。この他にもSolarisという商用システムのshは、Linuxのshとの間に微妙な差異があることで知られています。

これに対して、bashはGNUプロジェクトによる実装のものしかありません。そのためどのようなOSであれ、そこにbashがインストールされていれば同じ動作をすることが期待できます。さらに現代のLinuxでは、bashはほぼデフォルトでインストールされています。つまり、**bashで書かれたシェルスクリプトの互換性・移植性はとても高い**のです。

### ❖ bashにはシェルスクリプトを書く上で便利な機能が多く用意されている

shは歴史が古いことから、現代ではもはや貧弱な機能しか持たないと言わざるを得ません。

たとえばshでは、1を足すなどの簡単な計算をするだけでも外部コマンドexprを使わなくてはいけません。これはシェルスクリプトを書く上で煩雑になりますし、動作速度も犠牲になります。一方bashでは「算術展開」という機能が用意されており、外部コマンドなしに計算をすることができます。これはシェル内部の機能ですから、動作も高速です。

このようなbashの利点を考えると、わざわざプログラムを書きにくいshを選択して、生産性を落としてしまう方がむしろ問題です。積極的にbashを使っていくことを検討しましょう。

# 03 シェルスクリプトを作成する

それではさっそくシェルスクリプトを作成してみましょう。

シェルスクリプトは実行したいコマンドを記述したテキストファイルですから、Vimなどのテキストエディタを利用して作成できます。Vimの操作にまだ不慣れな方は、CHAPTER07「エディタ」を参考に、最低限のファイル編集ができるようになっておいてください。

はじめてのシェルスクリプトですから、まずはコマンドライン1行だけの簡単なものを作ってみましょう。ここでは例として、次のようなホームディレクトリのファイル使用量を表示するコマンドラインを利用します。

▼ホームディレクトリのファイル使用量を表示する

```
$ du -h ~ | tail -n 1
51M     /home/osumi
```

上の例でduコマンドは、ディレクトリ内のファイル使用量を表示するコマンドです。ここではディレクトリとして~を指定して、ホームディレクトリの使用量を表示しています。duコマンドはすべてのサブディレクトリを対象としますが、ここではホームディレクトリ全体の使用量だけわかればよいため、tailコマンドの-nオプションを利用して最後の1行だけを表示しています。

ホームディレクトリの使用量を確認するために、毎回このような長いコマンドラインを打つのは大変です。このコマンドをシェルスクリプトにしてみましょう。

シェルスクリプトのファイル名は何でもよいのですが、ここではhomesize.shとしておきましょう。次のように、Vimで新規ファイルを作成して開きます。

▼Vimでシェルスクリプトhomesize.shを作成

```
$ vim homesize.sh
```

ファイル名の拡張子を.shにするのは、シェルスクリプトの慣習です。.shを付けずに「homesize」などのファイル名でも問題ありません。ただし、ファイル名を見ただけでシェルスクリプトであることがわかるようにするためには、.shを付けておいた方がよいでしょう。

Vimが起動したら、次のような2行だけの内容のテキストファイルを作成します。

リスト15-01 作成するシェルスクリプト（homesize.sh）

```
#!/bin/bash
du -h ~ | tail -n 1
```

ここで1行目の**#!**で始まる行は、shebang（シバンまたはシェバン）と呼ばれる行です。この意味については、後ほど解説しましょう。

2行目が、コマンドラインを書いた行です。このように、実行したいコマンドをそのまま記述するだけでシェルスクリプトは完成します。

ファイルを保存して終了したら、CHAPTER09で紹介したchmodコマンドでファイルに実行権限を追加します。シェルスクリプトは「実行」されるファイルですから、**+x**として**実行権限を付けておく必要がある**わけです。

▼シェルスクリプトに実行権限を付与

```
$ chmod +x homesize.sh
```

これでシェルスクリプトが実行できるようになりました。次のようにファイル名を指定して実行してみましょう。

▼シェルスクリプトを実行する

```
$ ./homesize.sh
51M     /home/osumi
```

この際、**ファイル名の前に./を付ける**ことに注意してください。**.**はカレントディレクトリを意味しますから、これは「カレントディレクトリにあるhomesize.shファイルを指定して実行」という意味になります。

こうして、シェルスクリプトを作成して実行することができました。これからは長いコマンドラインを入力しなくても、このシェルスクリプトを実行するだけでよいのです。

# 04 シェルスクリプトの実行形式

先ほどシェルスクリプトを作成する際、ファイルの先頭に**#!**で始まる行を追加する必要がありました。これはshebang（シバンまたはシェバン）と呼ばれ、特別な意味を持ちます。

少々細かい話になってしまいますが、このシバンについて次に説明します。ここをきちんと理解しておかないと、「こちらの環境では動くのにあちらの環境では動かない」というシェルスクリプトを書いてしまいがちですから、しっかり理解しておいてください。

## シバン

これまでの章で何度も試してきたように、Linuxでファイルを実行する際には、シェルから実行したいファイル名を指定します。シェルスクリプトを実行する場合は、次のようにして実行しました。

```
./homesize.sh
```

さて、シェルから実行命令を受けたLinuxカーネルは、まず対象ファイルの先頭を確認します。そして**#!**があった場合には、その後ろに書かれたコマンドを実行するという動作をします。

図15-02　shebang（シバンまたはシェバン）とは

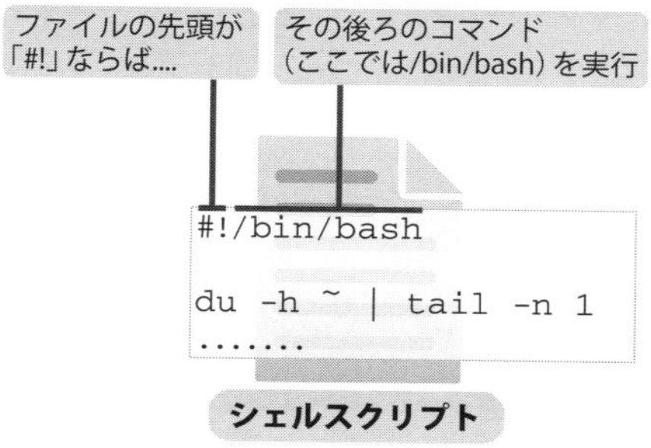


つまり先ほど書いた**#!/bin/bash**という行は、「このシェルスクリプトは/bin/bashで動かします」という宣言をしているわけです。これがシバンの役割です。

シバンの書かれたシェルスクリプトは、実質的には次の図のようにLinuxカーネルに展開されて、シェルに自分自身のファイル名を引数として与えて実行されることになります。

図15-03　シバンの書かれたシェルスクリプトを実行

シェルがコマンドとして実行される際には、引数にファイルを指定すると、そこに書かれたコマンドを読み込んで実行します。つまりシバンを書くことにより、いちいちコマンドラインに/bin/bashと入力しなくても、ファイル名を指定するだけでシェルスクリプトが実行できるわけです。また、ふだん使っているシェルがzshなどのbash以外のシェルであったとしても、ユーザは自分のシェルからbashスクリプトを直接実行することができます。

なお、シェルは#を書くとその行の終わりまではコメント行として無視するため、シバンもシェルからは無視されます。このコメントの仕組みについてはCHAPTER16で解説します。



## sourceコマンド - ファイルからコマンドを読み込んで実行する

先ほどはファイル名のみを指定してシェルスクリプトを実行しましたが、この他にsourceコマンドを利用してシェルスクリプトを実行する方法があります。このsourceコマンドによる実行は、ファイル名を指定して実行した場合と若干動作が異なります。

ここでは例として、次のようなシバンのないシェルスクリプト(homesize-noshebang.sh)を用意しておきます。

リスト15-02　シバンのないシェルスクリプト(homesize-noshebang.sh)

```
du -h ~ | tail -n 1
```

このシェルスクリプトを実行するには、次のようにsourceコマンドを利用します。

▼sourceコマンドによるシェルスクリプトの実行

```
$ source ./homesize-noshebang.sh
51M     /home/osumi
```

**sourceコマンドは、指定したファイルの内容をそのままコマンドラインに入力したときと同じように実行**します。これは、シェルスクリプトに書かれた1行1行を、今カーソルがあるその場に「流し込む」というイメージを持つとわかりやすいでしょう。

図15-04　sourceコマンドでシェルスクリプトを実行

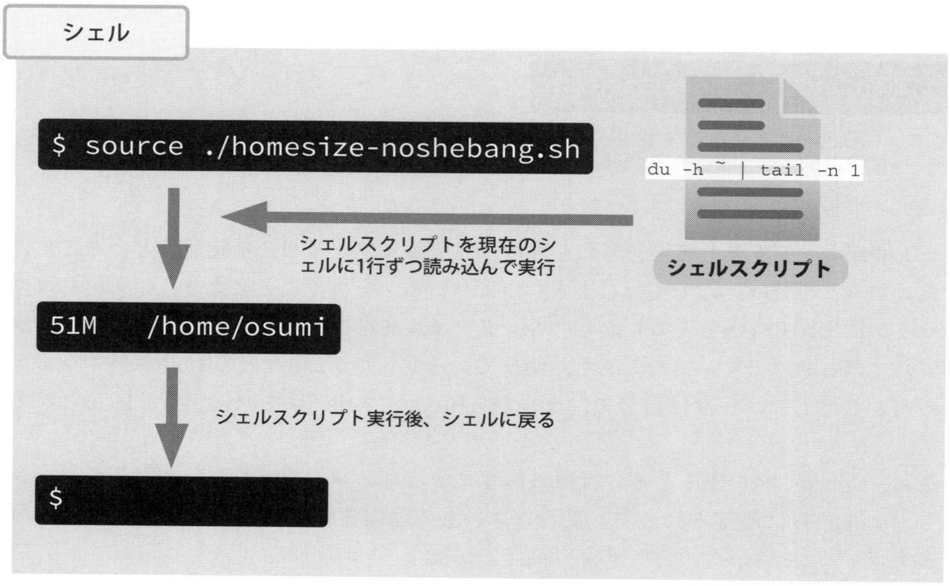


この場合、実行するシェルは今自分が使っているシェル（カレントシェル）ですから、シェルスクリプト自体にシバンは不要というわけです。もしシバンがあったとしても、先ほど紹介したように#はコメント行として扱われ無視されますから、シバンの行を無視してシェルスクリプトが実行されます。またsourceコマンドは対象ファイルを直接実行するわけではないため、**ファイルに実行権限は不要**です。

なお、sourceコマンドと同じ意味を持つ.（ドット）コマンドがあります。bashでは、このドットコマンドはsourceコマンドと全く同じ意味を持ちます。

▼ドットコマンドはsourceコマンドと同じ

```
$ . ./homesize-noshebang.sh
51M     /home/osumi
```

古いshではsourceコマンドがサポートされておらず、ドットコマンドしか利用できなかったという歴史的経緯から、現在でもドットコマンドで記述することを好む人もいます。しかしドット1つだけというのはなかなか見落としやすいものですから、bashスクリプトではドットコマンドではなくsourceコマンドを利用することをお勧めします。

## 実行方法による違い

ここまでで、シェルスクリプトには次の3つの実行方法があることを解説しました。

① ファイル名のみを指定して実行する
`./homesize.sh`
② シェルの引数として実行する
`bash homesize-noshebang.sh`
③ sourceコマンドを利用して実行する
`source ./homesize-noshebang.sh`

このうち①と②については、①の場合に行頭にシバンが必要であるという点を除いて、ほぼ同じ動作となります。

一方、③のsourceコマンドを利用する場合については注意が必要です。sourceコマンドによる実行では、現在のシェル(カレントシェル)の中でシェルスクリプトに書かれた内容を実行します。そのため**現在設定されているシェル環境の影響を受けます**。たとえば現在のシェルでエイリアスを設定していた場合、シェルスクリプトの中でもそのエイリアスは有効です。

実行方法による違いを確認してみましょう。まず、lsalfというコマンドを実行するシェルスクリプトtest1.shを用意し、実行権限を付けておきます。

リスト15-03 エイリアスを実行するシェルスクリプト(test1.sh)

```
#!/bin/bash
lsalf /
```

次に、カレントシェルにlsalfというエイリアスを設定します。

▼エイリアスの設定

```
$ alias lsalf='ls -alF'
```

この状態で、sourceコマンドとファイル名指定の2通りの方法で実行してみましょう。

▼シェルスクリプトの実行方法による違い

```
$ source ./test1.sh     ← sourceコマンドでは正しく実行できる
合計 36
drwxr-xr-x. 17 root root 4096  1月 23 21:10 ./
drwxr-xr-x. 17 root root 4096  1月 23 21:10 ../
lrwxrwxrwx.  1 root root    7  7月 12  2014 bin -> usr/bin/
dr-xr-xr-x.  4 root root 4096  7月 12  2014 boot/
```

```
drwxr-xr-x. 19 root root 3000  1月 23 21:10 dev/
drwxr-xr-x. 75 root root 8192  1月 23 21:10 etc/
drwxr-xr-x.  5 root root   43 12月 25 23:09 home/
....（省略）....

$ ./test1.sh  ◀──────── ファイル名を指定して実行するとエラーになる
./test1.sh: 行 2: lsalf: コマンドが見つかりません
```

この場合、sourceコマンドでは正しく実行できますが、ファイル名での実行はエラーが表示されました。

これは、sourceコマンドではカレントシェルでシェルスクリプトが実行されるため現在の環境が引き継がれるのに対して、ファイル名で実行した場合にはサブシェルでシェルスクリプトが実行されるためです。ここで**サブシェルとは、現在のシェルから新しく起動される子プロセスのシェル**のことです。

図15-05　サブシェルとしてシェルスクリプトを実行

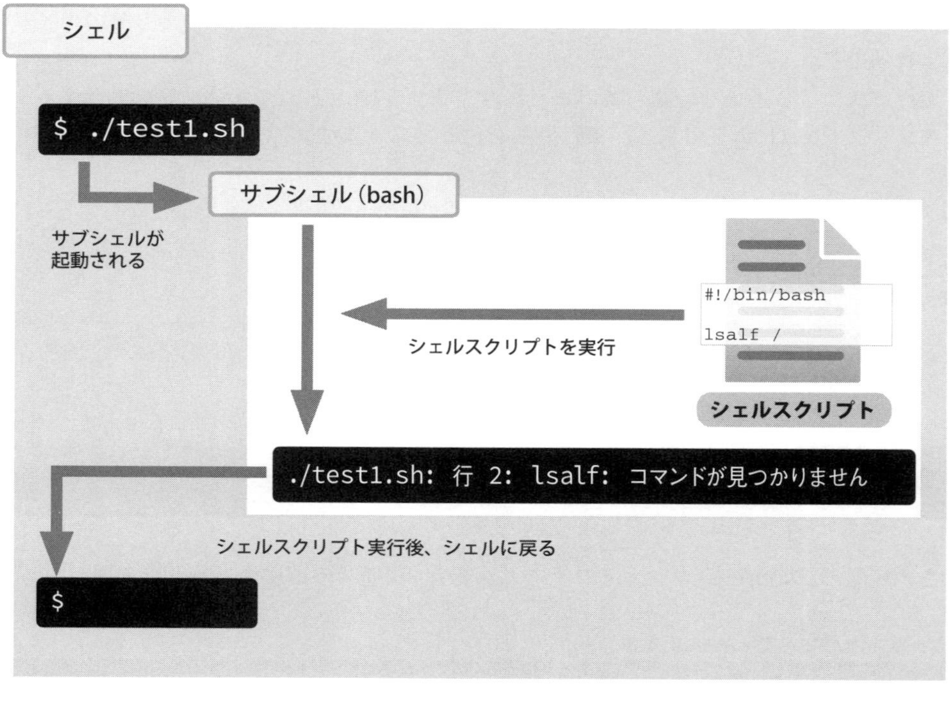


先ほどの例では、シェルスクリプトを実行するために新しくbashがサブシェルとして起動されています。**サブシェルは元のシェルとは別物**であるため、CHAPTER08で紹介した環境変数は引き継がれますが、エイリアスなどの設定は引き継がれません。このために

「コマンドが見つかりません」というエラーとなったわけです。

また、sourceコマンドはカレントシェルでシェルスクリプトを実行するため、**実行後は元のシェルにも影響をおよぼす**ことに注意が必要です。たとえば、次のようなエイリアスを設定するだけのシェルスクリプト、alias_set.shで試してみましょう。

リスト15-04 エイリアスを設定するシェルスクリプト（alias_set.sh）

```
#!/bin/bash
alias lsalf='ls -alF'
```

次の例では、シェルスクリプトの中で設定しているエイリアスが、シェルスクリプト終了時にも残ったままとなっています。これはsourceコマンドにより、alias_set.shがカレントシェルで実行されたからです。

▼実行したシェルスクリプトの設定が元のシェルにも残る

```
$ lsalf ◀ 現在、エイリアスは未設定
-bash: lsalf: コマンドが見つかりません
$ source ./alias_set.sh ◀ sourceコマンドでエイリアス設定
$ lsalf ◀ エイリアスが有効になった
合計 36
drwxr-xr-x. 17 root root 4096  1月 23 21:10 ./
drwxr-xr-x. 17 root root 4096  1月 23 21:10 ../
lrwxrwxrwx.  1 root root    7  7月 12  2014 bin -> usr/bin/
dr-xr-xr-x.  4 root root 4096  7月 12  2014 boot/
drwxr-xr-x. 19 root root 3000  1月 23 21:10 dev/
drwxr-xr-x. 75 root root 8192  1月 23 21:10 etc/
drwxr-xr-x.  5 root root   43 12月 25 23:09 home/
....（省略）....
```

一方、次のようにファイル名で指定して実行した場合には、シェルスクリプト内でのエイリアスの設定は元のシェルに影響をおよぼしません。

▼シェルスクリプト内の設定変更が元のシェルに反映されない

```
$ lsalf ◀ 現在、エイリアスは未設定
-bash: lsalf: コマンドが見つかりません
$ ./alias_set.sh ◀ シェルスクリプトを実行
$ lsalf ◀ 終了後もエイリアスは未設定
-bash: lsalf: コマンドが見つかりません
```

このようにシェルスクリプトは実行する方法によって動作が変わるため、どの方法でシェルスクリプトを実行するかを意識しておく必要があります。

### ❖ sourceコマンドの利用例

一般的に、多くのシェルスクリプトはsourceコマンドではなく、`./test1.sh`のようにファイル名を指定した形式で実行されます。これは次のような理由によります。

- シバンによりシェルを指定することで、ユーザが使っているシェルが何であっても正常に動作させることができる
- sourceコマンドによる実行で現在のシェルの状態を引き継ぐと、設定の違いによってシェルスクリプト作成時には想定しない動作をすることがある。また、終了後も元のシェルに影響をおよぼしてしまう

このような理由から、本書でも以降は、主にファイル名を指定した形式での実行を紹介していきます。

一方sourceコマンドも、設定を引き継ぐという特徴を利用した使い方があります。もっともわかりやすい例は、bashの設定ファイル~/.bashrcでしょう。CHAPTER08で紹介したように、~/.bashrcファイルは~/.bash_profileから次のようにsourceコマンドで読み込まれています。

リスト15-05　sourceコマンドによるシェルへの設定反映

```
if [ -f ~/.bashrc ]; then
    source ~/.bashrc
fi
```

実は、~/.bashrcファイル自体もシェルスクリプトです。ここではシェルの設定のカスタマイズをカレントシェルに反映させたいわけですから、sourceコマンドで記述されているのです。

この他にも、複数のシェルスクリプトが同一の値を参照したい場合などに、設定ファイルをシェルスクリプトとして書いておいてそれをsourceコマンドで読み込む、という使い方がよく見られます。

## 05 シェルスクリプトを配置する

これまでの説明の中で、ファイル名でシェルスクリプトを実行する際には常にファイル名の先頭に`./`を付けていました。これを付けないで実行すると、どうなるのでしょうか。

▼先頭に./を付けないとエラー

```
$ homesize.sh
-bash: homesize.sh: コマンドが見つかりません
```

コマンドが見つからないというエラーが表示されました。これはもう少し詳しく言うと、「サーチパスからhomesize.shという名前のコマンドを探したが、見つからなかった」というエラーです。

サーチパスについては、CHAPTER06のwhichコマンドで解説しました。シェルからコマンドを実行する際に、コマンドの実体ファイルを探すディレクトリがサーチパスです。サーチパスは環境変数PATHに設定されており、次のようにechoコマンドでその値を確認することができます。

▼サーチパスの確認

```
$ echo $PATH
/usr/local/bin:/usr/bin:/usr/local/sbin:/usr/sbin
```

通常、**サーチパスにはカレントディレクトリが登録されていない**ため、シェルスクリプトのファイル名を指定するだけでは実行できません。このようにサーチパスにないファイルを実行するには、相対パスもしくは絶対パスでファイルを指定する必要があります。これまでの例で./を付けていたのは、相対パスで指定してファイルを実行するためです。

この場合、次のように絶対パスで実行してもかまいません。

▼シェルスクリプトを絶対パスで実行

```
$ /home/osumi/work/homesize.sh
51M     /home/osumi
```

しかし、わざわざこのような長いパスを入力するのは不便ですから、キーボードから手で入力する際には、./を付けて相対パスで実行すればよいでしょう。

## 自分のシェルスクリプト置き場を作る

これからさまざまなシェルスクリプトを作っていきますが、それらのシェルスクリプトを、catやlsなど通常のコマンドのようにファイル名だけで実行できると便利です。このように独自のコマンドを作るには、ホームディレクトリの下のbinというディレクトリがよく使われます。本章の最後に、自分で作成したシェルスクリプトを独自コマンドのように設定する方法について解説します。

まず、~/binというディレクトリをmkdirコマンドで作成し、実行したいシェルスクリプトをそこに移動します。

▼作成したシェルスクリプトを~/binに移動する

```
$ mkdir ~/bin
$ mv homesize.sh ~/bin
```

次に、サーチパスにそのディレクトリを追加しましょう。Vimで~/.bash_profileファイルを開き、次の行を最後に追加してください。

リスト15-06　サーチパスに$HOME/binを追加 (.bash_profile)

```
PATH="$PATH:$HOME/bin"
```

ここで、$PATHには現在のサーチパスがコロン区切りで設定されています。その一番最後に$HOME/binを追加して環境変数PATHに設定し直すことで、ホームディレクトリの下のbinをサーチパスに追加できるわけです。

図15-06　環境変数PATHに$HOME/binを追加

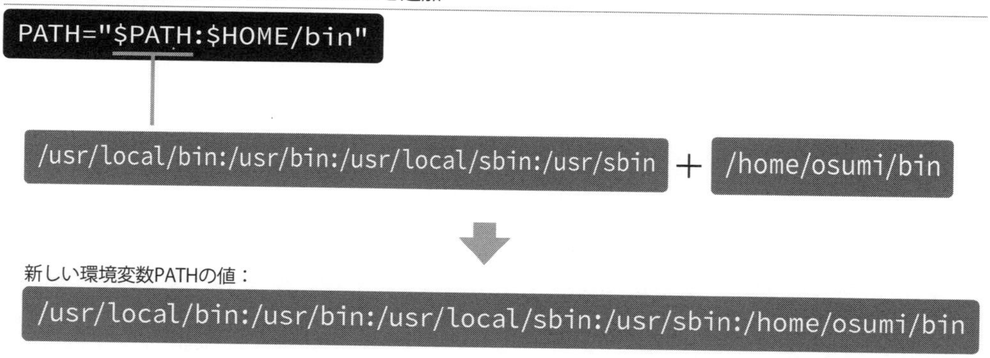


この設定を有効にするは、一度ログアウトしてからログインし直してください。もしくは、次のようにsourceコマンドで~/.bash_profileを読み込むことで即座に設定を反映できます。

▼設定を有効にするために~/.bash_profileを読み込む

```
$ source ~/.bash_profile
```

これで準備が完了しました。コマンドラインで`homesize.sh`と入力すると、カレントディレクトリに関係なく、ホームディレクトリの下のbinに置いたシェルスクリプトが実行できます。

▼普通のコマンドのようにシェルスクリプトが実行できる

```
$ homesize.sh
51M     /home/osumi
```

これでhomesize.shは、catやlsなどと同じように1つのコマンドとして実行できるようになりました。

## sourceコマンドとパス

サーチパスの話が出てきましたから、ここでsourceコマンドの動作について一点補足しておきます。

sourceコマンドは指定されたファイルを実行しますが、この際にパスを指定せずファイル名だけを与えると、**bashはサーチパスの中からもファイルを探します**。そのため、先ほどのように~/binに格納したシェルスクリプトは、sourceコマンドからもパスを指定せずにそのまま実行できます。

▼sourceコマンドでサーチパス内のシェルスクリプトを実行

```
$ ls homesize.sh          # カレントディレクトリにはファイルがないが…
ls: homesize.sh にアクセスできません: そのようなファイルやディレクトリはありません
$ source homesize.sh      # サーチパスにはあるため実行できる
51M     /home/osumi
```

この機能は便利ですが、予期せぬファイルをsourceコマンドで読み込んでしまう危険性もあるため注意が必要です。このためsourceコマンドを使う際には、基本的にファイルを相対パスもしくは絶対パスで記述するようにして、ファイル名だけを書くことは避けた方が無難です。本章で、sourceコマンドを使うときに必ずファイル名の前に**./**を付けていたのはこのためです。

なおsourceコマンドでファイルをサーチパスから探さないようにするには、次のようにshoptコマンドでsourcepathオプションをオフに設定します。

▼sourceコマンドでのサーチパス探索をやめさせる

```
$ shopt -u sourcepath     # サーチパスからのファイル探索を止める
$ source homesize.sh      # サーチパスから探さないためエラーとなった
-bash: homesize.sh: そのようなファイルやディレクトリはありません
```

**おわりに**

本章で紹介したように、必要に応じて自分でコマンドを作ることができるようになれば、Linux初心者も卒業でしょう。さまざまなシェルスクリプトを書くことで、自分の環境をどんどん便利にしていけるというのはLinuxの魅力の1つです。

次の章からは、具体的なシェルスクリプトの書き方について解説していきます。シェルスクリプトの知識を身につけた後には、皆さんも自分でシェルスクリプトを作ることで、Linuxをもっと便利に楽しく活用していけることでしょう。

## Column　sshと公開鍵認証

ssh（→P.414）を利用してLinuxマシンにログインするとき、デフォルトの状態では次のようにパスワード認証が利用されます。

▼ログイン時にパスワードを入力

```
$ ssh osumi@server
osumi@server's password:
```

しかしsshではパスワード認証以外にも、複数の認証方式を利用することができます。その中でも、パスワード認証よりセキュリティレベルが高いためよく使われるのが、公開鍵認証です。

公開鍵認証では、事前にssh-keygenコマンドにより秘密鍵と公開鍵の2つのファイル（鍵ペア）を作成しておき、この鍵ペアを用いて認証を行います。実際には、公開鍵をログイン先のサーバへ登録しておき、ログイン時に手元の秘密鍵を利用して認証を行うという形になります。

異なる鍵ペアの秘密鍵を利用しても認証に失敗しますから、正しい秘密鍵を持っている人だけがログインできるわけです。なお、このときには秘密鍵そのものをログイン先サーバに送信せずに本人の認証ができる仕組みになっているため、パスワード認証よりも安全になっています。

sshd（ssh接続を受け付けるサーバ）の設定で公開鍵認証によるログインのみを許可し、パスワード認証は無効にしておけば、不正に入手されたパスワードで外部から侵入される危険性がなくなります。現在、インターネット上からssh接続を受け付ける際には、この公開鍵認証方式のみを設定することが推奨されています。

sshの設定はLinuxサーバの運用管理としての作業となり、解説しなければいけないことも非常に多いため、具体的な設定方法は本書ではほとんど触れませんでした。しかし、読者が本格的にLinuxを使うようになれば、リモートホストに対しsshでログインして作業することが多くなるでしょう。sshはサーバのセキュリティを確保する上で非常に重要な要素ですから、このような認証方式について必ず理解しておいてください。

# Chapter 16

# シェルスクリプトの基礎知識

本章では、シェルスクリプトを書くために必要なシェルの文法の基礎知識を紹介します。

この章では多くの機能を紹介するため、少々退屈に感じる部分もあるかもしれません。そのため、いきなりすべての機能を覚えようとはせず、まずはシェルでどのようなことができるのか、どのような文法があるのかを把握することからはじめてください。皆さんがシェルスクリプトを自分で書くようになったときに、必要な知識を確認するために戻ってくる、という読み方をしていただければかまいません。

なおシェルの文法は、キーボードからシェルを使う場合でもシェルスクリプトで利用する場合でも基本的に同じです。そのため本章の知識は、ふだんシェルを使う際にも役立つことでしょう。

# 01 シェルスクリプトの基本

## シェルスクリプトの行

前章で見たように、シェルスクリプトでは実行したいコマンドラインをファイルに記述することでコマンドが実行されます。複数のコマンドを実行させたい場合には、順番に何行でもコマンドを書いていくことができます。

次のシェルスクリプトでは、echo、cd、lsという3つのコマンドを記述しています。

リスト16-01 複数のコマンドを実行するシェルスクリプト（rootls.sh）

```
#!/bin/bash

echo "root directory"
cd /
ls -l
```

このシェルスクリプトを実行すると、次のようにechoコマンド、cdコマンド、lsコマンドが順に実行されてルートディレクトリのファイル一覧が表示されます。

▼複数コマンドの実行例

```
$ ./rootls.sh
root directory
合計 28
lrwxrwxrwx. 1 root root 7 7月 21 19:30 bin -> usr/bin
dr-xr-xr-x. 4 root root 4096 9月 4 00:01 boot
drwxr-xr-x 18 root root 2900 12月 13 16:56 dev
drwxr-xr-x. 74 root root 8192 12月 15 17:20 etc
drwxr-xr-x. 3 root root 20 7月 21 19:39 home
....（以下省略）....
```

また、複数のコマンドを;で区切ることで、1行にまとめて書くことができます。次の例は、先ほどの3つのコマンドを実行するシェルスクリプトを;区切りにして1行で書いたものです。

リスト16-02 ;で区切ることで複数のコマンドを1行に書ける

```
#!/bin/bash

echo "root directory";cd /;ls -l
```

なお、シェルスクリプトでは空行は無視されるため、読みやすくするためにいくつ空行を入れてもかまいません。見やすくするために、シバンの後に1行の空行を入れることが多く行われています。

### 複数行での記述

コマンドラインが長くなってしまう場合には、**行末に\を置くことで途中で改行**できます。これは見た目が改行されているだけで、シェルスクリプトとして実行される際には次の行と連結して実行されます。

次の例では、rootdir.shというシェルスクリプトの中でechoコマンドが途中で改行されていますが、正しく実行されます。

リスト16-03 コマンドライン中での\による改行(rootdir.sh)

```
#!/bin/bash

echo \        ← 途中でechoコマンドが改行されている
      "root directory"
```

▼実行結果

```
$ ./rootdir.sh
root directory   ← 正しく実行された
$
```

オプションや引数をいくつも指定してコマンドラインが長くなってしまう場合には、この機能を利用するとシェルスクリプトが読みやすくなります。

なお、ふだんシェルを利用している際にも\を利用することができます。次のように行末に\を入力してEnterキーを押すと、プロンプトが>に変わります。

▼シェルでの複数行記述

```
$ echo \
>
```

これは、「まだコマンドラインが終了していないため、入力してください」という意味のプロンプトで、**セカンダリプロンプト**と言います。この文字は、シェル変数PS2でカスタマイズすることもできます。

セカンダリプロンプトからも、\でさらに改行を続けていくことができます。最後にコマンドを実行したいところで、\を付けずにEnterキーを押せば全体のコマンドラインが実行されます。

▼シェルでの複数行記述の実行

```
$ echo \
> "Hello \
> World"
Hello World  ◀―――――― コマンドが実行された
```

なお、|を利用してパイプラインでコマンドをつなぐ際にも、|の直後に改行を入れて次のように記述してもかまいません。

```
sort file3 |
uniq -c |
sort -n
```

これは、長いパイプラインを途中で改行して見やすくしたいときに便利です。

## コメント

シェルスクリプトの中にはコメントを書くことができます。コメントとは動作に関係のない注意書きのことで、シェルスクリプトの説明を書くために利用します。あなたの書いたシェルスクリプトは他の人が読むかもしれませんし、作成してしばらく経ったシェルスクリプトは、書いた本人でも読み解くのが大変です。誰が読んでもわかりやすいコメントを書くように心がけましょう。

シェルスクリプトでは、**#を書くとその行の終わりまでがコメント**となります。#を行の先頭に書くことで行全体をコメント行とすることもできますし、コマンドの後ろに#を置いて行の途中にコメントを書くこともできます。

リスト16-04　シェルスクリプトでのコメント

```
#!/bin/bash

echo "root directory"

# ルートディレクトリに移動する
cd /

ls -l    # ファイルサイズ、パーミッションなども合わせて表示する
```

コメントは何が書かれていても無視されますから、そこにコマンドが書いてあっても実行されません。このためシェルスクリプトを修正する際に、一時的にコマンドを実行させないようにするためにコメント行にすることもあります。これを「コメントアウトする」という言い方をします。

リスト16-05　コマンドの一部をコメントアウトした

```
#!/bin/bash

#echo "root directory"
cd /
ls -l
```

上の例では、echoコマンドはコメントアウトされているため実行されません。

# 02 変数

シェルスクリプトでも、通常のプログラム言語と同じように値を格納する変数を利用できます。これを「シェル変数」と呼びます。

実は既にこれまでも、いくつかのシェル変数を利用してきました。CHAPTER08でプロンプトをカスタマイズする際に次のようにPS1を設定しましたが、このPS1もシェル変数の1つです。また、環境変数もシェル変数の一種です。

```
PS1='[\u] \w \$ '
```

上の例のように、シェル変数に値を代入するには「<変数名>=<値>」という形式で指定します。

**変数の値を参照するには、変数名の前に$を付けます**。$を付けると、シェルスクリプトの中で変数が値に置き換えられて実行されます。次の例では、変数appdirの値をechoコマンドで表示しています。

リスト16-06　変数appdirの値を参照する（var.sh）

```
#!/bin/bash

appdir=/home/osumi/myapp
echo $appdir
```

このシェルスクリプトを実行すると、次のようにシェル変数appdirの値が表示されます。

▼変数appdirの値を表示

```
$ ./var.sh
/home/osumi/myapp
```

## 変数の書き方の注意

シェルスクリプトで変数を利用する際の注意点について、まとめておきましょう。これらの中には、他のプログラム言語に慣れている人ほどミスをしやすいものもあるため、プログラミング経験者の方も一度目を通しておいてください。

### 代入時には$を付けない

変数への代入時には、変数名の前に$を付けません。そのため次のように書くと、エラーになります。

```
$appdir=/home/osumi/myapp
```

変数名の前に$を付けるのは、変数展開して**値を参照したいときだけ**です。「変数名に$を付けることで、値を取得する」というイメージを持っておいてください。

### =の前後にはスペースを入れない

多くのプログラム言語では、変数に値を代入する際には=の前後にスペースを入れることができます。しかしシェルスクリプトでは、スペースを入れることはできません。次のように=前後にスペースを入れた行は、シェルスクリプトではエラーとなります。

```
appdir = /home/osumi/myapp
```

これは特に、他の言語によるプログラミングに慣れている人ほど、ミスしがちですから注意してください。

### ❖ 変数名に利用できる文字

変数名に利用できる文字は、**アルファベットと数値と_（アンダースコア）だけ**です。また、数値は先頭の1文字目に使うことができません。そのため変数名の先頭は必ずアルファベットかアンダースコアにします。

- 利用できる変数名　：appdir1、a13_box、_tmp、OSAKA、など
- 利用できない変数名：1appdir、my-app、that's、など

なお変数名は、大文字小文字どちらを使ってもかまいません。一般的には、環境変数については大文字を、それ以外の通常のシェル変数は小文字を用いるケースが多く見られます。本書でも、例示するシェルスクリプトのシェル変数は基本的に小文字を用いています。

### ❖ 変数名の区切りを明示する

変数展開した値に文字列を連結したい場合、文字列全体が変数名の一部とみなされてしまうことがあります。

たとえば次のように、元のファイル名に「_backup」という文字列を付けて、「residue.dat_backup」というファイル名を得たいとします。

リスト16-07　（誤った例）変数展開した値に文字列を連結する(sep_var.sh)

```
#!/bin/bash

filename=residue.dat
echo $filename_backup
```

しかしこのシェルスクリプトを実行すると、何も表示されません。

▼ファイル名が表示されない

```
$ ./sep_var.sh
                    ← 何も表示されない
$
```

これは、「filename_backup」という変数であるとシェルに解釈されてしまい、そのような変数は存在しないため空文字列に展開されてしまうためです。

このようなときは、変数名の部分を{ }で囲むと変数名の区切りを明示することができます。

リスト16-08　変数名の区切りを明示する（sep_var.sh）

```
#!/bin/bash

filename=residue.dat
echo ${filename}_backup
```

このシェルスクリプトを実行すると、期待通りの「residue.dat_backup」というファイル名が得られます。

▼正しく文字列を連結できた

```
$ ./sep_var.sh
residue.dat_backup
```

# 03 クォーティング

bashでは、コマンドの引数はスペースによって区切られます。

次の例では、catコマンドに「file1」「file2」という2つのファイル名が渡されます。そのため、「file1」「file2」という2つのファイルの内容が表示されます。

▼2つの引数を渡す

```
$ cat file1 file2
```

それでは、「my file」のようにスペースを含むファイル名をコマンドの引数として指定したい場合はどのようにすればよいのでしょうか。このような場合はコマンドの引数を'（シングルクォート）または"（ダブルクォート）で囲んで、'my file'または"my file"のように記述します。

これによって、'または"内の文字列が、**スペースも含めて1つの単語とみなされる**ようになります。

```
cat 'my file'
cat "my file"
```

またこの他にも、CHAPTER13で見た正規表現での例のように、シェルに解釈される特別な意味の文字（メタ文字）を利用する際にはクォーティングを用います。次の例では、*がシェルのワイルドカードとして認識されないようにクォーティングしています。

▼メタ文字を含む引数をクォートする

```
$ grep 'Be*r' drink.txt
```

このようにクォーティングすることで、シェルによるスペースやメタ文字の解釈をさせず、まとめて1つの文字列として扱うことができます。

## クォート中の変数展開

クォートには、'(シングルクォート)と"(ダブルクォート)があります。この2つは、$による展開がされるかどうかが大きな違いです。シングルクォートの中では、$も特殊な意味を失うため変数は展開されず、$はそのまま$記号となります。一方、ダブルクォートの中では$による変数展開や、次に述べるコマンド置換は有効のままです。

例を見てみましょう。次のシェルスクリプトは、同じ文字列をシングルクォートとダブルクォートで囲んでいます。

リスト16-09　同じ文字列をシングルクォートとダブルクォートで囲む(quote.sh)

```
#!/bin/bash
country=Japan
echo 'I came from $country'
echo "I came from $country"
```

このシェルスクリプトを実行すると次のように出力されます。

▼シングルクォートとダブルクォートの違い

```
$ ./quote.sh
I came from $country
I came from Japan
```

シングルクォートの中では変数展開が無効となるため、「$country」がそのまま出力されました。一方、ダブルクォートの場合には変数展開され、「Japan」と出力されています。このように、$記号なども含めてそのままの文字列を指定したい場合にはシングルクォートを、変数を使って文字列を組み立てたい場合にはダブルクォートを利用します。

なおダブルクォート中でも、次のように$の前に\を置いてエスケープすることで、$記号そのものを出力することができます。

```
echo "I came from \$country"
```

# 04 コマンド置換

シェルスクリプトを書いていると、コマンドの出力結果をシェルスクリプト中で利用したいことがあります。このようなケースではコマンド置換という機能を利用すれば、**コマンドの結果を文字列として取得する**ことができます。

コマンド置換は**$( )**という形式で、カッコ内に実行したいコマンドを記述します。シェルスクリプトの実行時に、**$( )**の部分がコマンドの標準出力で置き換えられます。

コマンド置換の例として、日時を表示するdateコマンドを利用した例を見てみましょう。dateコマンドは次のように**+%Y-%m-%d**と引数を指定することで、日付をYYYY-MM-DD形式で表示することができます。

▼現在の日付をYYYY-MM-DD形式で表示

```
$ date '+%Y-%m-%d'
2015-02-08
```

こうしてdateコマンドで表示される日付を文字列としてシェルスクリプトで利用するには、次のようにコマンド置換を利用します。

リスト16-10 現在日付の2015-02-08というファイルを作成する

```
#!/bin/bash

filename=$(date '+%Y-%m-%d')
touch "$filename"
```

上の例では、シェル変数filenameには現在の日付である"2015-02-08"が代入されます。その後にtouchコマンドでファイルを作っていますから、これは現在の日付をファイル名に持つ空ファイルを作るためのシェルスクリプトです。

コマンド置換は、**ダブルクォートの中でも有効**です。次の例では、echoコマンドで表示するメッセージ中にdateコマンドの結果を埋め込んでいます。こうすれば、いつ実行しても必ず今日の日付が表示されます。

▼ダブルクォート中のコマンド置換

```
$ echo "Today is $(date '+%Y-%m-%d')."
Today is 2015-02-08.
```

なおコマンド置換は、` `（バッククォート）で囲む記法もあります。バッククォートの意味は**$( )**と全く同じです。

▼バッククォートによるコマンド置換

```
$ echo "Today is `date '+%Y-%m-%d'`."
Today is 2015-02-08.
```

ただしこのバッククォートでの記法は、**$( )**と違い開始位置と終了位置がわかりづらいという欠点があります。また、コマンド置換内でコマンド置換を使うという入れ子にする際には、\`とバッククォート自体をエスケープする必要があります。

このようにバッククォートによる記法は不便な点が多いため、bashスクリプトでのコマンド置換には**$( )**を利用することをお勧めします。

# 05 位置パラメータ

多くのLinuxのコマンドは、コマンドライン引数によって対象ファイルなどさまざまな値を指定します。**シェルスクリプトからコマンドライン引数を扱う**には、位置パラメータと呼ばれるシェル変数を利用します。

位置パラメータとは$1, $2, $3,… と1から順に並んだ変数で、それぞれにシェルスクリプトを呼び出したときのコマンドライン引数が格納されています。

図16-01 コマンドライン引数と位置パラメータ

なお上図で$0には、シェルスクリプトを実行したときのシェルスクリプト名が格納されています。$0は位置パラメータと似ていますが、特殊パラメータの1つです。

位置パラメータの利用方法を確認してみましょう。次のような内容のparameters.shというシェルスクリプトを作成してみてください。

|リスト16-11| 位置パラメータのテスト用シェルスクリプト（parameters.sh）

```
#!/bin/bash

echo "\$0 = $0"
echo "\$1 = $1"
echo "\$2 = $2"
echo "\$3 = $3"
echo "\$4 = $4"
echo "\$5 = $5"
```

ここで**\$**とは、変数展開せずに$記号そのものを出すためにエスケープする記法です。このシェルスクリプトに、次のようにコマンドライン引数を与えて実行してみましょう。

▼コマンドライン引数を3つ与えて実行

```
$ ./parameters.sh aaa bbb ccc
$0 = ./parameters.sh
$1 = aaa
$2 = bbb
$3 = ccc
$4 =
$5 =
```

上の例でわかるように、$0にはシェルスクリプト名が、$1,$2,...の位置パラメータにはシェルスクリプトを実行したときのコマンドライン引数が出力されています。今回は引数を3つしか指定していないため、$4と$5は空となっています。シェルスクリプト中で引数を使って処理を組み立てるには、これら位置パラメータを利用すればよいわけです。

なお、シェルの引数としてワイルドカード*などを利用した場合には、これらが展開された値がシェルスクリプトに渡されます。

▼ワイルドカードは展開されてシェルスクリプトに渡される

```
$ ls
file1  file2  parameters.sh  test.txt  ← 今、このようなファイルがある
$ ./parameters.sh *  ← 引数にワイルドカードを指定
$0 = ./parameters.sh
$1 = file1
$2 = file2
$3 = parameters.sh
$4 = test.txt
$5 =
```

上の例では、カレントディレクトリにfile1、file2、test.txtというファイルがあるため、*を引数として指定すると、これらのファイル名が位置パラメータとして参照できます。

## 引数の個数

コマンドラインに指定された**引数の個数は、特殊パラメータ$#という変数で参照**できます。この変数には、シェルスクリプトを実行したときの引数の個数が格納されています。

先ほどのシェルスクリプトparamters.shの最後に、次のような行を加えてみましょう。

```
echo "\$# = $#"
```

こうして、もう一度引数を与えて実行してみます。

▼引数の個数を表示

```
$ ./parameters.sh aaa bbb ccc
$1 = aaa
$2 = bbb
$3 = ccc
$4 =
$5 =
$# = 3  ←――― 引数の個数は3個
```

このように、引数の個数を表示することができました。この$#は、たとえば引数の指定が必須なシェルスクリプトを作るときに、引数の個数のチェックをする際に利用できます。

## 引数全体の参照

位置パラメータはコマンドライン引数を自動的に分割しますが、逆に**引数を分割せずまとめて扱うには$@または$*を利用**します。

次のようなシェルスクリプトargs.shを作成して確認してみましょう。

リスト16-12　まとめて引数を扱うサンプル例（args.sh）

```
#!/bin/bash

echo "\$@ = $@"
echo "\$* = $*"
```

このシェルスクリプトに引数を指定して実行すると、次のように表示されます。

▼引数がまとめて表示される

```
$ ./args.sh aaa bbb ccc 'Hello World'
$@ = aaa bbb ccc Hello World
$* = aaa bbb ccc Hello World
```

このように、`$@`と`$*`は一見すると同じ動作に見えます。しかし"で囲ったとき、両者には大きな違いがあります。

引数の数をNとしたときに、`"$@"`は`"$1" "$2" ... "$N"`のように位置パラメータがそれぞれ1つずつの文字列として展開されます。一方、`"$*"`は`"$1 $2 ... $N"`のように引数全体が1つの文字列として展開されてしまいます。

多くのケースでは引数をそれぞれ扱いたいため、`$@`が利用されます。そのため`$*`が使われることはあまりありません。

次の例は、シェルスクリプト実行時の引数を、そのままコマンドsome_commandに渡す例です。これは環境変数LANGをCに設定して、英語環境を指定してコマンドを実行するために用意されたシェルスクリプトです。このような用途で書かれるシェルスクリプトは、**ラッパー**（包むもの）と呼ばれます。

リスト16-13　シェルスクリプトの引数をそのままコマンドに渡す(wrapper.sh)

```
#!/bin/bash

export LANG=C
./some_command "$@"
```

シェルスクリプトに指定された引数を、別のコマンドにそっくりそのまま渡すためにはこの`"$@"`が便利です。

最後に、ここまでに出てきたコマンドライン引数に関係するシェル変数をまとめておきましょう。

表16-01　コマンドライン引数関連のシェル変数

| 変数 | 内容 |
|---|---|
| $0 | 実行時のシェルスクリプト名 |
| $1, $2, ... | コマンドライン引数の値（位置パラメータ） |
| $# | 位置パラメータの個数 |
| $@ | すべての位置パラメータ。ダブルクォートで囲むと、それぞれの位置パラメータがダブルクォートで囲まれる |
| $* | すべての位置パラメータ。ダブルクォートで囲むと、全体が1つの文字列としてダブルクォートで囲まれる |

# 06 制御構造

bashは通常のプログラム言語と同じように、値による条件分岐や、繰り返し処理を行うことができます。これを制御構造と呼び、プログラム言語において非常に重要な機能です。

シェルスクリプトで制御構造を利用するためには、複合コマンドを利用します。ここではよく使われる例として、if、for、case、whileの4つの複合コマンドを紹介します。

## if文

ifは**条件を評価して、その真偽に応じて処理を分岐する**ための機能を持ちます。次のようなシェルスクリプトif-bin.shを作成して、使用例を見てみましょう。

リスト16-14　コマンドライン引数が"bin"ならばOKと表示する（if-bin.sh）

```
#!/bin/bash

if [ "$1" = "bin" ]; then
        echo "OK"
else
        echo "NG"
fi
```

このシェルスクリプトは文法に対する予備知識がなくても、ある程度内容を想像できるのではないでしょうか。ifの細かい文法は後ほど解説しますが、上の例では`[ "$1" = "bin" ]`という箇所が条件判定の部分です。ここではコマンドライン引数$1の値が文字列"bin"と一致するかを判定し、その条件が正しい（真である）ならばOK、条件に合わない（偽である）場合にはNGと表示します。

▼if-bin.shの実行例

```
$ ./if-bin.sh bin
OK
$ ./if-bin.sh Hello
NG
$ ./if-bin.sh
NG
```

なお、シェルスクリプトにおけるインデント（字下げ）は、タブでもスペースでもかまいません。インデントはスクリプトを読みやすくするために入れるもので、省略してもエラーにはなりません。

### ❖ 記述上の注意点

if文を書く際には細かい点に気を付ける必要があるため、最初に解説しておきましょう。

まず、条件を書いた後の**;**を省略することはできません。そのため先ほどの例で次のように書くとエラーとなります。

```
if [ "$1" = "bin" ] then    ← エラーとなる
```

どうしてもセミコロンを抜きたい場合には、次のように改行してthenを書きます。

```
if [ "$1" = "bin" ]    ← 改行してthenを入れればセミコロン不要
then
```

また、**[]**の前後のスペースを除くとエラーになります。

```
if ["$1" = "bin"]      ← [ ]の中の文字列との間にスペースがないためエラー
if[ "$1" = "bin" ]     ← ifと[の間にスペースがないためエラー
if [ "$1" = "bin" ]    ← すべてスペースがあるため正しい
```

### ❖ ifの後ろにはコマンドを置く

多くのプログラム言語では、if文に書くものは条件式となっています。先ほどの例でも、「コマンドライン引数と"bin"とを比較する」という条件式が書かれているように見えました。

しかしシェルスクリプトでは、**if文の後ろに置くのは「コマンド」であって、条件式ではありません**。シェルスクリプトでのif文の書き方は次のようになります。

**書 式** **if文の構造**

```
if <コマンド1>; then
      <コマンド1>の結果が真である場合の処理
elif <コマンド2>; then
      <コマンド2>の結果が真である場合の処理
elif <コマンド3>; then
      <コマンド3>の結果が真である場合の処理
else
```

```
    上記の結果がすべて偽である場合の処理
fi
```

上記のように、if文はコマンドの結果を順に判断していき、最後にfiで閉じるところで終わります。

else句は、コマンドの結果が偽の場合に実行される部分です。また、else if（その他に、もし）を意味するelif句は、追加の条件を指定するために利用され、必要に応じていくらでも追加できます。なおelse句とelif句は、不要ならば省略可能です。

ifの後ろに置くものはコマンドですが、先ほど"bin"と比較するときに例示したif文では、`[ "$1" = "bin" ]`が置かれていました。ここでのコマンドは`[`です。この`[`は、**実は単なるカッコではなく、bashの組み込みコマンド**なのです。typeコマンドで確かめてみましょう。

▼`[`はカッコではなくコマンド

```
$ type [
[ はシェル組み込み関数です
```

このように、`[`はただのコマンドで、その後ろに条件式という形で引数を取り、最後に`]`という引数を取ります。この引数を並べるために、先ほど`[`の後ろはスペースで区切る必要があったのです。

図16-02　[コマンドの構造

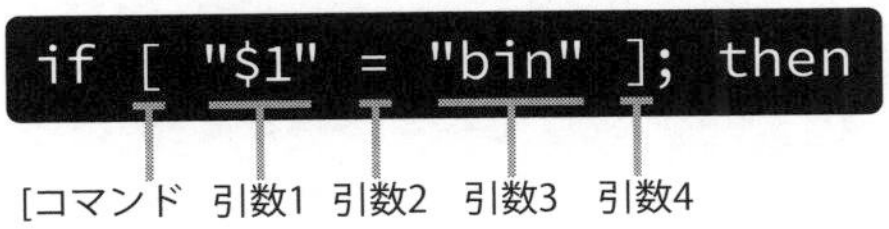


では、ifはコマンドの結果をどのように解釈しているのでしょうか。これを理解するにはコマンド実行後の戻り値、すなわち終了ステータスについての理解が必要です。そのためここでいったんif文から離れて、Linuxのコマンドと終了ステータスについて簡単に解説しておきましょう。

### コマンドと終了ステータス

lsやgrepなどのコマンドは、すべて終了時に終了ステータスと呼ばれる整数値を返します。この値は`$?`というシェル変数で参照できます。lsコマンドの終了ステータスを確認してみましょう。

▼コマンドの終了ステータスを参照

```
$ ls          ← lsコマンドを実行
if-args.sh
$ echo $?     ← 直前のlsコマンドの終了ステータスを表示
0             ← 終了ステータスはゼロ
```

終了ステータスがどのような値を取るかはコマンドにより若干の違いがありますが、基本的に**コマンドが正常に終了した場合には0を、エラー時には0以外の値**を返します。

次のようなシェルスクリプトを作って、コマンドの終了ステータスを確認してみましょう。なおここで、/dummyというファイルやディレクトリは存在しないものとします。

リスト16-15　lsコマンドの終了ステータスを表示するシェルスクリプト（showstatus.sh）

```
#!/bin/bash

ls /
echo "exit status = $?"

ls /dummy
echo "exit status = $?"
```

このシェルスクリプトを実行すると、次のように表示されます。

▼終了ステータスの表示

```
$ ./showstatus.sh
bin  boot  dev  etc  home  lib  lib64  media  mnt  opt  proc  root
run  sbin  srv  sys  tmp  usr var
exit status = 0
ls: /dummy にアクセスできません: そのようなファイルやディレクトリはありません
exit status = 2
```

はじめの`ls /`コマンド実行時には、存在するディレクトリを指定しているため、コマンドは正常に実行されました。そのため終了ステータスとして、0（正常終了）が返されています。

次の`ls /dummy`コマンドでは、存在しないディレクトリを指定しています。そのためlsコマンドはエラーとなり、終了ステータスとして2が返されました。lsコマンドのマニュアルを見るとわかりますが、終了ステータス2は指定されたファイルにアクセスできないというエラーです。

このように、コマンドの終了ステータスを**$?**から取得することで、そのコマンドの終了状態を知ることができます。

### ❖ ifと終了ステータス

if文と[コマンドの話に戻りましょう。[コマンドは引数に書かれた条件式を判定し、その**条件が正しければ0を、そうでなければ0以外を終了ステータスとして返す**コマンドです。

[はただのコマンドですから、シェルのコマンドラインから`[ "$1" = "bin" ]`はそのまま単独で実行可能です。これを実際に試してみると、次のように$1は指定されていないため条件式は偽となり、終了ステータスは1になります。

▼条件式の部分をコマンドとして実行

```
$ [ "$1" = "bin" ]   ◀── 条件式の部分を実行（[コマンドを実行）
$ echo $?
1   ◀── 終了ステータスは1
```

if文では真偽の判定を行う際、まず後ろに指定されているコマンドを実行します。そして、その終了ステータスが0であった場合は真、そうでない場合は偽と判定します。

図16-03　if文のコマンド真偽の解釈

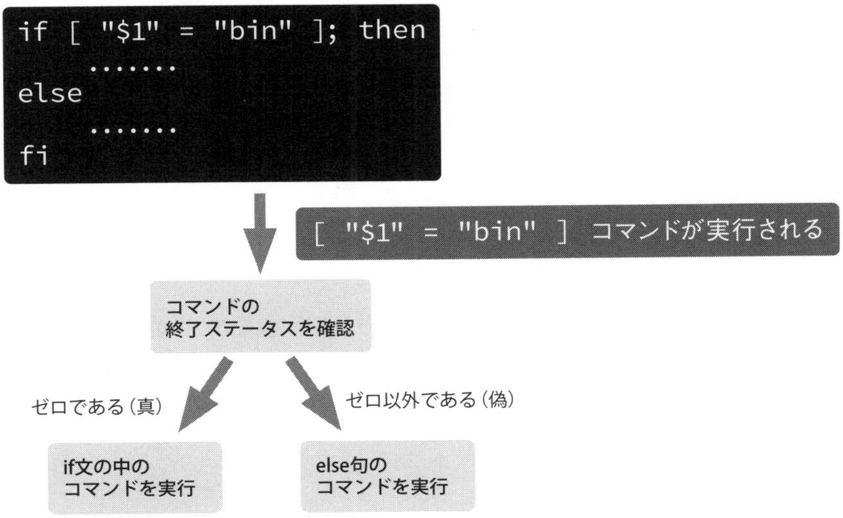


if文はこのような仕組みを持つため、[以外にも任意のコマンドを書くことができます。次の例では、if文でgrepコマンドを実行しています。grepコマンドは、パターンにマッチした場合にのみ終了ステータスとして0を返しますから、ここでは/etc/passwdファイルにbashという文字列がマッチすれば、if文の中が実行されて'bash found'と表示されます。

リスト16-16　if文の条件としてgrepコマンドを実行

```
#!/bin/bash

if grep -q 'bash' /etc/passwd; then
    echo 'bash found'
fi
```

なお上の例では、マッチした結果を表示しないためにgrepコマンドの-qオプションを利用しました。いくつかのコマンドには、コマンドの終了ステータスだけを利用したい場合のために、このようなquietモード（静かなモード）が用意されています。

## testコマンドと演算子

if文について理解できたところで、ここから[コマンドの条件式について詳しく見ていきましょう。先ほどは=を用いて2つの文字列が一致するかどうかを判定しましたが、これ以外にもたくさんの評価演算子が用意されており、さまざまな条件判定を行うことができます。

なお、この節のタイトルを「testコマンド」と書きました。これは、[と同じ機能を持つtestコマンドを指しています。testコマンドと[とはほぼ同じ機能を持ち、この2つのコマンドは最後に引数]を取るか取らないかという点を除いて同じ動きをします。

そのため次の2つのif文は、同じ意味となります。

```
if [ "$1" = "bin" ]; then
if test "$1" = "bin"; then
```

[コマンドを利用した方が読みやすくなるため、if文で条件比較をする場合には一般的に[の方が利用されます。「[コマンド」というのは発音もしにくいため、[とtestの両方をまとめて「testコマンド」と呼びます。

### 文字列の比較

まずは、文字列を比較する演算子を紹介しましょう。これは、ここまで例に挙げてきた=など、文字列を評価するための演算子です。

表16-02　文字列に関する評価演算子

| 演算子 | 内容 |
|---|---|
| str1 **=** str2 | str1とstr2が等しい |
| str1 **!=** str2 | str1とstr2が等しくない |
| **-n** str1 | str1が空文字列ではない |
| **-z** str1 | str1が空文字列である |

ここで、str1、str2というのは任意の文字列を意味しています。

例を見てみましょう。-zは、対象が空文字列であれば真となります。これは変数に値がセットされているかどうかの判定に利用できます。

リスト16-17　変数の値が空文字列ならばデフォルト値をセット

```
filename=$1
if [ -z "$filename" ]; then      ← 変数filenameが空文字列ならば
    filename="default.dat"       ← default.datを設定
fi
```

上の例は、コマンドライン引数からファイル名を指定するシェルスクリプトの一部を抜き出したものです。-zでシェル変数filenameの値を確認し、空である場合にはdefault.datというファイル名をデフォルト値として代入しています。こうして、「値の指定を省略した場合には、デフォルト値をセットする」というシェルスクリプトを書くことができます。

### 整数の比較

次に整数値を比較する演算子を紹介します。下の表で、int1,int2というのは任意の整数を意味しています。

表16-03　整数に関する評価演算子

| 演算子 | 意味 |
|---|---|
| int1 **-eq** int2 | int1とint2が等しい |
| int1 **-ne** int2 | int1とint2が等しくない |
| int1 **-lt** int2 | int1がint2より小さい |
| int1 **-le** int2 | int1がint2以下 |
| int1 **-gt** int2 | int1がint2より大きい |
| int1 **-ge** int2 | int1がint2以上 |

それでは例を見てみましょう。次のシェルスクリプトでは、-lt演算子を使って2つのコマンドライン引数を比較して、そのうち大きい方をシェル変数maxに代入しています。

リスト16-18　2つの引数から大きい方をシェル変数maxに代入する（if-int.sh）

```
#!/bin/bash

num1=$1
num2=$2
max=$num1      ← maxにnum1を代入しておく

if [ "$num1" -lt "$num2" ]; then      ← num1がnum2よりも小さければ
```

```
    max=$num2  ←  num2の値をmaxに代入
fi
```

なお、**これらの演算子は整数しか扱えない**ことに注意してください。上の例で小数を指定すると、次のようにエラーとなります。

▼小数の比較はできない

```
$ ./if-int.sh 4.2 5.6
./if-int.sh: 6 行: [: 4.2: 整数の式が予期されます
```

### ファイル属性の評価

次に、ファイル属性を評価する演算子を紹介します。これは多くの種類があるため、ここではよく使われる演算子のみを紹介します。詳しく知りたい方は、bashのマニュアルから「条件式(CONDITIONAL EXPRESSIONS)」の箇所を読んでみてください。または、CHAPTER06で紹介したhelpコマンド使って`help test`でも確認できます。

表16-04　ファイル属性に関する評価演算子

| 演算子 | 意味 |
|---|---|
| **-e** file | fileが存在する |
| **-d** file | fileが存在し、ディレクトリである |
| **-h** file | fileが存在し、シンボリックリンクである |
| **-L** file | fileが存在し、シンボリックリンクである(-hと同じ) |
| **-f** file | fileが存在し、通常のファイルである |
| **-r** file | fileが存在し、読み取りパーミッションが与えられている |
| **-w** file | fileが存在し、書き込みパーミッションが与えられている |
| **-x** file | fileが存在し、実行パーミッションが与えられている |
| file1 **-nt** file2 | file1の変更時刻がfile2より新しい |
| file1 **-ot** file2 | file1の変更時刻がfile2より古い |

使用例を見てみましょう。次のシェルスクリプトでは、シェル変数logdirで指定したログファイル出力用のディレクトリが存在するかどうかを-d演算子で確認し、存在しない場合にはエラーメッセージを表示しています。

リスト16-19　ディレクトリの存在確認

```
#!/bin/bash

logdir=/home/osumi/myapp/logs

if [ -d "$logdir" ]; then
```

```
    echo "ログディレクトリは：$logdir"
else
    echo "[ERROR] ログディレクトリが見つかりません：$logdir"
fi
```

### ❖ 演算子の結合

複数の条件式を指定したい場合には、演算子を結合することができます。次の表は、演算子を結合するための演算子です。

表16-05　結合演算子

| 演算子 | 意味 |
| --- | --- |
| 条件式1 **-a** 条件式2 | 条件式1と条件式2の両方が真の場合に真（AND） |
| 条件式1 **-o** 条件式2 | 条件式1と条件式2の少なくとも1つが真の場合に真（OR） |
| **!** 条件式 | 条件式の真偽を逆にする（NOT） |
| **( )** | 条件式をグループ化する |

具体例を見てみましょう。たとえば「シェル変数datadirのパスがディレクトリであり（-d）、かつ（-a）、読み取りパーミッションが与えられている（-r）」という条件式は、結合演算子を用いて次のように書くことができます。

図16-04　結合演算子による条件式

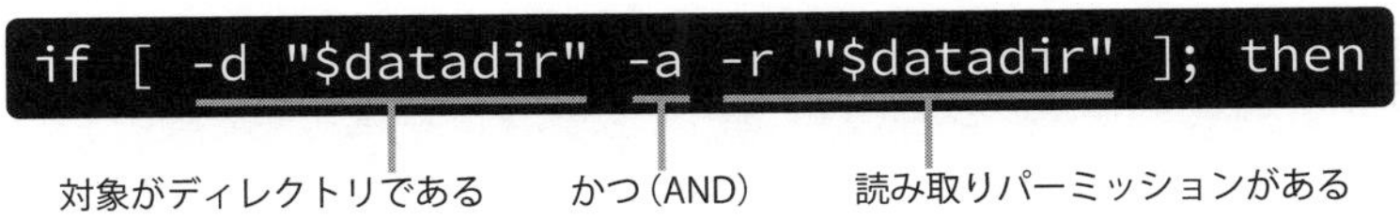


また**!**は否定を意味するため、次のように**! -d**と書くことで演算子の意味を逆にして、「ディレクトリではない」という条件を指定できます。

リスト16-20　ディレクトリがないことの確認

```
if [ ! -d "$datadir" ]; then
    echo "$datadir directory does not exist"
fi
```

**( )**で囲むと、条件式をグループ化できます。**-o**（OR）は**-a**（AND）より優先度が低いため、**-a**、**-o**、**!**を組み合わせて使うとき、優先順位を指定するために使用します。

次の例では、「ディレクトリであり、かつ、/homeまたは/etcというパス名である」という条件式を書くために**-o**の部分を**( )**で囲んでいます。

リスト16-21　条件式のグループ化

```
if [ -d "$dir" -a \( "$dir" = "/home" -o "$dir" = "/etc" \) ]
```

なお、(や)はbashのメタ文字のため、実際に利用する際には上の例のように\(や\)と書いて、\でエスケープして利用します。

以上、この節ではたくさんの評価演算子を紹介しました。しかし、これらを丸暗記する必要はありません。必要に応じて、マニュアルから適切な演算子が調べられるようになっていれば十分です。

### &&と||

コマンドの終了ステータスに関連したbashの構文として、複数のコマンドを連結して順に評価する方法があります。それが、&&と||を利用した記法です。

&&は2つのコマンドを連結して、コマンド1 && コマンド2という形式で利用します。これはコマンド1の終了ステータスがゼロであるとき、コマンド2を実行します。すなわち、**コマンド1が正常終了したときだけコマンド2を実行**する、という使い方ができます。

例を見てみましょう。次のコマンドラインは、まずtestコマンドの-f演算子で通常ファイルfile.txtの存在を確認しています。このファイルが存在すれば終了ステータスがゼロとなりますから、次のcatコマンドが実行されます。なお、ここで「通常ファイル」とはLinuxでよく使われる用語で、ディレクトリや特殊ファイルではない、いわゆる「普通のファイル」を指します。

▼ファイルが存在すればcatコマンドを実行する

```
$ [ -f file.txt ] && cat file.txt
```

このような条件分岐はif文を利用しても記述できますが、&&で連結すると1行でシンプルに書くことができます。

||も2つのコマンドを連結して、コマンド1 || コマンド2という形式で利用します。これは&&とは逆に、コマンド1の終了ステータスがゼロ以外であるとき、コマンド2を実行します。すなわち、**コマンド1が正常終了しなかったときだけコマンド2を実行**する、という使い方になります。

例を見てみましょう。次のコマンドラインは、まずtestコマンドの-f演算子で通常ファイルfile.txtの存在を確認しています。このファイルが存在しなければ終了ステータスがゼロ以外となるため、その場合は次のtouchコマンドを実行してファイルを作成しています。

▼ファイルが存在しなければtouchコマンドで空ファイルを作成する

```
$ [ -f file.txt ] || touch file.txt
```

### if文での&&の利用

if文で&&を利用すると、「複数のコマンドの終了ステータスすべてがゼロ」というAND条件を記述することができます。次の例では2つのtestコマンドを&&で連結し、「シェル変数int1が3より大きい」「シェル変数int1が6より小さい」という条件を同時に満たす場合にのみメッセージが表示されます。

リスト16-22　if文で複数のコマンドの終了ステータスすべてがゼロの条件(if-and.sh)

```
#!/bin/bash

int1=$1
if [ "$int1" -gt 3 ] && [ "$int1" -lt 6 ]; then
    echo "int1 > 3 and int1 < 6"
fi
```

▼実行例

```
$ ./if-and.sh 4
int1 > 3 and int1 < 6  ← コマンドライン引数の数字が3より大きく、6より小さい場合
$ ./if-and.sh 2
$  ← それ以外は何も表示されない
```

if文ではtestコマンド以外のコマンドも自由に書くことができますから、grepコマンドを複数書いてすべてにマッチしたとき、などの書き方もできます。

同様に||をif文で利用することもできます。この場合には、どれか1つのコマンドの終了ステータスがゼロであったとき、というOR条件になります。次の例では、シェル変数strの値が'home'または'usr'のいずれかである場合にのみメッセージが表示されます。

リスト16-23　if文でいずれかのコマンドの終了ステータスがゼロの条件(if-or.sh)

```
#!/bin/bash

str=$1
if [ "$str" = 'home' ] || [ "$str" = 'usr' ]; then
  echo "str = home or str = usr"
fi
```

▼実行例

```
$ ./if-or.sh home
str = home or str = usr  ← コマンドライン引数が「home」か「usr」の場合のメッセージ
$ ./if-or.sh usr
str = home or str = usr
$ ./if-or.sh etc  ← それ以外の場合は何も表示されない
$
```

これらのAND条件やOR条件は、先ほど「演算子の結合」で紹介した-aや-oを使っても書けます。

|リスト16-24| -aを使ったAND条件の指定

```
#!/bin/bash
int1=$1
if [ "$int1" -gt 3 -a "$int1" -lt 6 ]; then
  echo "int1 > 3 and int1 < 6"
fi
```

しかし、一つの[コマンドの中に複数の-aや-oを組み合わせて書くと読みにくくなってしまう傾向にあります。特に-aや-oを!と組み合わせたときの優先順位が分かりにくく、思わぬ不具合を引き起こす恐れもあります。そのため、現在では[コマンドの中の-a、-o、(、)は推奨されていません。これから新しくシェルスクリプトを書く際には、代わりに&&や||を使うことをお勧めします。

### ❖ シェルスクリプトの終了ステータス

通常のコマンドと同様に、皆さんが自分で作成したシェルスクリプトも終了ステータスを返すことができます。

特に明示しなければ、**シェルスクリプトの中で最後に実行したコマンドの終了ステータスがシェルスクリプトの終了ステータス**になります。

|図16-05| シェルスクリプトの終了ステータスは、最後のコマンドのもの

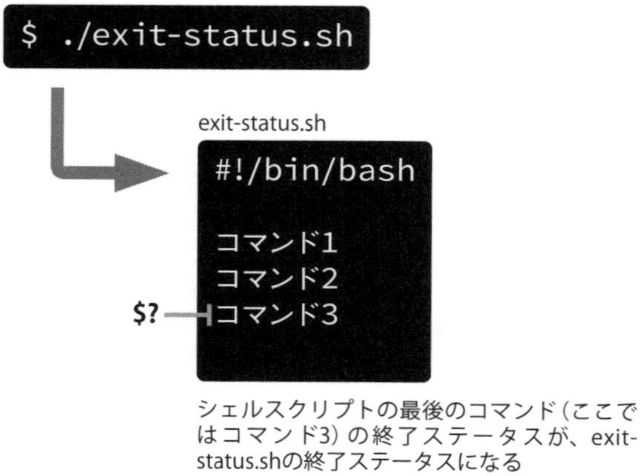


明示的に終了ステータスを指定したい場合は、exitコマンドを使用します。

**書式** **指定した終了ステータスを返す**

```
exit <終了ステータス>
```

exitコマンドを実行するとそこでシェルスクリプトは終了して指定の終了ステータスを返します。

次の例では、testコマンドの-z演算子でコマンドライン引数が指定されているかをチェックして終了ステータスを変えています。

リスト16-25　引数エラー時に終了ステータス1で終了する

```
#!/bin/bash

if [ -z "$1" ]; then  ←引数が指定されていないとき
    exit 1  ←終了ステータス1で終了
fi

ls "$1"
```

上の例では、シェルスクリプトの引数が指定されていない場合は、exitコマンドを利用して終了ステータス1でシェルスクリプトを終了します。このようにエラー時にゼロ以外の終了ステータスを返すことで、**シェルスクリプトが別のプログラムから呼ばれた際にエラー処理を行わせることができる**ようになります。

なおexitコマンドで終了ステータスの指定を省略すると、シェルスクリプトの終了ステータスは最後に実行したコマンドの終了ステータスとなります。次のシェルスクリプトはexitコマンドに終了ステータスの指定がないため、その1つ前のlsコマンドの結果がシェルスクリプトの終了ステータスになります。

リスト16-26　終了ステータス指定のないexitコマンドの実行

```
#!/bin/bash

date
ls
exit
```

### ❖ 演習1

コマンドライン引数から指定されたファイルやディレクトリの概要を表示するシェルスクリプトsummary.shを作ってみましょう。このシェルスクリプトは、次のような機能を持ちます。

- 引数で指定されたパスは、通常ファイルなのかディレクトリなのかを表示します。
  - ディレクトリであれば、その中に含まれているファイル一覧を表示します。
  - 通常のファイルであれば、ファイルの先頭5行を表示します。

シェルスクリプトは、次のようになります。

リスト16-27 summary.sh

```
#!/bin/bash

file=$1  ← コマンドライン引数からファイルパスを取得

if [ -d "$file" ]; then  ← ディレクトリである場合
    echo "$file is a directory:"
    ls "$file"
elif [ -f "$file" ]; then  ← 通常ファイルである場合
    echo "$file is a regular file:"
    head -n 5 "$file"
fi
```

このシェルスクリプトを、ファイル(/etc/passwd)とディレクトリ(/home)を引数に指定して実行してみましょう。

▼ファイルを指定してsummary.shを実行

```
$ ./summary.sh /etc/passwd
/etc/passwd is a regular file:
root:x:0:0:root:/root:/bin/bash
bin:x:1:1:bin:/bin:/sbin/nologin
daemon:x:2:2:daemon:/sbin:/sbin/nologin
adm:x:3:4:adm:/var/adm:/sbin/nologin
lp:x:4:7:lp:/var/spool/lpd:/sbin/nologin
```

▼ディレクトリを指定してsummary.shを実行

```
$ ./summary.sh /home
/home is a directory:
miyake  osumi
```

## for文

forは、スペースやタブで区切られた**単語のリストに対して繰り返し処理を行う構文**です。次のように書くことで、リストの要素1つ1つに対して、doからdoneまでの部分に書いた処理が実行されます。

書式 for文の構造

```
for 変数名 in リスト
do
```

```
    繰り返す処理
done
```

繰り返し処理の中では、リストから取り出した要素の値が変数名で参照できます。

まずは簡単な例を見てみましょう。次のシェルスクリプトではaaa、bbb、cccという3つの要素を順にシェル変数nameに代入して、`echo $name`という繰り返し処理が行われます。

リスト16-28　簡単なfor文の例（for.sh）

```
#!/bin/bash

for name in aaa bbb ccc
do
    echo "$name"
done
```

このシェルスクリプトを実行すると、結果として次のようにリストの要素が順に出力されます。

▼forの実行例

```
$ ./for.sh
aaa
bbb
ccc
```

リストの部分には、固定文字列だけでなく**パス名展開も利用できます**。たとえばカレントディレクトリの.htmlファイルすべてに対して何かの処理をしたい場合には、リストとして`*.html`と記述します。

次の例では、headコマンドを用いてカレントディレクトリの.htmlファイルすべての1行目を表示しています。

リスト16-29　パス名展開を利用したfor文

```
#!/bin/bash

for filename in *.html
do
    head -n 1 "$filename"
done
```

また、**リストの部分にはコマンド置換を記述することもできます**。ここではseqというコマンドを利用してみましょう。

**書式** **数値列を出力する**

```
seq <開始値> <終了値>
```

▼seqコマンドによる数値列の表示

```
$ seq 1 5
1
2
3
4
5
```

このseqコマンドをfor文に利用すると、連番に対して順に処理が行えます。次のシェルスクリプトは、1から5までの数値を利用して「0001.txt」から「0005.txt」という連番のファイル名を持つ空ファイルをtouchコマンドで作成します。

リスト16-30　0001.txtから連番のファイルを作成する（for-touch.sh）

```
#!/bin/bash

for i in $(seq 1 5)
do
    touch "000${i}.txt"
done
```

▼実行例

```
$ ./for-touch.sh
$ ls -l
合計 36
-rw-rw-r--. 1 osumi osumi     0  3月 31 20:51 0001.txt
-rw-rw-r--. 1 osumi osumi     0  3月 31 20:51 0002.txt
-rw-rw-r--. 1 osumi osumi     0  3月 31 20:51 0003.txt
-rw-rw-r--. 1 osumi osumi     0  3月 31 20:51 0004.txt
-rw-rw-r--. 1 osumi osumi     0  3月 31 20:51 0005.txt
（省略）
```

### コマンドライン引数とfor

for文ではリストとして`$@`を指定して、すべてのコマンドライン引数に対して処理を行うケースがよく見られます。

次のシェルスクリプトは、for文でコマンドライン引数を表示する例です。

リスト16-31 コマンドライン引数$@をリストに指定（for-parameters.sh）

```
#!/bin/bash

for parameter in "$@"
do
    echo "$parameter"
done
```

このシェルスクリプトを実行すると、次のようにすべてのコマンドライン引数が順に表示されます。

▼すべてのコマンドライン引数を順に表示する

```
$ ./for-parameters.sh readme.txt 38 'Hello World'
readme.txt
38
Hello World
```

この例のようにfor文では$@を対象とすることが多いため、in <リスト>を省略すると自動的に$@がリストの対象とみなされるようになっています。つまり、次の2行は同じ意味となります。

```
for parameter in "$@"
for parameter
```

しかし、あまり省略しすぎると混乱を招きますから、はじめのうちは記述を省略せずにきちんとリストを書いておくことをお勧めします。

### 演習2

演習1で作成したsummary.shは、1つのファイルしか対象にできませんでした。そこで、for文を使って複数のファイルを指定しても正しく処理できるように修正してみましょう。

リスト16-32 summary.sh

```
#!/bin/bash

for file in "$@"
do
    if [ -d "$file" ]; then
        echo "$file is a directory:"
```

```
        ls "$file"
    elif [ -f "$file" ]; then
        echo "$file is a regular file:"
        head -n 5 "$file"
    fi
done
```

これで、複数のファイルを同時に処理できるようになりました。

▼複数のファイルを指定して実行

```
$ ./summary.sh /home /etc/passwd
/home is a directory:  ← 1つ目のファイルに対する処理
miyake  osumi
/etc/passwd is a regular file:  ← 2つ目のファイルに対する処理
root:x:0:0:root:/root:/bin/bash
bin:x:1:1:bin:/bin:/sbin/nologin
daemon:x:2:2:daemon:/sbin:/sbin/nologin
adm:x:3:4:adm:/var/adm:/sbin/nologin
lp:x:4:7:lp:/var/spool/lpd:/sbin/nologin
```

## case文

caseは、**指定された文字列がパターンにマッチするかどうかを判断し、マッチしたパターンに対応する処理を行う**ための制御構造です。

まず、caseの使い方を見てみましょう。case文は次のように、末尾に)を置いたパターンとセミコロン2つで作られるブロック内に実行したい処理を書きます。最後はesac(caseを逆読みしたものです)によって閉じます。途中のパターンブロックはいくつ書いてもかまいません。

書式 case文の構造

```
case <文字列> in
    <パターン1>)
        処理1
        ;;
    <パターン2>)
        処理2
        ;;

        ...
esac
```

caseで指定された文字列は、各パターンにマッチするかどうか上から順に評価され、マッチしたパターンのブロックに書かれた処理を実行します。どのパターンにもマッチしなければ、何も実行せずにcase文を抜けます。

例を見てみましょう。次のシェルスクリプトはコマンドライン引数にファイル名を指定して、それが.txtファイルであった場合にはlessコマンドを、.shファイルの場合はvimコマンドを、いずれでもない場合には"not supported file"と表示します。コマンドライン引数は位置パラメータ**$1**で参照できますから、これを***.txt**などのパターンとマッチさせているわけです。

リスト16-33　ファイル名によりlessまたはvimコマンドを実行する(case-test.sh)

```
#!/bin/bash

case "$1" in
    *.txt)
        less "$1"
        ;;
    *.sh)
        vim "$1"
        ;;
    *)
        echo "not supported file : $1"
        ;;
esac
```

このように文字列によって処理を分岐する場合は、if文で1つ1つ比較するよりも、case文を利用する方が便利です。

なお上の例でわかるように、caseではパターン部分に文字列だけでなくパス名展開と同様のワイルドカードを利用できます。*は任意の文字列を、?は任意の一文字を表します。

また、ここで最後のパターンとして*1文字を置いていることに注意してください。*だけを指定すると、空文字列を含めてどんな文字列にもマッチします。そのため*1文字は最後のパターンとして、**どのパターンにもマッチしなかった場合の処理を書く**ために利用されます。

この他にも、|を利用して複数のパターンを記述することができます。この場合、そのうちどれかのパターンにマッチすればブロックの処理が実行されます。次の例では、コマンドライン引数にstart,stopのいずれかが指定された場合には"OK"、それ以外では"NG"と表示しています。

リスト16-34　|で複数のパターンを指定する(case-or.sh)

```
#!/bin/bash

case "$1" in
  start|stop)  ← startまたはstopならば
    echo "OK"
    ;;
  *)  ← それ以外ならば
    echo "NG"
    ;;
esac
```

## while文

whileは、**指定した条件が真である限り繰り返し処理を行う**制御構文です。

書式　**while文の構造**

```
while <コマンド>
do

      繰り返し処理

done
```

whileの後ろにはコマンドが置かれます。これはifと同様に、コマンドの終了ステータスがゼロであれば真とみなされ、doからdoneのブロック内に書かれた処理が繰り返し実行されます。whileの後ろには、多くの場合にはif文と同様にtestコマンドによる条件式が書かれます。

次の例では、シェル変数iの値が10以下である限り、「iの値を表示してから2を足す」という動作を繰り返します。

リスト16-35　testコマンドによるwhileループ(while.sh)

```
#!/bin/bash

i=1
while [ "$i" -le 10 ]
do
    echo "$i"
    i=$((i + 2))
done
```

このシェルスクリプトを実行すると、次のように10以下の奇数が表示されます。

▼10以下の奇数が表示された

```
$ ./while.sh
1
3
5
7
9
```

なお、ここで登場した`$((i + 2))`という表記はbashの算術式展開と呼ばれる機能です。この機能はwhileとセットで使われることが多いため、ここで解説しておきましょう。

### ❖ 算術式展開

前章でも少し触れましたが、shで書かれたシェルスクリプトは、簡単な足し算をするだけでもexprという外部コマンドを利用しなくてはいけません。そのため先ほどのシェルスクリプトで、whileループ内の「シェル変数iに2を足す」という処理はshでは次のように書きます。

```
i=`expr $i + 2`
```

これはループのたびに外部コマンドexprを呼び出すため、ループの回数が増えると処理速度が非常に遅くなります。また見た目も回りくどく、読みやすいとは言いがたい書き方です。

これに対して、bashでは`$((  ))`と2重のカッコでくくることにより、中に書いた文字列を計算式として扱うことができます。この際には、シェル変数に$を付ける必要がありません。次にいくつか例を挙げておきましょう。

▼算術式展開の例

```
$ i=10                ← シェル変数iに10を代入
$ echo $((i + 1))     ← iに1を足す
11
$ echo $((i / 2))     ← iを2で割る
5
$ echo $((i * 2))     ← iに2をかける
20
$ echo $((i ** 2))    ← iを2乗する
100
```

**bashの算術式展開は、読みやすく動作も速い**という利点を持っています。bashスクリプトでは積極的に利用することをお勧めします。

# 07 シェル関数

シェルスクリプトを書いていると、同じ処理を何度も実行する場面がよく見られます。このようなときは、処理をひとまとめにして関数にしておくと便利です。

関数はエイリアスと似ており､関数名を付けてから実行するコマンドを定義することで、後からその名前で処理を呼び出すことができます。本格的なシェルスクリプトを作成するときには、機能ごとに関数にまとめておくと見通しがよくなります。

シェルスクリプトで利用される関数をシェル関数と呼びます。これは次のようにfunctionを利用して定義します。functionの後ろに関数名を定義し、実際の処理は**{ }**内に記述します。

**書式** functionによる関数定義

```
function <関数名> ()
{
    処理
}
```

また、**function**と**()**のどちらかを省略して、次のように書くこともできます。

**書式** カッコを省略した関数定義

```
function <関数名>
{
    処理
}
```

**書式** functionを省略した関数定義

```
<関数名> ()
{
    処理
}
```

これらの書き方に、機能的な違いはありません。本書では、最後の**function**を省略した書き方を使用することにします。この形式がもっともよく使われていることがその理由です。

シェル関数を利用するときは、通常のコマンドと同じようにシェルスクリプト中で関数名をそのまま記述します。次の例ではhomesizeというシェル関数を定義して、最終行でこの関数を呼び出しています。

リスト16-36　シェル関数の定義と使用例(func-test.sh)

```
#!/bin/bash

homesize ()
{
    date
    du -h ~ | tail -n 1
}

homesize
```

このシェルスクリプトを実行すると、まずhomesize関数が呼び出されます。homesize関数の中ではdateコマンドとduコマンドが実行され、結果として現在の時刻とホームディレクトリの容量が表示されます。

▼実行例

```
$ ./func-test.sh
2015年  3月 31日 火曜日 21:06:50 JST
5.0M    /home/osumi
```

なおシェル関数を利用する際には、**利用する箇所よりも前に定義しておかなければいけません**。そのため次のように、関数定義の部分を後ろに持ってくるとエラーとなります。

リスト16-37　シェル関数は使う前に定義が必要

```
#!/bin/bash

homesize    ← ここではまだ関数定義されていないためエラー

homesize ()
{
    date
    du -h ~ | tail -n 1
}
```

## シェル関数内での位置パラメータ

シェル関数の中でも、位置パラメータ$1,$2,...が利用できます。ただしシェル関数の中ではこれらはコマンドライン引数ではなく、関数への引数が参照されます。
　次のようなfunc-parameters.shというシェルスクリプトを作成して確認してみましょう。

リスト16-38　シェル関数での位置パラメータの確認用シェルスクリプト(func-parameters.sh)

```
#!/bin/bash

print_parameters ()
{
    echo "\$1 = $1"
    echo "\$2 = $2"
    echo "\$3 = $3"
    echo "\$4 = $4"
    echo
    echo "$# arguments"
    echo "script name = $0"
}

print_parameters aaa bbb ccc
```

← シェル関数に引数を指定して実行

　このシェルスクリプトを実行すると、次のように出力されます。

▼実行例

```
$ ./func-parameters.sh
$1 = aaa
$2 = bbb
$3 = ccc
$4 =

3 arguments
script name = ./func-parameters.sh
```

　上の例では、コマンドライン引数には何も与えていませんが、シェル関数の中では位置パラメータに値が代入されています。これは、シェル関数への引数が参照されているためです。

図16-06　シェル関数内での位置パラメータ

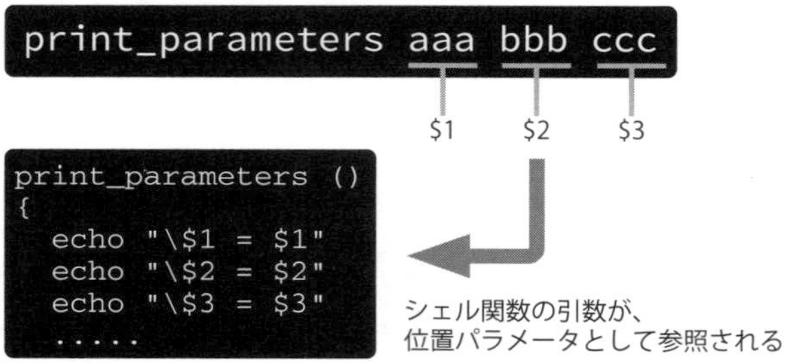

このように**シェル関数内では、位置パラメータが関数の引数へと置き換えられます**。なお、$0だけは関数名に置き換えられず、元のシェルスクリプト名のままになっています。このように$0は、$1、$2、…とは扱いが違うため、位置パラメータではなく特殊パラメータと呼ばれています。

## シェル関数の終了ステータス

通常のコマンドと同様に、シェル関数も終了ステータスを返します。通常は、**シェル関数内で最後に実行されたコマンドの終了ステータスが、そのままシェル関数の終了ステータスとなります。**

明示的に終了ステータスを返すときには、シェルの組み込みコマンドであるreturnコマンドを使用します。

書式 **シェル関数を終了させる**

```
return <終了ステータス>
```

returnコマンドを実行すると、そこでシェル関数の動作は終了して呼び出し元に返ります。

次の例では、引数が指定されていない場合は終了ステータスとして1を返します。このシェル関数を呼び出した後に、`$?`で終了ステータスを確認することでエラーが起きたかどうかを判断することができます。

リスト16-39 引数が指定されていなければ終了ステータス1を返す

```
checkparam ()
{
    if [ -z "$1" ]; then
        return 1
    fi

    ls  "$1"
}
```

## Column　コマンドにハイフンで始まる引数を指定する

Linuxのコマンドでは、基本的には-（ハイフン）で始まる引数はオプションとみなされます。

しかし、ハイフンで始まる引数を、オプションではなく通常の引数として指定したい場面もあります。例えば「--help」という名前のファイルがある場合、このファイルを削除したくても次のように指定するとうまくいきません。

▼ハイフンで始まる引数はオプションと解釈される

```
$ rm --help
```

これはrmコマンドに--helpというオプションを指定したことになるため、rmコマンドのヘルプメッセージが出力されてしまいます。このようなときはファイルを相対パスで指定すれば、先頭がハイフンでは無いためオプションと解釈させないようにできます。

▼引数の先頭をハイフン以外にする

```
$ rm ./--help
```

また別の方法として、コマンドと引数の間をハイフンふたつで区切る方法もあります。

▼--の後にファイル名を指定する

```
$ rm -- --help
```

コマンドライン中の--には、それ以降はオプションではなく通常の引数と見なす、という意味があります。これで一旦オプションを打ち切ってしまえば、それ以降はハイフンで始まる引数が指定できます。

なお、このようなトラブルの原因になるため、名前がハイフンから始まるファイルはそもそも作成しないことをおすすめします。

**おわりに**

本章では、シェルスクリプトの基本的な機能を一通り解説しました。次の章では、これらの機能を使って実際に役に立つシェルスクリプトを作ってみましょう。

# Chapter 17

# シェルスクリプトを活用しよう

前章では、シェルスクリプトの基本的な文法について学びました。続いてこの章では、シェルスクリプトを実際にどのように作成して活用していくか、いくつかのサンプルを作りながら学んでいきましょう。問題に対してどのように対処していくか、そしてシェルスクリプトをどのように書いていくか、という点に注意してください。

本章を読み終えれば、皆さんも必要なシェルスクリプトを自分で作成することができるようになっていることでしょう。

# 01 シェルスクリプトの活用

シェルスクリプトが役立つケースはいくつもありますが、ここでは「既存のコマンドを組み合わせて新しいコマンドを作成する」という点に目を向けてみましょう。

シェルスクリプトでは、パイプラインやリダイレクトなどシェルのさまざまな機能を使いながら、既存のコマンドを組み合わせるだけでさまざまな問題が解決できます。Linuxにはフィルタとして動作する便利なコマンドがたくさん用意されていますから、これらのコマンドを自由に組み合わせて問題を解いていくことがシェルスクリプトの基本的な考え方となります。

作成したシェルスクリプトは、1つのコマンドとして別のシェルスクリプトからも使うことができます。実際、シェルスクリプトで書かれているLinuxのコマンドもたくさんあります。次のように、ファイルの形式を表示するfileコマンドを利用して、実はシェルスクリプトであるコマンドを探してみましょう。

▼シェルスクリプトで書かれたコマンドを探す

```
$ file /usr/bin/* | grep 'shell script'
....（省略）....
/usr/bin/gunzip:                    POSIX shell script, ASCII text
executable
/usr/bin/gzexe:                     POSIX shell script, ASCII text
executable
/usr/bin/igawk:                     POSIX shell script, ASCII text
executable
/usr/bin/jobs:                      POSIX shell script, ASCII text
executable
/usr/bin/kdumpctl:                  POSIX shell script, ASCII text
executable
/usr/bin/kernel-install:            Bourne-Again shell script, ASCII
text executable
/usr/bin/ldd:                       Bourne-Again shell script, ASCII
text executable
/usr/bin/lesspipe.sh:               POSIX shell script, ASCII text
executable
/usr/bin/linux-boot-prober:         POSIX shell script, ASCII text
executable
....（省略）
```

このように、/usr/bin内のコマンドにも多くのシェルスクリプトが含まれていることがわかります。CHAPTER07で紹介したVimのチュートリアルコマンドvimtutorもそのような例の1つです。シェルスクリプトで書かれているコマンドは、lessコマンドで簡単に中身を読むことができます。

## シェルスクリプトの欠点

ここまでシェルスクリプトの利便性を強調してきましたが、もちろん多くの欠点もあります。そこで、シェルスクリプトを使うべきではないケースについて次に紹介しておきましょう。

### 大規模システムのプログラミング

シェルスクリプトでは独自のデータ型を定義できないことやコードをモジュールに分割する機能が不十分であることから、プロジェクトの規模が大きくなるにつれてプログラムの見通しが悪くなってしまう傾向にあります。また、有用な処理をパッケージとして管理、公開する環境が整っていないので、コードの再利用ができず必要な処理をアプリケーションごとに毎回書く必要があります。

このため、本格的な開発作業を行う場合にはシェルスクリプトは不向きです。

### 高速性が必要な処理

シェルスクリプトは1行ずつコマンドを実行していく形式を取ることから、子プロセスを生成する処理(fork)が大量に発生します。そのため、他のスクリプト言語に比べて動作が遅くなる傾向にあります。速度面を気にする場合には、PerlやRubyなどのスクリプト言語を利用するとよいでしょう。



# 02 演習1 ——日記を書くためのシェルスクリプト

実用的なシェルスクリプトを作るに辺り、まずは簡単な例からはじめてみましょう。ここでは、日記を書くためのシェルスクリプトを作成してみます。

日付はYYYY-MM-DD形式で表記し、「2015-02-01.txt」など、日付ごとにファイルを作って日記を書いていくことにします。次のようなシェルスクリプトになるでしょう。

リスト17-01 日記作成シェルスクリプト(diary.sh)

```
#!/bin/bash

vim $(date '+%Y-%m-%d').txt
```

このシェルスクリプトを実行すると、コマンド置換により、dateコマンドの出力が「2015-02-01.txt」のような日付形式のファイル名として組み立てられます。そしてこのファイルをVimで自動的に開いてくれるため、実行後はVimで日記を書くだけです。

これはたった1行だけのシェルスクリプトですが、これでも自動化の恩恵を受けることができます。まず、今日が何月何日であるか、わざわざ調べる必要はありません。また、日付を手で打ち込むわけではないので誤った日付で書いてしまうことがありませんし、ファイル名を間違えることもありません。このような利点こそが、シェルスクリプトによって作業を自動化する目的です。

しかし先ほどのシェルスクリプトでは、日記ファイルがシェルスクリプトを実行したときのカレントディレクトリに作成されるため、このままでは日記ファイルがあちこちにちらばってしまいます。そこで、次のように日記データを保存するディレクトリを指定しておくことにしましょう。

リスト17-02　日記データの保存ディレクトリに対応する

```
#!/bin/bash

# 日記データの保存ディレクトリ
directory="${HOME}/diary"

# データ保存ディレクトリがなければ作成する
if [ ! -d "$directory" ]; then
    mkdir "$directory"
fi

vim "${directory}/$(date '+%Y-%m-%d').txt"
```

これはホームディレクトリ下の「diary」というディレクトリに、日記ファイルを作成して開くシェルスクリプトです。testコマンドの-d演算子と!演算子（NOT演算子）を組み合わせることによりディレクトリの存在をチェックし、diaryディレクトリが存在しなければ作成しています。通常は、はじめて実行するときだけ自動的にdiaryディレクトリが作成されます。

これで、書き終えた日記ファイルを移動して整理する必要がなくなりました。さらにもう少し工夫して、その日はじめて日記ファイルを開いたときだけ、ファイルの先頭に今日の日付が自動的に入力されるようにしてみましょう。

リスト17-03　今日最初の日記ならば、先頭に日付を挿入する

```
#!/bin/bash

# 日記データの保存ディレクトリ
directory="${HOME}/diary"
```

```
# データ保存ディレクトリがなければ作成する
if [ ! -d "$directory" ]; then
    mkdir "$directory"
fi

# 日記ファイルパスの組み立て
diaryfile="${directory}/$(date '+%Y-%m-%d').txt"

# 日記ファイルがなければ（今日はじめて書くならば）、先頭に日付を挿入
if [ ! -e "$diaryfile" ]; then
    date '+%Y/%m/%d' > "$diaryfile"
fi

vim "$diaryfile"
```

これで、日記本文に日付が自動で挿入されるようになりました。この他にも、日記を書く作業で自動的に実行しておきたいことをこのシェルスクリプトに追加していけば、手作業でやらなければいけないことをどんどん減らすことができます。

# 03 演習2 ――指定したパス配下のファイル一覧表示

もう少し実用的な例として、指定したディレクトリ以下に含まれるすべてのファイルやディレクトリを一覧表示するシェルスクリプトを作成してみましょう。たとえば~を指定すれば、ホームディレクトリ配下のファイルをサブディレクトリまで含めてすべて表示する、というものです。

findコマンドを使ってもそのような表示をさせることはできますが、ここでは次のようにインデントを加えて、階層構造をわかりやすく表示するシェルスクリプトを作成します。

▼ファイルを一覧表示するシェルスクリプト（tree.sh）

```
$ ./tree.sh ~
osumi
    diary
        2015-01-14.txt
        2015-01-15.txt
    scripts
        diary.sh
        summary.sh
        tree.sh
```

このようなシェルスクリプトをコマンドとして用意しておけば、さまざまなファイルが含まれるディレクトリの中を確認するのに便利でしょう。

## はじめの一歩

シェルスクリプトを作るときのコツは、まずは小さく作っていくということです。いきなり何でもできるような大規模なものを考えず、この例で言えば「引数で受け取ったファイル名を出力する」部分だけを考えましょう。ここでは次のように作成しました。

リスト17-04　ファイル一覧表示のシェルスクリプト（tree.sh）

```
#!/bin/bash

list_recursive ()
{
    local filepath=$1

    echo "$filepath"

    if [ -d "$filepath" ]; then
        # ディレクトリである場合は、その中に含まれるファイルや     ❶
        # ディレクトリを一覧表示する
    fi
}

list_recursive "$1"
```

ファイル名表示の部分は何度も使うでしょうから、シェル関数list_recursiveを作って処理させることにしました。シェルから指定されたコマンドライン引数は位置パラメータ**$1**に入っていますから、これをシェル関数にそのまま渡してfilepathという変数に代入して利用します。

上の例では、対象がディレクトリの場合にはどうすればいいかは後で考えることにして、❶のところにはコメント行でやりたいことだけをとりあえず書いてあります。このようにして全体の流れを作っておき、後は少しずつやりたい処理に近づけていけばよいのです。

それではさっそく❶の部分を作っていきたいところですが、その前に、シェル関数と変数の有効範囲についての話をしておきます。

## local - 変数の有効範囲

先ほどのシェル関数list_recursiveの中で、関数への引数を受け取る際に次のような行がありました。

```
local filepath=$1
```

これは、シェル変数filepathをローカル変数として宣言するための行です。

シェルスクリプトで一度宣言した変数は、関数の中などどこからでも参照や代入ができます。これは、**不用意に変数の値を書き換えると、関数の外にまで影響をおよぼしてしまう**ということを意味します。

例を見てみましょう。次のシェルスクリプトではmessageという変数を、シェル関数func1の中で変更しています。

リスト17-05　変数messageをシェル関数内で変更する（globalvar.sh）

```
#!/bin/bash

func1 ()
{
    echo "func1: message = $message"
    message="Guten tag"    ◀── 関数内で変数の値を変更
}

message="Hello"
echo "main(1st): message = $message"
func1
echo "main(2nd): message = $message"
```

このシェルスクリプトを実行すると次のように出力されます。

▼シェル関数内で変数の値を書き換えると呼び出し元でも変更される

```
$ ./globalvar.sh
main(1st): message = Hello
func1: message = Hello
main(2nd): message = Guten tag    ◀── 変更されている
```

これを見ると、呼び出し元で宣言しているシェル変数messageが、呼び出し先関数の中でも参照できることがわかります。さらに重要なことに、シェル関数func1の中で変数messageの値を書き換えると、呼び出し元でも値が変わってしまっています。

このようにシェルスクリプト全体で有効な変数のことを、グローバル変数と呼びます。グローバル変数は有効範囲が広すぎるため、不用意に変更するとシェルスクリプト全体に影響を与えてしまいます。そのため、プログラムを書く際には極力グローバル変数の利用を避けるのが望ましい書き方です。

グローバル変数とは逆に、有効範囲をシェル関数の中だけに制限した変数を宣言することもできます。このような変数のことをローカル変数と呼び、変数の前に`local`を付けて宣言します。次の例では、シェル関数func1の中で変数messageをローカル変数として宣言しています。

リスト17-06　シェル関数内でローカル変数として宣言した場合（localvar.sh）

```
#!/bin/bash

func1 ()
{
    echo "func1: message = $message"
    local message="Guten tag"          ← messageをlocal変数にする
}

message="Hello"
echo "main(1st): message = $message"
func1
echo "main(2nd): message = $message"
```

このシェルスクリプトを実行すると、次のように出力されます。

▼シェル関数内で変更したローカル変数は呼び出し元に影響しない

```
$ ./localvar.sh
main(1st): message = Hello
func1: message = Hello
main(2nd): message = Hello
```

このように、シェル関数の中でmessageという変数を書き換えていますが、それは呼び出し元に影響を与えていません。結果として、すべて"Hello"と表示されました。

グローバル変数を使用していると、いくつかの関数の間でたまたま変数名が一致してしまった場合に、1つの関数内の動作が別の関数に影響を与えてしまう危険性があります。このような動作を避けるために、関数の中で使う変数は基本的にローカル変数として宣言して、影響範囲をなるべく狭くするようにしましょう。これはシェルスクリプトに限らず、一般的なプログラム言語でも行うべき指針です。

## 再帰 - 自分自身を呼び出す

ローカル変数の話が長くなってしまいましたが、作成していたシェルスクリプト（tree.sh）の話に戻りましょう。先ほど後回しにした、「引数がディレクトリであった場合」の処理を考えてみます。

引数がディレクトリのときには、その下に含まれるファイル一覧を取得する必要があります。そのために、ここではlsコマンドの結果を利用することにしましょう。for文の対象としてコマンド置換を利用し、lsコマンドの結果に対してループ処理でファイル一覧を出力します。このためリスト17-04の❶の部分を、次のように書き換えます

リスト17-07 ディレクトリが対象の場合はファイル一覧を表示する（tree.sh）

```
    # ディレクトリの場合の処理
    if [ -d "$filepath" ]; then
        local fname
        for fname in $(ls "$filepath")
        do
            # ディレクトリ内のファイルを表示    ❷
            echo "${filepath}/${fname}"
        done
    fi
```

これで完成でしょうか。いいえ、ディレクトリの中には、さらにディレクトリが含まれているかもしれません。そのため、ディレクトリが含まれている限り、そのディレクトリ下のファイルを表示する処理を繰り返す必要があります。

図17-01 ディレクトリが続く限り探索していく

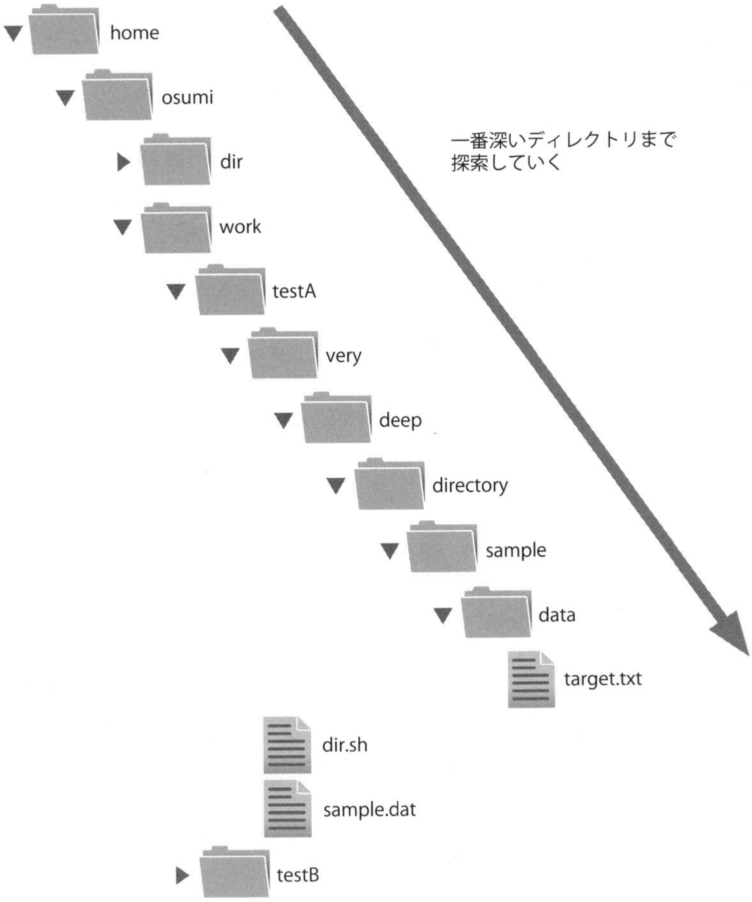

このためには、先ほど❷でechoコマンドでファイル名を出力していた部分を、再びlist_recursive関数を呼び出すように修正します。

リスト17-08　ディレクトリ中のファイルに対して再帰呼び出しを行う

```
                # ディレクトリならば、再度list_recursiveを呼び出す
                list_recursive "${filepath}/${fname}"
```

このように、**シェル関数の中から自分自身を呼び出して、入れ子のように処理を行う方法を再帰呼び出し**と言います。これは少々高度なテクニックのため、少し理解が難しいかもしれません。しかし再帰呼び出しはシェルスクリプトに限らず、多くのプログラム言語で使われる方法ですから慣れておくとよいでしょう。

図17-02　再帰呼び出しとは

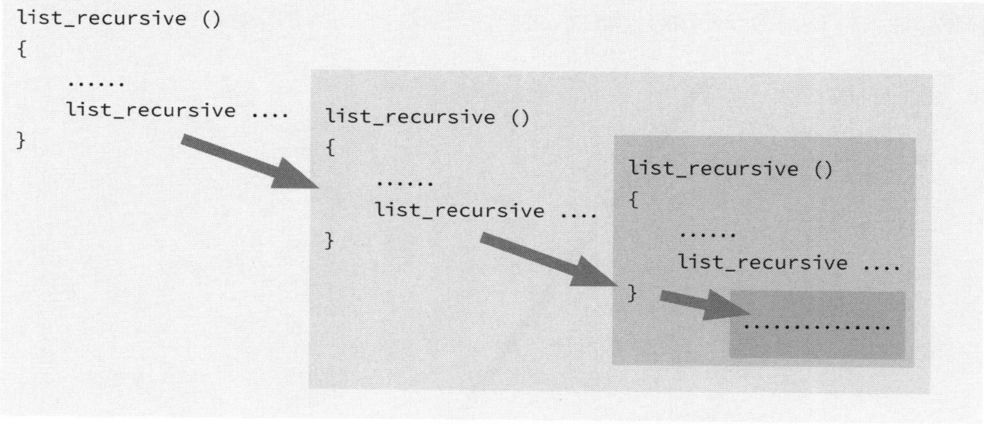


これで、起点となるディレクトリを指定するだけで、その下にあるファイル・ディレクトリをすべて表示できるようになりました。

▼ファイルリストが表示できるようになった

```
$ ./tree.sh ~
/home/osumi
/home/osumi/diary
/home/osumi/diary/2015-01-14.txt
/home/osumi/diary/2015-01-15.txt
/home/osumi/scripts
/home/osumi/scripts/diary.sh
/home/osumi/scripts/summary.sh
/home/osumi/scripts/tree.sh
```

しかしまだ、「それぞれのファイルが絶対パスで表示されてしまう」「インデントされていない」という2つの問題点があります。続いてこれらの処理を付け加えてみましょう。

## 絶対パス表記からファイル名を取り出す

ファイルリストが絶対パスで表示されてしまう問題については、パスの部分を削除してファイル名のみを表示することで対応してみましょう。たとえば、「/home/osumi/scripts/diary.sh」から「diary.sh」だけを取り出すという処理です。

このように「絶対パス表記からファイル名部分だけを取り出す」にはいくつかの手法がありますが、ここではシェルのパラメータ展開を利用した方法を紹介しましょう。

▼パラメータ展開によりパス部分を削除

```
$ filepath=/home/osumi/scripts/diary.sh
$ echo "${filepath##*/}"
diary.sh
```

上の例では、bashのパラメータ展開の機能の1つである、「最長マッチで、パターンに前方一致した部分を取り除く」という以下の記法を利用しました。

書式 **最長マッチで、前方一致した部分を取り除く**

```
${変数名##パターン}
```

なお最長マッチとは、指定したパターンにマッチする文字列のうちもっとも長いものを指します。次の図のようにパターン`*/`は多くの文字列にマッチしますが、そのうち一番長くマッチするものが最長マッチ、一番短いものが最短マッチです。

図17-03 最長マッチ・最短マッチ

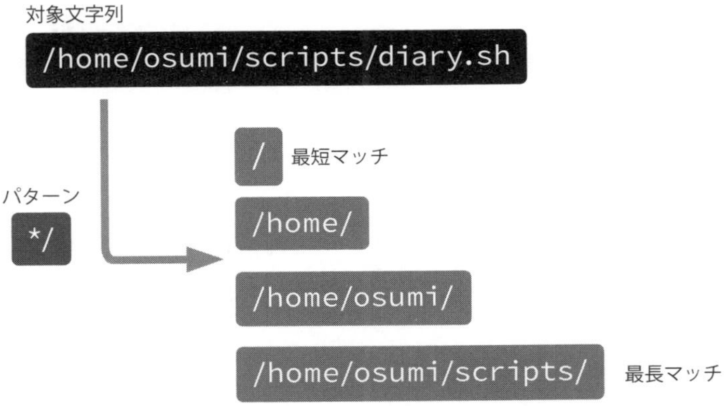

ここでは変数名としてfilepathを、パターンとして***/**を指定しています。これは任意の文字列の一番最後に**/**が来るパターンです。結果として、このパラメータ展開によりfilepathの値からパス名部分を取り除くことができます。

パラメータ展開にはこの他にも、次のような記法があります。ここで細かく解説はしませんが、興味のある方はbashのマニュアルを読み、実際に試してみてください。

表17-01　bashのパラメータ展開

| 記法 | 意味 |
|---|---|
| **${変数名#パターン}** | 最短マッチで、パターンに前方一致した部分を取り除く |
| **${変数名##パターン}** | 最長マッチで、パターンに前方一致した部分を取り除く |
| **${変数名%パターン}** | 最短マッチで、パターンに後方一致した部分を取り除く |
| **${変数名%%パターン}** | 最長マッチで、パターンに後方一致した部分を取り除く |

## インデント

それでは最後に、出力結果の先頭にスペースを入れてインデントを付けてみましょう。

ここではlist_recursive関数への引数を追加して、第2引数でインデント用の空白文字列を指定するように変更しました。filepath変数をechoコマンドで表示する際にはその前にインデント文字列を付けて、さらに先ほど紹介したパラメータ展開によってパス部分を削除するために**${filepath##*/}**として表示することにします(❹)。

リスト17-09　インデント付きで表示するよう引数を追加した（tree.sh）

```
#!/bin/bash

list_recursive ()
{
    local filepath=$1      ❸
    local indent=$2

    #インデント付きで、パス部分を取り除いてファイル名を表示する      ❹
    echo "${indent}${filepath##*/}"

    if [ -d "$filepath" ]; then
        local fname
        for fname in $(ls "$filepath")
        do
            #インデントにスペースを追加して再帰呼び出し
            list_recursive "${filepath}/${fname}" "    $indent"      ❺
        done
    fi
}

list_recursive "$1" ""
```

新しく追加した、indentというシェル変数(❸)に注目してください。list_recursive関数を再帰呼び出しするごとに、インデント用文字列の先頭にスペースを追加しています(❺)。そのため1つ下のディレクトリに降りるたびに、インデントは深くなります。

このシェルスクリプトを実行すると、次のように当初の望み通りの出力結果が得られました。

▼指定したディレクトリ下のファイルリストを表示

```
$ ./tree.sh ~
osumi
    diary
        2015-01-14.txt
        2015-01-15.txt
    scripts
        diary.sh
        summary.sh
        tree.sh
```

## IFS - 内部フィールド区切り文字

実は、このtree.shというシェルスクリプトは、ファイル名にスペースが含まれているとき表示がずれてしまいます。

たとえば今、~/textディレクトリの中に「space file.txt」という、ファイル名の途中にスペースを含むファイルがあるとしましょう。1ファイル1行で表示するlsコマンドの-1オプションを付けて実行すれば、次のように確認できます。

▼ファイル名にスペースを含むファイルがある

```
$ ls -1 ~/text
list.txt
space file.txt
work.txt
```

このディレクトリを先ほどのtree.shで表示してみると、スペースを含むファイルが分かれて表示されてしまいます。

▼スペースを含むファイルが別ファイルとして表示される

```
$ ./tree.sh ~/text
text
    list.txt
    space
    file.txt
    work.txt
```

これは、bashが**スペースで単語を区切る**ことが原因です。bashにはIFS (Internal Field Separator; 内部フィールド区切り文字) という環境変数があり、この変数にはbashが単語の区切りとして解釈する文字が格納されています。IFSのデフォルト値は、「スペース」「タブ」「改行」の3つです。

bashはコマンドライン引数やfor文の要素などを扱う際に、単語を区切る必要がある場合には、この**IFS変数に含まれる文字を単語の区切りとみなします**。このため、for文ではスペースを含むファイル名が2つの単語に分割されてしまいます。

|図17-04| ファイル名のスペースが区切りとして解釈される

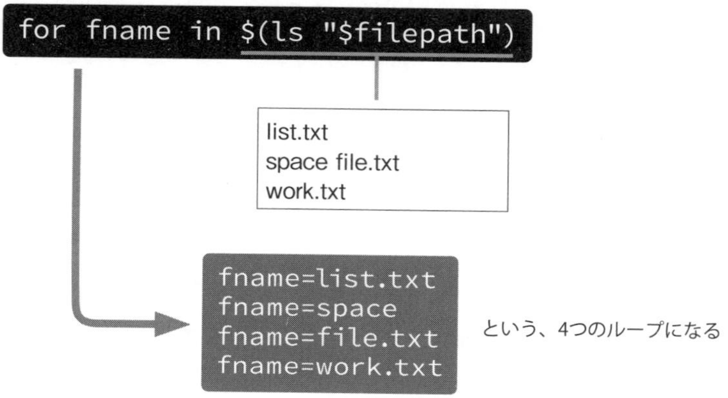


これを避けるには、**スペースで区切らせないようにIFSの値からスペースを抜いておく手法**がよく使われます。ここでは❻のようにforループの前で、IFSに改行だけをセットしておきましょう。

|リスト17-10| IFSを変更してforループを実行する

```
IFS='        ❻
'
for fname in $(ls "$filepath")
do
    list_recursive "${filepath}/${fname}" "    $indent"
done
```

❻は見たことのない書き方で、何かの誤りではないかと思われるかもしれません。しかし、これは正しい書き方です。シングルクォートでくくった中に改行を入れることで、IFSに**「改行」そのものを代入する**ことができます。

これが見にくい場合には、bashでは次のように`$'\n'`と書くことでも改行を表すことができます。

```
IFS=$'\n'
```

これでスペースは区切り文字として扱われず、「space file.txt」が途中で分割されることもなくなります。

▼スペースを含むファイルが正しく扱えた

```
$ ./tree.sh ~/text
text
    list.txt
    space file.txt
    work.txt
```

### IFSのバックアップ

IFSを変更すると、それ以降の他のコマンドの動作にも影響を与えてしまいます。そのため、このような変更はできる限り局所的に行うのが望ましい書き方です。そのためIFSを変更する際には、IFSをいったん別変数にバックアップしておき、処理が終わった後に元に戻す方がよいでしょう。

リスト17-11 IFSをバックアップしておき処理後に戻す

```
_IFS=$IFS              # 元の IFS のバックアップ
IFS=$'\n'              # IFS を改行のみに設定

... (処理) ...         # 必要な処理を行う

IFS=$_IFS              # IFS を元に戻す
```

なおIFSの値は、文字コードを表示するodコマンドに、文字の名前で出力させる-aオプションを付けて次のように確認できます。

▼IFSの値の確認

```
$ echo -n "$IFS" | od -a
0000000  sp  ht  nl
0000003
```

ここではechoコマンドで末尾に改行を付けないように、-nオプションを付加しています。上の例では、IFSのデフォルト値としてsp（スペース）、ht（タブ）、nl（改行）の3つが設定されていることが確認できます。

### lsコマンドの出力結果でのスペースと改行

話が複雑になるためここまで説明していませんでしたが、tree.shの中でIFSを改行のみに変更する際に、何かおかしいと思った読者がいるかもしれません。この節の最後に、細かい話になりますがlsコマンドとIFSについて補足しておきましょう。

通常、lsコマンドを実行すると、ターミナルの幅に合わせて適当な長さで改行してファイルリストが表示されます。

▼lsコマンドのファイル区切りは、「スペースまたは改行」である

```
$ ls
chage.1.gz     newgrp.1.gz  sg.1.gz       vimtutor.1.gz
evim.1.gz      passwd.1.gz  view.1.gz     xxd.1.gz
ex.1.gz        rview.1.gz   vim.1.gz
gpasswd.1.gz   rvim.1.gz    vimdiff.1.gz
```

つまりlsコマンドの出力では、ファイルの区切りはスペースと改行が入り交じっています。すべてを改行区切りにしたい場合には、先ほど解説した**-1**オプションを利用して1ファイル1行で表示する必要があります。

▼1ファイル1行で表示する

```
$ ls -1
chage.1.gz
evim.1.gz
ex.1.gz
gpasswd.1.gz
newgrp.1.gz
passwd.1.gz
....（省略）....
```

しかし先ほどのtree.shの例では、IFSを改行のみに設定したときに、for文の後ろのlsコマンドにわざわざ-1オプションを付けなくても正しく動作しました。これはなぜでしょうか。

結論から言うと、**lsコマンドは出力先がターミナルかどうかを自分で判断し、ファイルリストの出力形式を自動的に切り替えてくれるコマンド**だからです。

lsコマンドの結果をファイルへと出力リダイレクトしたり、あるいはコマンド置換によりlsコマンドを実行すると、lsコマンドは自動的に**-1**オプションが付加されたときと同様に1ファイル1行で表示します。

▼lsコマンドの結果を出力リダイレクトすると、1ファイル1行で出力される

```
$ ls > filelist.txt
$ cat filelist.txt
chage.1.gz
evim.1.gz
ex.1.gz
```

```
gpasswd.1.gz
newgrp.1.gz
passwd.1.gz
...（省略）...
```

このためコマンド置換でlsを利用する際には、IFSを改行に設定するだけでうまく動作するのです。

# 04 演習3 ―検索コマンド

シェルスクリプトの学習の仕上げとして、たくさんのファイルから文字列を検索するための検索コマンドを作ってみましょう。これは次のように、「検索パターン・始点ディレクトリ・対象ファイル」を指定することで、始点ディレクトリに含まれるファイルすべてに対して検索を行うシェルスクリプトです。

▼検索コマンドを作る

```
$ findgrep.sh osumi . '*.txt'
./doc/list.txt:38:osumi
./doc/memo.txt:7:osumi, miyake
./README.txt:103:[osumi]
```

このシェルスクリプトを作るための準備として、まずxargsというコマンドの使い方を紹介します。

## xargsコマンド - 標準入力からコマンドラインを組み立てて実行する

xargsは、たくさんのファイルに対して一括処理をするためによく使われるコマンドです。多くの場合にfindコマンドとセットで使われるため、本書でもfindコマンドとの組み合わせ例を紹介します。

xargsはこれまで紹介してきたコマンド群とは少々使い方が異なり、**標準入力として「引数のリスト」を与えます**。xargs自体は「xargs <実行したいコマンド>」という形式で実行し、ここで指定した<実行したいコマンド>が、標準入力から受け取ったリストを引数として実行されます。

図17-05　xargsコマンドの動作

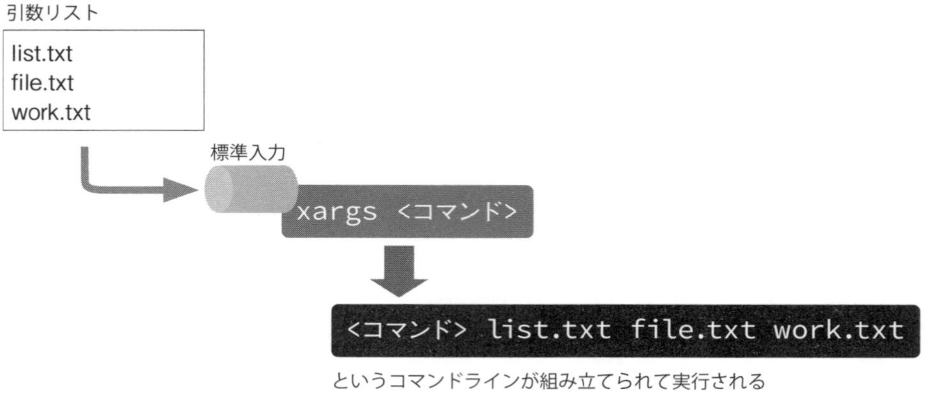


たとえば今、findコマンドで次のようにファイル一覧が出力されているとします。

▼findコマンドによる現在のファイルリスト

```
$ find . -type f -name '*.txt'
./doc/list.txt
./doc/memo.txt
./README.txt
```

これらのファイルに対して、lsコマンドで詳細情報を確認したい場合は次のようにxargsに`ls -l`を指定します。

▼findコマンドで出力されたファイルリストに対してlsコマンドを実行

```
$ find . -type f -name '*.txt' | xargs ls -l
```

こうすると、xargsコマンドによって次のようなコマンドラインが組み立てられ、実行されることになります。

```
ls -l ./doc/list.txt ./doc/memo.txt ./README.txt
```

これは、3つのファイルを引数としたlsコマンドです。結果として、次のように3つのファイルの詳細情報が表示されます。

▼xargsを利用してlsコマンドを実行する例

```
$ find . -type f -name '*.txt' | xargs ls -l
-rw-rw-r-- 1 osumi osumi 0  1月  12 13:10 ./doc/list.txt
-rw-rw-r-- 1 osumi osumi 0  1月  12 11:25 ./doc/memo.txt
-rw-rw-r-- 1 osumi osumi 0  1月  10 11:12 ./README.txt
```

この例のように、**findコマンドとセットでxargsコマンドを利用すれば、サブディレクトリ内のファイルまで含めてすべてのファイルに対して**任意のコマンド（ここではlsコマンド）を実行することができます。

### ❖ xargsを利用してgrep

xargsとfindを組み合わせる際には、findコマンドのオプションや、xargsで実行するコマンドの組み合わせを変えることによって、さまざまな使い方が考えられます。その中でもよく使われるのが、grepコマンドと組み合わせて多くのファイルから文字列を検索する方法です。

はじめに、grepコマンドの動作を少し確認しておきましょう。grepコマンドは、引数に1つのファイルしか指定しない場合には単純にマッチした行のみを表示します。

▼対象ファイルが1つだけのときはマッチした行のみを表示

```
$ grep osumi list.txt
003,osumi
```

一方、grepコマンドで複数のファイルを引数として指定すると、それらすべてのファイルからパターンを検索します。この場合には、**マッチした行の前に、ファイル名が合わせて表示**されます。

▼複数ファイルをまとめてgrepすると先頭にファイル名が付く

```
$ grep osumi list.txt memo.txt
list.txt:003,osumi     ◀── list.txtにマッチ
memo.txt:osumi, miyake ◀── memo.txtにマッチ
```

細かいことですが、このような複数ファイル指定時のgrepコマンドの動作について覚えておいてください。

それでは、xargsを利用してgrepコマンドを実行してみましょう。次の例では、カレントディレクトリ以下にあるすべてのファイルからosumiという文字列を検索して、マッチした行を出力しています。複数のファイルが引数で指定されているため、マッチ結果にはファイル名も合わせて表示されています。

▼カレントディレクトリの下にあるファイルすべてにgrepを実行

```
$ find . -type f | xargs grep osumi
./doc/list.txt:003,osumi
./doc/memo.txt:osumi, miyake
./README.txt:[Updated] 2015-01-31 by osumi.
```

これは、検索したい文字列がどのファイルに書いてあるのかわからないときに便利です。これをシェルスクリプトにして、検索コマンドを作ってみましょう。ここでは、findgrep.shという名前にします。

リスト17-12　検索シェルスクリプト（findgrep.sh）

```
#!/bin/bash

pattern=$1
find . -type f | xargs grep "$pattern"
```

このシェルスクリプトは、次のように検索パターンを引数として渡すことで、カレントディレクトリ下にあるすべてのファイルから文字列を検索します。

▼パターン「osumi」で検索する

```
$ ./findgrep.sh osumi
./doc/list.txt:003,osumi
./doc/memo.txt:osumi, miyake
./README.txt:[Updated] 2015-01-31 by osumi.
```

このままでも便利ですが、もう少し改良してみましょう。

まず、検索結果としてファイルのどこで見つかったか、行番号が表示されると便利です。grepコマンドに-nオプションを付けると、次のようにファイルの何行目にパターンがマッチしたかが表示されます。

▼grepコマンドでマッチした行番号を表示する

```
$ grep -n osumi *.txt
list.txt:3:003,osumi
memo.txt:20:osumi, miyake
```

list.txtの3行目にマッチ

memo.txtの20行目にマッチ

また今の状態では、もしfindコマンドの結果としてファイルが1つしか見つからなかった場合、ファイル名が表示されないためどのファイルで見つかったのかがわからなくなってしまいます。これを防ぐためには、grepコマンドの-Hオプションを指定します。-Hオプションを付けると、引数にファイルが1つしか指定されなかった場合でもマッチした行の前にファイル名が必ず表示されます。

▼引数にファイルが1つしかなくてもファイル名を表示

```
$ grep -H osumi list.txt
list.txt:003,osumi
```

これで、シェルスクリプトを次のように修正することができました。

リスト17-13　検索結果にマッチしたファイル名と行番号を表示する

```
#!/bin/bash

```

```
pattern=$1
find . -type f | xargs grep -nH "$pattern"
```

## 指定できる項目を増やして実用的に

ここまでいくつか改良を加えてきましたが、もう少しfindgrep.shを便利にしてみましょう。

まず、findでファイルを探す起点ディレクトリとして、カレントディレクトリ以外も指定できるようになると便利です。次のように引数で指定できるようにしてみましょう。

▼第2引数で、検索する起点ディレクトリを指定できるようにする

```
$ ./findgrep.sh osumi ~/work/myapp
```

このためには、位置パラメータ$2を利用します。なお、この引数が指定されない場合には、カレントディレクトリが起点となるようにデフォルト動作も設定しておきます。こうすれば、「必要な場合にだけ起点ディレクトリを指定する」という使い方ができるため便利です。

リスト17-14　検索起点ディレクトリを第2引数で設定できるようにした（findgrep.sh）

```
#!/bin/bash

pattern=$1
directory=$2

# 第2引数（起点ディレクトリ）が空文字列ならば、デフォルト値と
# して.（カレントディレクトリ）を設定
if [ -z "$directory" ]; then
    directory='.'
fi

find "$directory" -type f | xargs grep -nH "$pattern"
```

次に、findコマンドで探すファイルを絞り込みできるようにしてみましょう。今はすべてのファイルが対象となりますが、「.txt」などファイル名のパターンがわかっている場合には、次のように第3引数で指定できるようにします。

▼第3引数で、検索するファイル名のパターンを指定できるようにする

```
$ ./findgrep.sh osumi . '*.txt'
```

この場合も、引数を省略した場合のデフォルト値を設定しておきましょう。これまでの

動作ではすべてのファイルを対象としていましたから、省略時のデフォルト値はすべてのファイルを対象とする'*'を設定します。

リスト17-15　ファイル名のパターンを指定できるようにする（findgrep.sh）

```
#!/bin/bash

pattern=$1
directory=$2
name=$3

# 第2引数（起点ディレクトリ）が空文字列ならば、
# デフォルト値として .（カレントディレクトリ）を設定
if [ -z "$directory" ]; then
    directory='.'
fi

# 第3引数（検索ファイルパターン）が空文字列ならば、
# デフォルト値として'*'を設定
if [ -z "$name" ]; then
    name='*'
fi

find "$directory" -type f -name "$name" | xargs grep -nH "$pattern"
```

## ヘルプの表示

ここまでシェルスクリプトを改良していくうちに、指定するコマンドライン引数が3つに増えて、使い方がわかりにくくなってしまいました。

シェルスクリプトを書いた直後には使用方法もよく覚えているでしょうが、しばらく経つと自分が作ったシェルスクリプトであっても思い出せなくなってしまうものです。また、このシェルスクリプトを他の人に渡して使ってもらう場合もあることでしょう。そのようなケースのために、ヘルプメッセージを出力できるようにしておきましょう。

ヘルプの表示は、本来であればオプションを解析して、--helpオプションを付けたときにヘルプメッセージを出力するのがLinuxのコマンドらしい方法です。しかしこれは少々難しいので、今回は単純に引数を1つも付けなかったときにヘルプメッセージを表示するようにしましょう。

リスト17-16　引数が1つもない場合にはヘルプを表示する（findgrep.sh）

```
#!/bin/bash

usage()
{
  # シェルスクリプトのファイル名を取得
  local script_name=$(basename "$0")          ❶
```

```
  # ヒアドキュメントでヘルプを表示
  cat << END
Usage: $script_name PATTERN [PATH] [NAME_PATTERN]
Find file in current directory recursively, and print lines which match PATTERN.

  PATH          find file in PATH directory, instead of current directory
  NAME_PATTERN  specify name pattern to find file                              ❷

Examples:
  $script_name return
  $script_name return ~ '*.txt'
END
}

# コマンドライン引数が0個のとき(何も指定されないとき)
if [ "$#" -eq 0 ]; then                                                        ❸
    usage
    exit 1                  # 終了ステータス1で終了                             ❹
fi

... (省略) ...
```

まずusageというシェル関数を作って、ここでヘルプを表示することにしました。コマンドライン引数の個数を特殊パラメータ$#(→P.287)で確認し、これがゼロのとき(引数が指定されていないとき)にシェル関数usageを呼び出しています(❸)。

ヘルプを表示した後には、exitコマンドでシェルスクリプトを終了します(❹)。なお、ここでは終了ステータスとしてゼロ(正常終了)ではなく1を返しています。引数を1つも指定しないというのはエラーですから、このように終了ステータスをゼロ以外にしておきます。こうすれば、他のコマンドから呼ばれた場合にも正常終了したかが判別でき、if文や&&と組み合わせて使用できるようになります。

シェル関数usageの中では、まずbasenameコマンドを使って特殊パラメータ$0からシェルスクリプトのファイル名を取得しています(❶)。ここでbasenameコマンドとは、次のようにパスの部分を取り除いてファイル名だけを取り出すためのコマンドです。

▼basenameコマンドはファイル名だけを取り出す

```
$ basename /home/osumi/bin/findgrep.sh
findgrep.sh
$ basename ./findgrep.sh
findgrep.sh
```

また、ヘルプの表示にはcatコマンドで<<という記法が使われています(❷)。これはヒアドキュメントと呼び、**複数行のテキストをシェルスクリプトにそのまま記述したいとき**に

次のように利用されます。

**書 式** **ヒアドキュメントの書き方**

```
コマンド << 終了文字列
    ヒアドキュメントの内容
終了文字列
```

ヒアドキュメントの内容は、コマンドの標準入力にそのまま渡されます。ここではcatコマンドを利用していますから、ヒアドキュメントの内容がそのまま表示されます。

なおヒアドキュメント中ではシェル変数のパラメータ展開などが行われます。これを抑止したい場合には、次のように終了文字列をシングルクォートでくくります。

**書 式** **ヒアドキュメントでパラメータ展開などを抑止する**

```
コマンド << '終了文字列'
    ヒアドキュメントの内容
終了文字列
```

## エラーメッセージの表示

最後にもう1カ所、findコマンドでファイルを探す起点として存在しないディレクトリを指定したときは、エラーメッセージを出力するようにしておきましょう。この際、終了ステータスは2で終了します。**エラーごとに終了ステータスの値を変えておけば、値を確認するだけでエラーの原因がわかります。**

リスト17-17 検索の起点ディレクトリが存在しない場合の処理（findgrep.sh）

```
....（省略）....

# 検索ディレクトリが存在しない場合はエラーメッセージを表示して終了
if [ ! -d "$directory" ]; then
    echo "$0: ${directory}: No such directory" 1>&2
    exit 2
fi

find "$directory" -type f -name "$name" | xargs grep -nH "$pattern"
```

ここではechoコマンドでエラーメッセージを出力する際に、末尾に**1>&2**を付けています。これは出力リダイレクトの記法で、標準出力（1番）の出力先を標準エラー出力（2番）

と同じにする指定です。この結果として、echoコマンドの出力先が標準出力から標準エラー出力になります。

一般的なLinuxのコマンドはエラーメッセージを標準エラー出力に出力しますから、皆さんが作成するシェルスクリプトでもそうしておきましょう。これは、パイプラインで別のコマンドに接続する際に重要なことです。コマンドの通常の処理結果は標準出力へ、エラーメッセージは標準エラー出力へときちんと出し分けていれば、パイプライン処理には支障がありません。CHAPTER11で示した図をもう一度ここで確認しておきましょう。

図17-06　標準エラー出力とパイプライン

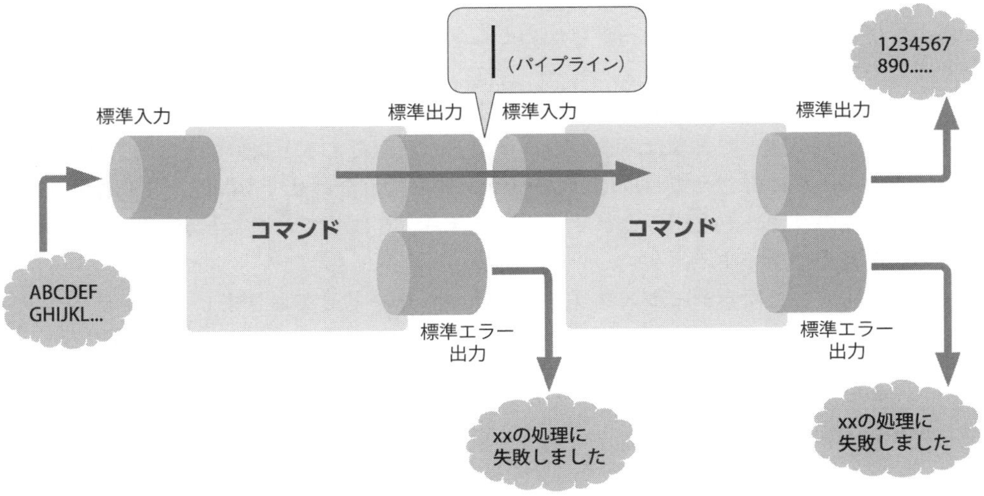


また、標準出力をファイルへリダイレクトしているときも標準エラー出力はそのまま画面に表示されますから、エラーメッセージを見逃すことがなくなります。

このように、**標準出力にはコマンド本来の結果を表示し、標準エラー出力にはエラーメッセージを表示する**という使い方をきちんと理解しておいてください。

### 余計なメッセージは出力しない

この他に、指定した検索ディレクトリの中にファイルが1つもない場合には「ファイルがありません」のようなメッセージを表示したいと考える人もいるかもしれません。しかし、このような出力はするべきではありません。

Linuxのコマンドは、基本的に「余計なメッセージは出力しない」という設計思想に基づいて作られています。我々が作成している検索コマンドではファイルがないときは検索しても何もマッチしないので、結果は「何も出力しない」のが正しい動作です。たとえばlsコマンドでも、ディレクトリにファイルが1つもないときには何も表示しません。

▼ファイルがないときのlsコマンドは何も表示しない

```
$ ls
$ ◀―――― ファイルがないため何も表示しない
```

もしここで「ファイルがありません」「指定したパターンは見つかりませんでした」のようなメッセージを出力してしまうと、本来の出力と区別がつかなくなってしまいます。たとえば、本当に「ファイルがありません」という名前のファイルがあるかもしれませんし、「指定したパターンは見つかりませんでした」という行にマッチしたのかもしれません。

先ほどのlsコマンドのように何もないときは何も表示しなければ、パイプラインでつないだ先のコマンドも、入力が何もないという処理をすればよいだけであって混乱しません。このように、必要のないメッセージは出力しない、というのがLinuxのコマンドの基本的な考え方です。

自分が作るシェルスクリプトで、引数の指定方法や出力するメッセージについてどのようにすればよいか迷ったときは、既存のコマンドの真似をするとよいでしょう。既にあるコマンドのルールに合わせておけば、他のコマンドと組み合わせても問題なく動作します。そうして既存のコマンドと組み合わせて活用できるようにしておくことが、よいシェルスクリプトを書くコツです。

最後に、完成した検索シェルスクリプトfindgrep.shを載せておきましょう。

リスト17-18 完成したfindgrep.sh

```
#!/bin/bash

usage()
{
    # シェルスクリプトのファイル名を取得
    local script_name=$(basename "$0")

    # ヒアドキュメントでヘルプを表示
    cat << END
Usage: $script_name PATTERN [PATH] [NAME_PATTERN]
Find file in current directory recursively, and print lines which match
PATTERN.

  PATH          find file in PATH directory, instead of current directory
  NAME_PATTERN  specify name pattern to find file

Examples:
  $script_name return
  $script_name return ~ '*.txt'
END
}

# コマンドライン引数が0個のとき（何も指定されないとき）
if [ "$#" -eq 0 ]; then
```

```
    usage
    exit 1
fi
pattern=$1
directory=$2
name=$3

# 第2引数（起点ディレクトリ）が空文字列ならば、
# デフォルト値として .（カレントディレクトリ）を設定
if [ -z "$directory" ]; then
    directory='.'
fi

# 第3引数（検索ファイルパターン）が空文字列ならば、
# デフォルト値として'*'を設定
if [ -z "$name" ]; then
    name='*'
fi

# 検索ディレクトリが存在しない場合はエラーメッセージを表示して終了
if [ ! -d "$directory" ]; then
    echo "$0: ${directory}: No such directory" 1>&2
    exit 2
fi

find "$directory" -type f -name "$name" | xargs grep -nH "$pattern"
```

**おわりに**

CHAPTER15から本章までで、シェルスクリプトの基本的な書き方、文法と具体的な例について解説しました。自分で独自のコマンドを作ることで、Linuxをもっと便利に使いこなすことができます。本章の例を参考に、皆さんもぜひシェルスクリプトを作成してみてください。

## Column zsh

本書では、シェルとしてbashを使っていることを前提として解説しています。bashはLinuxで最も標準的なシェルで、また十分な機能を持っているため、そのまま使い続けていても特に問題はありません。

しかし、Linuxではbash以外にもさまざまなシェルが利用できます。その中でも特に高機能で人気があるのがzshです。zshは基本的にはbashと同じように使用できますが、さまざまな機能が拡張されています。たとえば、zshではTabキーで補完する際に、ファイルやディレクトリ名だけでなく、コマンドのオプションやmanのページ名など、文脈を考慮して単語を補完することができます。

▼zshの補完機能

```
$ ls -   ← ここでTabキーを押す
--all              -a  -- list entries starting with .
--almost-all       -A  -- list all except . and ..
--author               -- print the author of each file
--block-size           -- specify block size
...省略 ...
```

これは長いオプションを指定するときや、使い方をはっきり覚えていないコマンドを使うときに便利な機能です。bashにも同じような機能がありますが、補完できる項目が多かったり大文字小文字の違いを同一視できたりといったように、zshの方がより高機能になっています。

この他にも多くの機能がありますが、代表的なものをいくつか紹介します。

- 同時に起動しているzsh同士でコマンドライン履歴を共有できる
- |(パイプライン記号)の部分も含めたエイリアスを設定できる
- ファイル名グロブを拡張して、findコマンドのような条件でファイルを絞り込める

zshはdnfやaptで簡単にインストールできますから、Linuxをもっと便利に使いこなしたいと考えている読者は試してみるとよいでしょう。

# Chapter 18

# アーカイブと圧縮

　本章では、ファイルをまとめるアーカイブ処理と、ファイルサイズを小さくする圧縮処理について解説し、この際に利用するコマンドの使い方を紹介します。

　WindowsやmacOSでよく使われるzipファイルは、Linuxのtarファイルやgzipファイルのようにアーカイブと圧縮を区別していないため、本章の内容には少々とまどうところがあるかもしれません。そのため、本章ではじめに解説する「アーカイブ」と「圧縮」の違いについてまずきちんと理解してから、コマンドの使い方を学ぶようにしてください。

# 01 アーカイブファイルと圧縮ファイル

たくさんのファイルをメールで送ったりバックアップのために保管したりする際には、これらを1つのファイルにまとめてしまうと便利です。**複数のファイルやディレクトリをまとめたファイルのことをアーカイブ(書庫)**と呼び、ファイルをまとめてアーカイブファイルを作成することを「アーカイブする」と言います。

また、このときにアーカイブファイルのサイズを小さくすることができれば、ファイルを転送・保存するときのデータ量を抑えることができます。一般的に利用されるファイルには多くの冗長性があるため、データの内容を壊すことなく**ファイルサイズを小さくする**ことができます。これは圧縮と呼ばれる処理です。

図18-01　アーカイブと圧縮

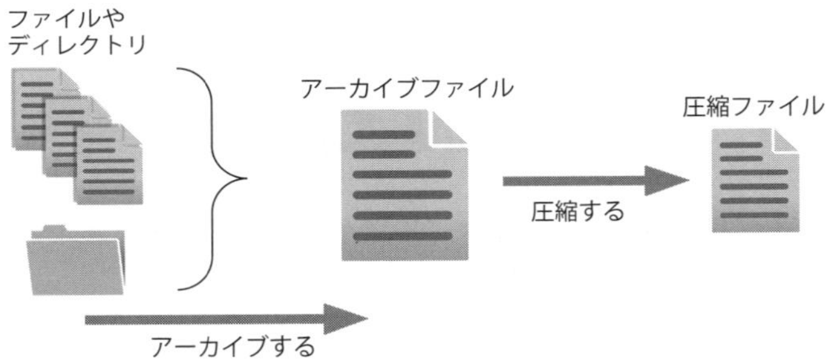


WindowsやmacOSで一般的に使われるzipファイルではアーカイブと圧縮を同時に行いますが、Linuxでは「アーカイブしてから圧縮する」というように別個に処理するのが普通です。本章ではアーカイブコマンドとしてtar、圧縮処理を行うコマンドとしてgzipとbzip2の2つのコマンドの使い方を学びます。

# 02 tarコマンド ——ファイルをアーカイブする

tarはアーカイブファイルを扱うためのコマンドです。複数のファイルやディレクトリを1つのアーカイブファイルにまとめたり、逆にアーカイブファイルから元のファイルを取り出すために利用します。

tarは古くから利用されている非常に歴史の長いコマンドで、現在でもLinuxで広く使われています。しかしオプション指定などに少々癖のあるコマンドですから、ここで使い方をきちんと覚えておいてください。

## 練習用ファイルの準備

まずはじめに、練習用のファイルを作成しておきましょう。次のコマンドラインを実行してください。

▼練習用ファイルの作成

```
$ mkdir dir1
$ touch dir1/file-{1..5}.txt
```

これで、dir1というディレクトリの中に、次の5個のファイルが作成されます。

▼練習用ファイルfile-1.txtからfile-5.txtができた

```
$ ls dir1
file-1.txt  file-2.txt  file-3.txt  file-4.txt  file-5.txt
```

ここで利用したのはbashの**ブレース展開**という機能です。次のように記述することで、連番のリストを生成することができます。

書式 ブレース展開

```
{<開始数値>..<終了数値>}
```

つまり先ほどのtouchコマンドは次のように展開されてから実行されます。

```
touch dir1/file-1.txt dir1/file-2.txt dir1/file-3.txt dir1/file-4.txt dir1/file-5.txt
```

この他に、文字列もブレース展開で扱うことができます。次の例では、aからeまでのリストをブレース展開で生成しています。

▼ブレース展開でファイル名を生成する

```
$ echo {a..e}.txt
a.txt b.txt c.txt d.txt e.txt
```

また、ブレース内をカンマで区切ることで文字列のリストを生成できます。次の例では、拡張子txt,log,datのファイル名リストを生成しています。

▼ブレース展開で拡張子リストを生成

```
$ echo sample.{txt,log,dat}
sample.txt sample.log sample.dat
```

## アーカイブファイルの作成

それでは、先ほど作成したdir1というディレクトリと、その下にある5つのファイルをアーカイブファイルにまとめてみましょう。tarコマンドで作成するアーカイブファイルには慣習として.tarという拡張子を付けますから、ここではdir1.tarという名前でアーカイブファイルを作ることにします。

tarでファイルをアーカイブするには、次のようにします。

**書式** ファイルをアーカイブする

```
tar cf <アーカイブファイル> <アーカイブ元ファイルパス>
```

ここで最初の**c**はcreateを意味しており、新しくアーカイブファイルを作成するように指定しています。

次の**f**はファイル(file)を意味しており、「f <アーカイブファイル>」として、新しく作成するアーカイブファイル名を指定します。tarコマンドでファイルを引数に取る場合には、必ずこの**f**を付けなくてはいけません。

▼dir1ディレクトリをアーカイブする

```
$ tar cf dir1.tar dir1
```

上の例のように指定すると、先ほどのdir1ディレクトリとその中のファイルすべてが、dir1.tarというアーカイブファイルにまとめられます。

図18-02 アーカイブファイルの作成

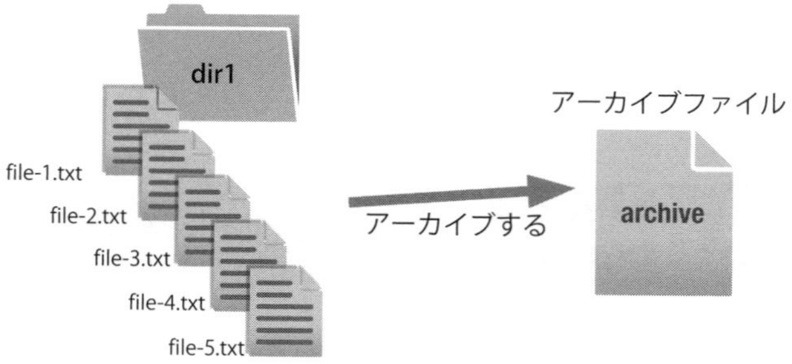

なお、tarコマンドに付けている**c**や**f**は、tarコマンドのオプションです。tarコマンドのオプションは、歴史的な理由から**-**（ハイフン）を付けても付けなくてもかまいません。つまり、次の2つは同じ意味です。

```
tar cf dir1.tar dir1
tar -cf dir1.tar dir1
```

しかし、**tarコマンドではオプションにハイフンを付けないことが普通の書き方**ですから、本書でも以降はtarコマンドのオプションにハイフンを付けない書き方をします。

## アーカイブファイルの内容確認

作成したアーカイブファイルの内容を確認するには、tオプションを利用します。**t**はlistのtを表しています。

書式 アーカイブファイルの内容を表示する

```
tar tf <アーカイブファイル>
```

tオプションを付けると、アーカイブファイルの中に含まれるファイル一覧が出力されます。cオプションでファイルをアーカイブしたら、目的のファイルが正しくアーカイブされているかどうか、tオプションで確認する習慣を付けておくとよいでしょう。

ここでは、先ほど作成したアーカイブファイルdir1.tarの内容を確認してみます。

▼アーカイブファイルの内容を確認

```
$ tar tf dir1.tar
dir1/
dir1/file-1.txt
dir1/file-2.txt
dir1/file-3.txt
dir1/file-4.txt
dir1/file-5.txt
```

このように、dir1ディレクトリ内の5つのファイルがアーカイブ内に格納されていることがわかります。

## アーカイブの展開

アーカイブファイルを展開して元のファイルやディレクトリを取り出すには、xオプションを利用します。

**書式** アーカイブファイルの展開

```
tar xf <アーカイブファイル>
```

ここでxはextractのxを表しています。

ここではアーカイブから元のファイルが復元できることを確かめるために、dir1ディレクトリをいったん削除してから、アーカイブファイルを展開しましょう。

▼アーカイブファイルを展開する

```
$ rm -rf dir1          ← 元のディレクトリを削除する
$ tar xf dir1.tar      ← アーカイブファイルを展開する
$ ls dir1              ← 確認
file-1.txt  file-2.txt  file-3.txt  file-4.txt  file-5.txt
```

なお、tarで展開されるファイル名と同じ名前のファイルがあらかじめ存在している場合、そのファイルは上書きされてしまいます。このためアーカイブを展開する前には、同名のファイルが存在しないか確認することが大切です。

## ファイルリストを表示するvオプション

tarコマンドにvオプションを付けると、cオプションによるアーカイブ作成やxオプションによる展開時に、対象となったファイルリストを表示します。

▼アーカイブ作成時にvオプションでファイルリスト表示

```
$ tar cvf dir1.tar dir1
dir1/
dir1/file-1.txt
dir1/file-2.txt
dir1/file-3.txt
dir1/file-4.txt
dir1/file-5.txt
```

また、tオプションでのアーカイブファイル確認でvオプションを併用すると、ファイル名だけでなくパーミッションやオーナーなど、ファイル属性が合わせて表示されます。

▼tオプションにvオプションを付けて詳細情報の表示

```
$ tar tvf dir1.tar
drwxrwxr-x osumi/osumi         0 2015-02-02 22:18 dir1/
-rw-rw-r-- osumi/osumi         0 2015-02-02 21:14 dir1/file-1.txt
-rw-rw-r-- osumi/osumi         0 2015-02-02 21:14 dir1/file-2.txt
-rw-rw-r-- osumi/osumi         0 2015-02-02 21:14 dir1/file-3.txt
```

```
-rw-rw-r-- osumi/osumi        0 2015-02-02 21:14 dir1/file-4.txt
-rw-rw-r-- osumi/osumi        0 2015-02-02 21:14 dir1/file-5.txt
```

このvオプションはよく使われますが、アーカイブ作成時(cオプション)や展開時(xオプション)での利用には賛否両論があり、本書ではtオプションとの併用以外ではvオプションの利用はお勧めしません。これは、エラーが発見しにくくなるというのがその理由です。

アーカイブの作成や展開時には、パーミッションがなく読み書きできない、もしくはディスクにアクセスできないなど、さまざまなエラーが発生する可能性があります。対象ファイルが多い場合にvオプションを付加していると、これらのエラー表示がファイルリストの表示に埋もれてしまい、見落とす可能性が高くなってしまいます。

また、特にcオプションでアーカイブを作成するときには、何らかの理由によりtarコマンド実行後にアーカイブファイルが破損してアーカイブが壊れてしまうかもしれません。このため、アーカイブ作成時にファイルが正しくアーカイブされているかをチェックしたいならば、vオプションの表示を確認するよりも、できあがったtarファイルをtオプションで確認する方が確実です。

## ファイル属性の保持

tarコマンドは単にファイルをコピーするだけでなく、ファイルのパーミッションやオーナー、タイムスタンプなどの**ファイル属性もそのままアーカイブ**します。このため、単純にcpコマンドなどでファイルをコピーするよりも、バックアップ用途に優れています。

ただし、一般ユーザでtarコマンドを実行する場合には、一部のファイル属性が維持できない場合があります。たとえば、所有者がrootでオーナーのみに読み込みパーミッションが付いているファイルは一般ユーザではアーカイブできませんし、そのようなファイルが含まれているアーカイブを展開する場合、一般ユーザでは元の属性が復元できず不完全な展開結果となります。

このため、ディレクトリツリーの完全なバックアップを取得するならば、root権限でtarコマンドを実行することが必要になります。本書で扱う範囲ではこれが問題になることはないでしょうが、Linuxのシステム管理・運用を行う際には、このようなファイル属性の保持という問題に十分注意する必要があります。

# 03 gzipコマンド
## ——ファイルを圧縮する

gzipはファイルの圧縮・展開を行うためのコマンドです。gzipで圧縮したファイルには慣習として.gzという拡張子を付けます。gzipの歴史は古く、現在ではより圧縮率の高いファイル形式への移行が進みつつありますが、高速に動作することや互換性を考慮して現在でも幅広く使われています。

**書 式** ファイルを圧縮する

```
gzip <圧縮元ファイル>
```

ここではテスト用のファイルとして、psコマンドでプロセス一覧を表示した結果をps.txtというファイルに出力リダイレクトして作成しました。

▼圧縮テスト用のファイルを作成

```
$ ps aux > ps.txt
$ ls -l
合計 8
-rw-rw-r--. 1 osumi osumi 7110  2月 22 23:49 ps.txt
```

ps.txtは、7キロバイトほどのファイルサイズです。これをgzipコマンドで圧縮してみましょう。

▼gzipコマンドで圧縮する

```
$ gzip ps.txt
$ ls -l
合計 4
-rw-rw-r--. 1 osumi osumi 1528  2月 22 23:49 ps.txt.gz
```

gzipによる圧縮で、元のファイルが1.5キロバイトほどに圧縮されました。また上の例からわかるように、gzipコマンド実行後には圧縮ファイルだけが残り、元のファイルは削除されます。圧縮ファイルは、元のファイル名の後ろに.gzを付けたファイル名になります。

圧縮したファイルを展開して元に戻すには、-dオプションを指定します。

▼圧縮ファイルを展開する

```
$ gzip -d ps.txt.gz
$ ls -l
合計 8
-rw-rw-r--. 1 osumi osumi 7110  2月 22 23:49 ps.txt
```

このときも展開されたファイルのみが残り、圧縮ファイル(gzファイル)は削除されます。

なお、-dオプションを指定する代わりにgunzipコマンドを使ってもファイルを展開できます。-dとgunzipは全く同じですから、単純に好きな方を使ってかまいません。

▼gunzipコマンドで圧縮ファイルを展開する

```
$ gunzip ps.txt.gz
```

gunzipコマンドの中身は実はシェルスクリプトで、**gzip -d**を内部で実行しています。興味のある方は、lessコマンドでgunzipのソースコードを読んでみてください。

▼シェルスクリプトであるgunzipコマンドを閲覧

```
$ less $(which gunzip)
```

## 標準出力にgzipファイルを出力

gzipの出力をパイプやリダイレクトで扱いたいときには、-cオプションを指定します。これは、標準出力に出力するためのオプションです。たとえば次のように-cオプションと出力リダイレクトを使えば、任意の名前で圧縮ファイルを作成することができます。

▼任意のファイル名で圧縮ファイルを作成

```
$ gzip -c ps.txt > ps_test.txt.gz
$ ls
ps.txt  ps_test.txt.gz
```

なおgzipコマンドの出力は、ファイルが圧縮されたバイナリデータです。そのため**-cオプションを利用するときは直接ターミナルに表示せず**、必ずパイプやリダイレクトを利用するよう注意してください。

## tarとgzipを組み合わせる

gzipコマンドにはファイルをアーカイブする機能はないので、1つのファイルしか圧縮できません。このため複数のファイルをまとめて1つのファイルに圧縮するには、さきほど紹介したtarコマンドでまず1つのファイルにアーカイブして、そのアーカイブファイルをgzipで圧縮するという手法を取ります。

図18-03　tarとgzipの組み合わせ

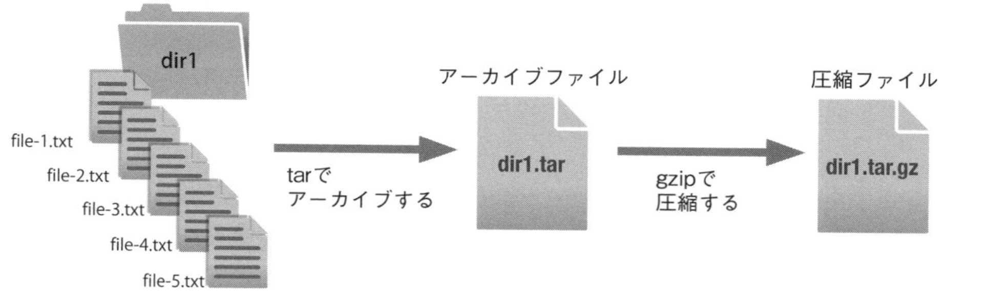


　このようにtarでまとめてgzipで圧縮するというファイル形式はLinuxで広く使われており、慣習として.tar.gzや.tgzという拡張子が使われます。
　現在のtarコマンドにはgzip圧縮する機能が組み込まれているため、実はgzipコマンドを使わなくても、**tarコマンドだけでtar+gzファイルを作ることができます**。tarコマンドでgzip圧縮するには、cオプションでアーカイブを作成する際に、合わせてzオプションを指定します。

▼tarコマンドでtar+gz形式のファイルを作成

```
$ tar czf dir1.tar.gz dir1
```

　また、逆にtar+gzファイルを直接展開するには、次のようにxオプションとzオプションを合わせて指定します。

▼tarコマンドでtar+gz形式のファイルを展開

```
$ tar xzf dir1.tar.gz
```

　このように、tarコマンドではzオプションを利用することによりtar+gz形式のファイルを扱うことができます。

### ❖ パイプとリダイレクトによるtar+gzファイルの作成

　昔のtarコマンドにはgzip圧縮機能が組み込まれていなかったため、tar+gzファイルを作成するにはtarコマンドとgzipコマンドをうまく組み合わせる必要がありました。この手法は現代においても学ぶ点が多いため、ここで詳しく解説しておきましょう。
　古典的なやり方で、ディレクトリdir1に含まれるファイルをtarファイルにアーカイブしてgzip圧縮するには、次のようにパイプとリダイレクトを併用します。この書き方は、はじめて見る人には少しわかりにくいかもしれません。

▼tarコマンドとgzipコマンドでtar+gzファイルを作成

```
$ tar cf - dir1 | gzip -c > dir1.tar.gz
```

まずtarコマンドで`cf -`のようにファイル名として`-`（ハイフン）を指定すると、アーカイブファイルが標準出力に出力されます。一方、gzipコマンドはファイル名を指定しない場合は標準入力から読み込みます。このためパイプラインでつなぐことにより、tarコマンドの出力結果をgzipコマンドに渡すことができます。

また上の例では、gzipコマンドは-cオプションでdir1.tar.gzというファイルへ出力リダイレクトしていますから、最終的にこのコマンドラインによってdir1.tar.gzというtar+gz形式の圧縮ファイルが作成されます。

|図18-04|　tarとgzipのパイプライン

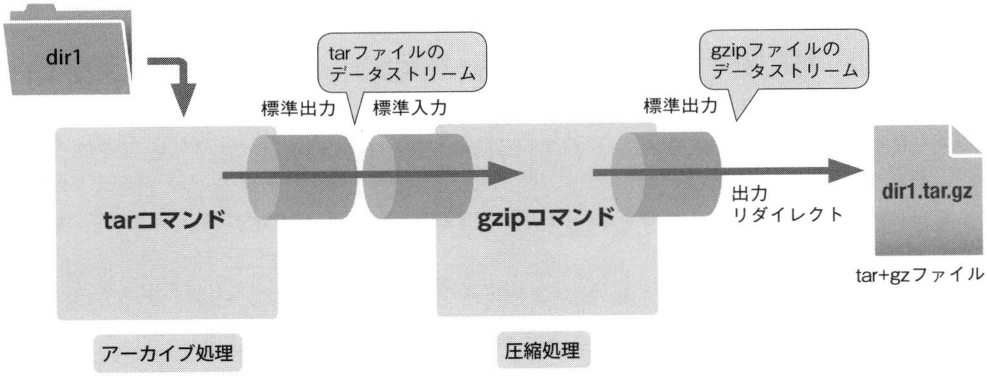


なお先ほどの例では、次のようにまずtarコマンドで一時ファイルとしてアーカイブファイルを作成し、それをgzipコマンドで圧縮しても同じ結果が得られます。

▼いったんtarファイルを作ってからgzip圧縮する

```
$ tar cf dir1.tar dir1
$ gzip dir1.tar
```

しかしこの方法は、一時的に中間ファイルとしてdir1.tarというファイルが作成されてしまいます。もしdir1ディレクトリのファイル容量がとても大きく、ディスクの残りの空き容量を超えるようならば、中間ファイルであるdir1.tarファイルをディスクに作ることができません。一方、パイプラインを使った場合には一時ファイルを作らないため、このような心配がありません。

逆にtar+gz形式のファイルを展開して元に戻すには、次のように指定します。

▼tar.gzファイルをgzipで展開する

```
$ gzip -d -c dir1.tar.gz | tar xf -
```

これは先ほどとは逆に、gzipコマンドで-d（展開）した出力を-cオプションとパイプラインでtarコマンドに渡します。tarコマンドのx（展開）オプションでは、ファイル名として**-**を指定すると標準入力から読み込みますから、結果としてtar+gz形式のファイルを展開することができます。

なお、このようにtarコマンドとパイプラインを組み合わせる手法は、現在でもリモートホスト上のファイルを直接手元にコピーするというケースで利用されます。例を見てみましょう。

▼リモートホスト（serverB）のディレクトリdir1を、tar+gzファイルとして転送

```
$ ssh osumi@serverB 'tar czf - dir1' | tar xzf -
```

sshコマンドは、引数を指定することでリモートホスト上でコマンドを実行することができます。上の例ではtarコマンドに`czf -`と指定することで、リモートホスト上でディレクトリdir1をtar+gzファイルとしてアーカイブし、その出力をこちらのシェルの標準入力へと渡しています。手元のシェルでは、受け取ったtar+gzのデータストリームを`xzf -`として展開することで、リモートホスト上のdir1ディレクトリを直接手元にコピーすることができます。

また、この際にはgzip圧縮された状態でデータが転送されます。そのためこの手法は、ネットワークの通信量を抑えることができるというメリットがあります。

## 04 bzip2コマンド ——ファイルを圧縮する

bzip2は、gzipと同様にファイルの圧縮・展開を行うためのコマンドです。bzip2形式は**gzip形式よりも圧縮率が高く、データ量をより小さくできます**。ただし、圧縮や展開にはgzipより長い時間がかかります。そのため、圧縮・展開にかかる時間よりもファイルサイズを重視したい場合によく使われます。

bzip2コマンドのオプションはgzipコマンドと同じものとなるよう設計されているため、gzipコマンドの使い方がわかっていればすぐに使用できます。

書式 bzip2によるファイルの圧縮

```
bzip2 <圧縮元ファイル>
```

▼bzip2コマンドで圧縮する

```
$ bzip2 ps.txt
$ ls -l
合計 4
-rw-rw-r--. 1 osumi osumi 1484  2月 22 23:49 ps.txt.bz2
```

上の例のように、bzip2コマンドで圧縮したファイルには、bz2という拡張子が付けられます。

圧縮したファイルを元に戻すには、-dオプションを利用します。これもgzipコマンドと同じです。

▼圧縮ファイルを展開する

```
$ bzip2 -d ps.txt.bz2
```

また、-dオプションを指定する代わりにbunzip2コマンドを使ってもファイルを展開できます。

▼bunzip2コマンドで圧縮ファイルを展開する

```
$ bunzip2 ps.txt.bz2
```

この他に、-cオプションを指定すると標準出力に出力する動作もgzipコマンドと同じです。

▼任意のファイル名で圧縮ファイルを作成

```
$ bzip2 -c ps.txt > ps_test.txt.bz2
```

## tarとbzip2を組み合わせる

現代のtarコマンドには、bzip2形式でファイル圧縮する機能も組み込まれています。**tarでbzip2形式を利用するには、jオプションを利用**します。

▼tar+bz2形式のアーカイブファイルを作成

```
$ tar cjf dir1.tar.bz2 dir1
```

これは、gzip形式を利用する際にzオプションを指定していた箇所を、jオプションに変えるだけです。それ以外の動作は全く同じですから、ここでは解説を省略します。

## その他の圧縮形式

bz2形式よりもさらに高圧縮率のフォーマットとしてよく見られるのがxz形式です。

xz形式は、xzコマンドにより圧縮・展開が行えます。xzコマンドもオプションをgzipコマンドと意図的に似せており、gzipコマンドの使い方がわかっていればすぐに使いこなすことができるでしょう。

また、現在のtarコマンドはxz形式にも対応しています。これは、gzip形式の指定のためにzオプションを付けていた箇所をJオプションに変えれば利用できます。

▼tar+xz形式のアーカイブファイルを作成

```
$ tar cJf dir1.tar.xz dir1
```

xzコマンドによるファイル圧縮は非常に時間がかかりますが、**圧縮率はbzip2形式よりもさらに優れています**。そのため長い実行時間を無視してでも、高い圧縮率が必要な用途に利用されます。

我々にもっとも身近な例で言えば、Linuxカーネルはxz形式で圧縮されたtar+xz形式のファイルで配布されています。興味のある方は、以下のLinuxカーネルの公式ページからカーネルのソースコードをダウンロードして展開してみてください。

**The Linux Kernel Archives**
URL https://www.kernel.org/

# 05 zipコマンド ——ファイルをアーカイブ・圧縮する

zipは、tarやgzipと違ってアーカイブと圧縮を同時に行うコマンドです。このため複数のファイルやディレクトリをまとめて1つのファイルに圧縮できます。zipで圧縮したファイルには慣習としてコマンド名と同じ.zipという拡張子を付け、これをzipファイルと呼びます。

zipファイルはLinuxではあまり使われませんが、WindowsやmacOSではよく使われています。そのため、これらのOSのユーザとデータをやりとりするときのために使い方を覚えておくと便利です。

Linuxでzip形式のファイルを扱うには、圧縮するためのzipコマンドと、展開するためのunzipコマンドの両方が必要になります。これらのコマンドは、ディストリビューションによっては標準でインストールされないことがあります。そのため、皆さんの環境でこれらのコマンドが見つからない場合には、次のようにしてインストールしておいてください。

▼zip, unzipパッケージのインストール (CentOS Stream)

```
# dnf install zip unzip
....(省略).....
Is this ok [y/d/N]: y
```

▼zip, unzipパッケージのインストール (Ubuntu)

```
$ sudo apt install zip unzip
```

ここで、dnfおよびaptコマンドの詳しい使い方については、CHAPTER20を参照してください。

## zipファイルの作成

zipコマンドでファイルやディレクトリを圧縮するためには、次のようにします。

書式　zipファイルを作成する

```
zip -r <圧縮ファイル名> <圧縮対象パス>
```

次の例では、dir1というディレクトリを、dir1.zipというファイルに圧縮しています。

▼dir1ディレクトリをzip形式で圧縮する

```
$ zip -r dir1.zip dir1
  adding: dir1/ (stored 0%)
  adding: dir1/file-1.txt (stored 0%)
  adding: dir1/file-2.txt (stored 0%)
  adding: dir1/file-3.txt (stored 0%)
  adding: dir1/file-4.txt (stored 0%)
  adding: dir1/file-5.txt (stored 0%)
```

なお、ここで利用している-rオプションは、指定したディレクトリの下に含まれるファイルもまとめて圧縮するためのオプションです。-rオプションを指定しない場合には、ディレクトリだけが対象となり、そこに含まれるファイルは対象になりません。そのような利用がされることはほとんどありませんし、対象が単一のファイルであったとしても-rオプションは付けてかまいませんから、**zipファイルを作成するときは常に-rオプションを利用した方がよい**でしょう。

作成した圧縮ファイルの内容を確認するには、zipinfoコマンドを使用します。このコマンドは、unzipパッケージに含まれています。

▼zipファイルの内容を確認

```
$ zipinfo dir1.zip
Archive:  dir1.zip
Zip file size: 950 bytes, number of entries: 6
drwxr-xr-x  3.0 unx        0 bx stor 10-Feb-15 21:44 dir1/
-rw-r--r--  3.0 unx        0 bx stor 10-Feb-15 21:44 dir1/file-1.txt
-rw-r--r--  3.0 unx        0 bx stor 10-Feb-15 21:44 dir1/file-3.txt
-rw-r--r--  3.0 unx        0 bx stor 10-Feb-15 21:44 dir1/file-5.txt
-rw-r--r--  3.0 unx        0 bx stor 10-Feb-15 21:44 dir1/file-2.txt
-rw-r--r--  3.0 unx        0 bx stor 10-Feb-15 21:44 dir1/file-4.txt
6 files, 0 bytes uncompressed, 0 bytes compressed:  0.0%
```

圧縮したzipファイルを展開するには、unzipコマンドを使います。

▼zipファイルの展開

```
$ unzip dir1.zip
Archive:  dir1.zip
   creating: dir1/
 extracting: dir1/file-1.txt
 extracting: dir1/file-2.txt
 extracting: dir1/file-3.txt
 extracting: dir1/file-4.txt
 extracting: dir1/file-5.txt
```

なお、zipコマンドは圧縮を行うときに、どのファイルを圧縮しているのかを表示します。ファイル数が非常に多いときなど、ファイル名を表示したくない場合は-qオプションを指定すると処理中のファイル名を表示しなくなります。

▼対象ファイル名を表示せずにzipファイルを作成

```
$ zip -rq dir1.zip dir1
```

同様にunzipコマンドでも-qオプションを指定すると、どのファイルを展開しているのかを出力しないようになります。

▼対象ファイル名を表示せずにzipファイルを展開

```
% unzip -q dir1.zip
```

## パスワード付きzipファイル

zipファイルを作成するときにパスワードを設定することができます。このようなzipファイルは、パスワードを知らないと展開できません。

パスワード付きのzipファイルを作成するには、-eオプションを利用します。

▼パスワード付きzipファイルの作成

```
$ zip -er dir1.zip dir1
Enter password:
Verify password:
  adding: dir1/ (stored 0%)
  adding: dir1/file-1.txt (stored 0%)
  adding: dir1/file-2.txt (stored 0%)
  adding: dir1/file-3.txt (stored 0%)
  adding: dir1/file-4.txt (stored 0%)
  adding: dir1/file-5.txt (stored 0%)
```

上の例のように-eオプションを指定すると、まずはじめに「Enter password:」というプロンプトが表示されます。ここに設定したいパスワードを入力すると、続いてパスワードを確認するための「Verify password:」というプロンプトが表示されます。再び同じパスワードを入力すれば、パスワード付きzipファイルが作成されます。

パスワード付きzipファイルは、通常のzipファイルと同じくunzipコマンドで展開できます。

▼パスワード付きzipファイルの展開

```
$ unzip dir1.zip
Archive:  dir1.zip
   creating: dir1/
[dir1.zip] dir1/file-1.txt password:
 extracting: dir1/file-1.txt
 extracting: dir1/file-2.txt
 extracting: dir1/file-3.txt
 extracting: dir1/file-4.txt
 extracting: dir1/file-5.txt
```

unzipコマンド実行時に、対象のzipファイルがパスワード付きで圧縮されている場合にはパスワード入力のプロンプトが表示されます。ここで正しいパスワードを入力すれば、zipファイルを展開することができます。

**おわりに**

本章で解説したアーカイブと圧縮の機能を使うと、多くのファイルを整理して保管できるようになります。また、Webサイトなどからダウンロードできるファイルは多くの場合圧縮されていて、そのままでは使用できません。そのようなときには本章の手順を参考にしてください。

## Column　GNOMEとKDE - Linuxのデスクトップ環境

本書はCLI（コマンドライン）を利用したLinux入門書であるため、GUI環境についてはほとんど解説していません。しかし現代のLinuxはGUI環境も充実していることから、これを利用したいと考える読者も多いことでしょう。

LinuxのGUIは、グラフィック環境の土台となる「X Window System」、ウィンドウを制御する「ウィンドウマネージャ」、パネルやメニューなどのユーティリティ類を提供する「デスクトップ環境」という3つの部品から構成されています。ウィンドウマネージャやデスクトップ環境はそれぞれ個別のソフトウェアとして提供されているため、Linuxでは自分好みのGUI環境に簡単に入れ替えることができます。一方、WindowsやmacOSではGUI環境がOSと一体化しているため、ユーザがカスタマイズできるのはウィンドウの色や壁紙などのごく一部だけです。このようにGUI環境がOSから分離されていることはLinuxの大きな特徴です。

LinuxでGUI環境を利用するにはウィンドウマネージャだけを使ってもかまわないのですが、実際には利便性のために、デスクトップ環境とそれに付属するウィンドウマネージャをセットで導入するのが普通です。このデスクトップ環境として現在広く使われているのが、「GNOME」と「KDE」です。どちらも広く使われており、実現できることにあまり差はありませんから、このどちらを選んでもかまいません。見た目や操作性はGUI環境にとって重要な要素ですから、読者の皆さんの好みに合う方を選べばよいでしょう。

現在はKDEよりもGNOMEの方が人気のようですが、GUI環境は流行り廃りが激しいため、主流となるものは今後も変わっていくことでしょう。他のデスクトップ環境としては、軽量なLXQtや、GNOMEから派生したCinnamonがユーザを増やしつつあります。

# Chapter 19

# バージョン管理システム

本章では、Gitというファイルの変更履歴を管理するためのツールの使い方を学びます。

Gitは非常に便利で強力なツールで、ファイルの変更や削除を行う際、自動的にその履歴を管理してくれます。そのため、ファイルごとのバックアップや変更履歴の管理を手で行う必要がなくなります。初心者にはとっつきにくい部分があるかもしれませんが、しばらく使ってみればその便利さが実感できることでしょう。現在では多くの開発現場でGitが利用されています。ぜひ今のうちに基礎知識を身につけておいてください。

# 01 バージョン管理システムとは

Linuxを使う上で、皆さんはさまざまなファイルを作成し、それらのファイルを何度も修正しながら作業を進めていくことになります。たとえばメモを書いたテキストファイルやbashの設定ファイル、自分で作ったシェルスクリプトなどは、いったん作成すればそれで終わりではなく、その後何度も追加や変更を加えていきます。

そうしてファイルの編集作業を繰り返していると、誤った修正を加えてしまうことがあります。また、不要と考えて削除した内容が後で必要になった、というのもよくあるパターンです。毎回の編集時にファイルを上書き保存していると、このような誤りから復旧するには過去の内容を思い出しながら手作業で修正する必要があります。それでは大変ですし、正しく復旧できるとも限りません。このため、過去の特定の時点にファイルの状態を巻き戻せる仕組みがあると便利です。

ある時点のファイルの状態を保存しておく方法として、ファイルを編集する前に手でコピーを取っておくというやり方が考えられます。たとえば次のように、ファイルの末尾に編集日付を入れてコピーしておく、という手法はよく見られます。

▼バックアップファイルを作成する

```
$ cp file.txt file.txt.20141115
```

この方法でも、過去の状態に巻き戻すという目的は達成できます。しかし、何度も修正を繰り返していくと次のようにコピーがどんどん増えていきます。

▼たくさんのバックアップファイルが作成されている

```
$ ls
file.txt
file.txt.20141115
file.txt.20141116
file.txt.20141203
file.txt.20141203.bak
file.txt.20141204
file.txt.20141204.old
file.txt.20150106
...以下省略...
```

このような状態になってしまうと、もうファイルの管理が手に負えなくなってしまいます。ある変更をファイルに加えた時点まで巻き戻そうと思っても、そのファイルはどれなのかが簡単にはわかりません。

このような問題を解決するためのツールがバージョン管理システムです。バージョン管理システムは、ファイルのコピーを手作業で取らずに済むように、**ファイルの変更履歴を保存し管理するためのツール**です。これは主に、次の2つの目的のために使用します。

- ファイルに対して「いつ、誰が、どういう目的で、どういう変更を加えたのか」を記録し、閲覧できるようにする
- 必要に応じてファイルを過去の状態に巻き戻す

バージョン管理システムにはいくつも種類がありますが、本書ではその中でも特に有名なGitについて解説します。Gitは現在広く使われているバージョン管理システムで、Linuxカーネルを始めとしてさまざまなプロジェクトで利用されています。皆さんがこれから学習を進めていく中でもきっと利用することがあるため、ここで使い方を学んでおきましょう。

# 02 Gitのインストールと初期設定

まずはじめに、Gitがインストールされているか確認しましょう。次のように--versionオプションを付けてgitコマンドを実行してみてください。

▼Gitのバージョンを確認する

```
$ git --version
git version 2.34.1
```

ここで「コマンドが見つかりません」のようなエラーメッセージが表示される場合は、Gitがまだインストールされていません。Gitは多くのディストリビューションでパッケージとして提供されているため、これをインストールしましょう。

CentOS Streamの場合は、suコマンドでスーパーユーザになった後に、dnfコマンドでGitをインストールすることができます。

▼dnfでGitをインストール（CentOS Stream）

```
# dnf install git
...(省略)....
Is this ok [y/d/N]: y  ◀──── yを入力
```

一方、Ubuntuの場合はaptコマンドを使ってインストールします。

▼aptでGitをインストール(Ubuntu)

```
$ sudo apt install git
```

これらdnfおよびaptコマンドの詳しい使い方については、CHAPTER20を参照してください。

## Gitの初期設定

Gitを使いはじめるにあたって、まずは名前とメールアドレスを設定する必要があります。次のようにgit configコマンドを実行してください。

▼Gitの初期設定:

```
$ git config --global user.name 'osumi'
$ git config --global user.email 'osumi@example.com'
```

これはGitを使っているユーザは誰なのかをGitに伝えるための設定で、特にファイルに変更を加えたユーザの情報として使用されます。

次に、新しいリポジトリを作成したときの最初のブランチ名を設定しましょう。ここでリポジトリとブランチという新しい用語が出てきました。リポジトリとは、ファイルの履歴を保存している場所のことです。また、ブランチとはファイルを変更した履歴の道筋を表すものです。リポジトリやブランチについてはまた後で解説するので、ここでは一旦そのようなものがあることだけ理解してください。

新しくGitのリポジトリを作成したときは、その中にブランチが一つ作成されます。このとき、特に指定していない場合はmasterという名前のブランチが作成されます。かつては多くの人が、masterをそのまま開発の本流を表すブランチとして使用していました。

このmasterという名前は、元をたどればmasterとslave、つまり主人と奴隷という言葉に由来します。そのような差別的な制度を連想させる用語は避けたほうがよいという声が近年高まってきました。互換性を維持するために現在でもデフォルトのブランチ名はmasterのままですが、将来それが変更される可能性もあります。このような事情で、現在ではリポジトリを作成するときは明示的にブランチ名を指定することが推奨されています。

それでは、実際にデフォルトのブランチ名を設定してみましょう。masterに代わってmainやtrunkなどがよく使われる名前です。例えばmainと設定するためには、次のコマンドを実行します。

▼デフォルトのブランチ名を設定する:

```
$ git config --global init.defaultBranch main
```

これ以降、新しいリポジトリで初期作成されるブランチの名前がmainになります。どのような名前であっても機能的な差はありません。分かりやすい名前を指定してください。本書ではmainという名前を使うことにします。なお、これはあくまでも最初に作成されるブランチの名前を設定しているだけです。必要があれば作成されたブランチの名前は後から変更できます。

これ以外にもGitにはさまざまな設定項目がありますが、ここではその中でも便利な機能である、出力をカラーにする設定を紹介します。この設定を有効にするには次のように指定します。

▼カラー出力を有効にする設定:

```
$ git config --global color.ui auto
```

なお、これらの設定は~/.gitconfigファイルに保存されます。catコマンドで設定した内容を確認してみてください。

▼Gitの設定確認:

```
$ cat ~/.gitconfig
[user]
        name = osumi
        email = osumi@example.com
[init]
                defaultBranch = main
[color]
        ui = auto
```

# 03 基本的な使い方

これでGitを使う準備が整いました。いよいよGitを使ったバージョン管理を始めてみましょう。

## リポジトリの作成

CHAPTER17で、findgrep.shというシェルスクリプトを作成しました。今回はそのシェルスクリプトを作成、修正していく履歴をGitで管理することにします。

まずはじめに、作業を行うための新しいディレクトリを作成します。ディレクトリ名は何でもよいのですが、ここではfindgrepという名前にしました。

▼新しいディレクトリを作成する

```
$ mkdir -p ~/git/findgrep
```

そして、このディレクトリに移動してgit initコマンドを実行します。

▼ディレクトリを初期化する

```
$ cd ~/git/findgrep
$ git init
Initialized empty Git repository in /home/osumi/git/findgrep/.git/
```

git initは初期化のためのコマンドで、実行すると.gitというディレクトリが作成されます。

▼.gitディレクトリが作成される

```
$ ls -a
.  ..  .git
```

この.gitディレクトリが、Gitのリポジトリの実体です。

**リポジトリとは、Gitがファイルの履歴を保存している場所**のことです。これからGitを操作してファイルの変更履歴を登録していきますが、それらの履歴はすべてこのリポジトリに記録されます。また、過去の状態に巻き戻すときもこのリポジトリから内容を取り出します。リポジトリはGitを使う上で一番大切な場所ですから、間違って削除しないようにしましょう。

リポジトリに保存したファイルはGitによって特別な形式に変換されているため、中のファイルを直接エディタなどで編集することはできません。そのためファイルを編集する際には、リポジトリの内容を通常のファイルとして復元する必要があります。そうして**リポジトリの内容をファイルとして展開する場所をワークツリー**と呼びます。今回の例ではfindgrepディレクトリがこのプロジェクトでのワークツリーです。ファイルの作成や編集の作業はワークツリーで行います。

表19-01　ここでのディレクトリ構成

| ディレクトリ | 役割 |
|---|---|
| ~/git/findgrep/.git/ | リポジトリ |
| ~/git/findgrep/ | ワークツリー |

## リポジトリにファイルを追加する

リポジトリが作成できたので、さっそくファイルをバージョン管理してみましょう。findgrep.shというシェルスクリプトを作成します。

▼バージョン管理するファイルを作成する

```
$ touch findgrep.sh
$ chmod 755 findgrep.sh
$ vim findgrep.sh
....（編集作業を行う）....
```

まずはこのシェルスクリプトの最初のバージョンということで、ここでは次の4行だけ書きました。

リスト19-01　新しく作成したファイルfindgre.shの内容

```
#!/bin/bash

pattern=$1
find . -type f | xargs grep -nH "$pattern"
```

このファイルをGitのリポジトリに履歴として追加してみましょう。リポジトリに追加するには、git addとgit commitという2つのコマンドを使用します。

git addは、どのファイルをリポジトリに履歴として追加するのかを指定するコマンドです。今の時点では、findgrep.shはまだバージョン管理の対象となっていません。そのためまず**git addコマンドで、リポジトリに履歴として追加する**よう指定します。

▼履歴に追加するファイルを指定する

```
$ git add findgrep.sh
```

続いて、git commitコマンドを実行します。**git commitは、実際にリポジトリにファイルの変更履歴を追加する**ためのコマンドです。なおgit commitする際には、次のように-mオプションを指定して、今回の修正に対するメッセージを入力します。

▼リポジトリにファイルを登録する

```
$ git commit -m 'findgrep.sh新規作成'
[main (root-commit) 49c65bb] findgrep.sh新規作成
 1 file changed, 4 insertions(+)
 create mode 100755 findgrep.sh
```

これでGitリポジトリにファイルの内容が登録され、履歴が先に進みました。この内容はGitリポジトリの履歴の中で1つの版（バージョン）として保存されます。同様の操作を繰り返すたびに、ファイルの内容がリポジトリに履歴として登録されていきます。

このように保存されていく、**ある時点でのプロジェクトの状態のことを「リビジョン」または「コミット」と呼びます**。また、新しいリビジョンをGitリポジトリに登録することを「コミットする」と呼びます。

## 差分の表示と再コミット

別の修正を行って、もう一度コミットしてみましょう。まずはエディタでfindgrep.shファイルを開いて、内容を次のように変更します。

リスト19-02　変更したファイルの内容

```
#!/bin/bash

pattern=$1
directory=$2
if [ -z "$directory" ]; then
    directory='.'
fi
find "$directory" -type f | xargs grep -nH "$pattern"
```

再びファイルをコミットしますが、その前に、git statusとgit diffという2つの新しいコマンドをここで紹介しましょう。

git statusは、現在のワークツリーの状態を表示するためのコマンドです。

▼ワークツリーの状態を表示する

```
$ git status
  On branch main
  Changes not staged for commit:
    (use "git add <file>..." to update what will be committed)
    (use "git restore <file>..." to discard changes in working
directory)
        modified:   findgrep.sh

no changes added to commit (use "git add" and/or "git commit -a")
```

今はfindgrep.shファイルに変更を加えたので、5行目に「modified:」と表示されています。この変更の差分を確認するためには、git diffコマンドを使用します。

▼差分を表示する

```
$ git diff
diff --git a/findgrep.sh b/findgrep.sh
index 2e5c91d..4358329 100755
--- a/findgrep.sh
+++ b/findgrep.sh
@@ -1,4 +1,8 @@
 #!/bin/bash
```

```
 pattern=$1
-find . -type f | xargs grep -nH "$pattern"
+directory=$2
+if [ -z "$directory" ]; then
+  directory='.'
+fi
+find "$directory" -type f | xargs grep -nH "$pattern"
```

git diffコマンドで表示される差分は、CHAPTER12で紹介したdiffコマンドのユニファイド形式で表示されます。このように、変更した内容が簡単に確認できるのもバージョン管理システムを使用しているメリットの1つです。エディタの操作を誤って意図しない変更が混ざってしまったとしても、git diffコマンドを使えばそれに気がつくことができます。コミットする前には、変更内容に誤りがないかどうか差分を確認することをお勧めします。

ここでは差分を確認したところ問題がないようですから、ファイルをコミットしましょう。バージョン管理システムの種類によっては、ファイルを新規作成した場合と既存ファイルを編集した場合で、コミットの操作手順が変わることがあります。しかし、Gitでは新規作成でも編集でも手順は変わりません。はじめと同じように、git addとgit commitを行います。

▼もう一度ファイルを追加する

```
$ git add findgrep.sh
```

続いて、今回はメッセージを入力するための-mオプションを指定せず、そのままgit commitコマンドを実行してみましょう。

▼オプションを付けずにコミットする

```
$ git commit
```

このように-mオプションを指定しないでgit commitを実行すると、ログメッセージ入力のために自動的にエディタが起動します。特にどのエディタを使用するか設定していない場合、通常はVimが起動します。エディタを利用してこのコミットに対するログメッセージを書きましょう。

リスト19-03　ログメッセージを書く

```
ファイルを探すディレクトリを指定できるようにする

ディレクトリを移動しなくても任意の場所からファイルを探せるようにするため
# Please enter the commit message for your changes. Lines starting
# with '#' will be ignored, and an empty message aborts the commit.
```

```
# On branch main
# Changes to be committed:
#       modified: findgrep.sh
#
```

なお、コミットに対するログメッセージは、次のような形式が標準的な書き方です。

1行目　　　：変更の概要
2行目　　　：空行
3行目以降　：詳細メッセージ

このメッセージは、どのような変更を行ったのかを後から調べるときの手がかりになりますから、わかりやすく書くことを心がけましょう。また、3行目以降の詳細メッセージの部分には、変更を行った理由を書くとよいでしょう。どんな変更を行ったのかはファイルを比較すればわかりますが、その理由まではわからないためです。

また、#で始まる行がはじめから何行か入力されていますが、これらはコメントとして無視されるのでそのまま残しておいてかまいません。

ログメッセージを書いたらエディタを保存して終了します(Vimの場合は **:wq** です)。これでもう1つリビジョンがコミットされました。

▼再度コミット

```
$ git commit
[main 6156375] ファイルを探すディレクトリを指定できるようにする
 1 file changed, 5 insertions(+), 1 deletion(-)
```

## 変更の履歴を確認する

ここまでで2回コミットを行いました。この履歴はGitのリポジトリに保存されているので、いつでも見ることができます。変更の履歴を確認するにはgit logコマンドを使います。

▼履歴を確認する

```
$ git log
commit 6156375160fcc9021a406e21cee0c510cc34159d
Author: osumi <osumi@example.com>
Date:   Thu Feb 19 08:20:03 2015 +0900

    ファイルを探すディレクトリを指定できるようにする

    ディレクトリを移動しなくても任意の場所からファイルを探せるようにするため

commit 49c65bb754e350c68959e08d20af0dd19f4561cf
```

```
Author: osumi <osumi@example.com>
Date:   Thu Feb 19 05:54:15 2015 +0900

    findgrep.sh新規作成
```

git logコマンドで表示される履歴では、**commitという行が1つぶんのコミット情報の始まり**を表しています。commitで始まる行には40文字の文字列(ここでは6156375160fcc.....など)が表示されています。これはコミットのオブジェクト名と呼ばれ、1つのコミットを特定する一意的なキーとして使用されます。その次の行には著者(Author)、変更日時(Date)、コミットメッセージが表示されています。

また、git logに-pオプションを指定すると、コミットごとの差分もあわせて表示されます。

▼履歴表示で差分も表示する

```
$ git log -p
commit 6156375160fcc9021a406e21cee0c510cc34159d
Author: osumi <osumi@example.com>
Date:   Thu Feb 19 08:20:03 2015 +0900

    ファイルを探すディレクトリを指定できるようにする

    ディレクトリを移動しなくても任意の場所からファイルを探せるようにするため

diff --git a/findgrep.sh b/findgrep.sh
index 2e5c91d..4358329 100755
--- a/findgrep.sh
+++ b/findgrep.sh
@@ -1,4 +1,8 @@
 #!/bin/bash

 pattern=$1
-find . -type f | xargs grep -nH "$pattern"
+directory=$2
+if [ -z "$directory" ]; then
+  directory='.'
+fi
+find "$directory" -type f | xargs grep -nH "$pattern"

commit 49c65bb754e350c68959e08d20af0dd19f4561cf
Author: osumi <osumi@example.com>
Date:   Thu Feb 19 05:54:15 2015 +0900

    findgrep.sh新規作成
```

```
diff --git a/findgrep.sh b/findgrep.sh
new file mode 100755
index 0000000..2e5c91d
--- /dev/null
+++ b/findgrep.sh
@@ -0,0 +1,4 @@
+#!/bin/bash
+
+pattern=$1
+find . -type f | xargs grep -nH "$pattern"
```

git logで表示されるコミットのオブジェクト名は、リポジトリ内の特定のコミットを指すためにさまざまな場面で使われます。たとえば、git diffコマンドの後ろにオブジェクト名を指定すると、そのコミットを行った直後の状態から現在のワークツリーまでの差分を表示します。

▼ある特定のコミットからの差分を表示する

```
$ git diff 49c65bb754e350c68959e08d20af0dd19f4561cf
diff --git a/findgrep.sh b/findgrep.sh
index 2e5c91d..4358329 100755
--- a/findgrep.sh
+++ b/findgrep.sh
@@ -1,4 +1,8 @@
 #!/bin/bash

 pattern=$1
-find . -type f | xargs grep -nH "$pattern"
+directory=$2
+if [ -z "$directory" ]; then
+  directory='.'
+fi
+find "$directory" -type f | xargs grep -nH "$pattern"
```

オブジェクト名は40文字もあるため一見すると長くて指定しにくいですが、コミットが一意的に定まる範囲で後ろを省略してもよい決まりになっています。通常は先頭の7文字程度を指定すればよいでしょう。

▼オブジェクト名の後ろを省略する

```
$ git diff 49c65bb
diff --git a/findgrep.sh b/findgrep.sh
index 2e5c91d..4358329 100755
```

```
--- a/findgrep.sh
+++ b/findgrep.sh
... 以下省略 ...
```

このように、Gitを使えば「いつ、誰が、どういう目的で、どういう変更を加えたのか」が保存され、履歴としてわかります。git addとgit commitを繰り返して履歴を進めて、git diffやgit logで履歴を確認するというのがGitのもっとも基本的な使い方です。

ここまでに出てきたコマンドを、次の表にまとめておきます。

表19-02 Gitの基本的なコマンド

| コマンド | 内容 |
|---|---|
| git init | リポジトリを作成する |
| git add | コミット対象として登録する |
| git commit | コミットする |
| git status | ワークツリーの状態を表示する |
| git diff | 差分を表示する |
| git log | 履歴を表示する |

これだけのコマンドでも最低限の操作ができるため、皆さんもリポジトリを作成してGitの基本操作を練習してみてください。

# 04 ワークツリーとインデックス

先ほどファイルをコミットするときに、git addとgit commitという2つのコマンドを使用しました。ここで、それぞれのコマンドの意味をもう少し詳しく見てみましょう。

これらのコマンドの仕組みを知るには、まずGitのインデックスという領域について理解する必要があります。Gitでは、ワークツリーにあるファイルを直接コミットしてリポジトリに反映させるのではなく、**いったんインデックスと呼ばれる領域に配置する**決まりになっています。

インデックスとは、次の図のようにコミットの前にワークツリーのファイルを一時的に配置するための領域です。そして、ワークツリーからインデックスにファイルを登録するためのコマンドがgit addです。

図19-01 ワークツリーとインデックス

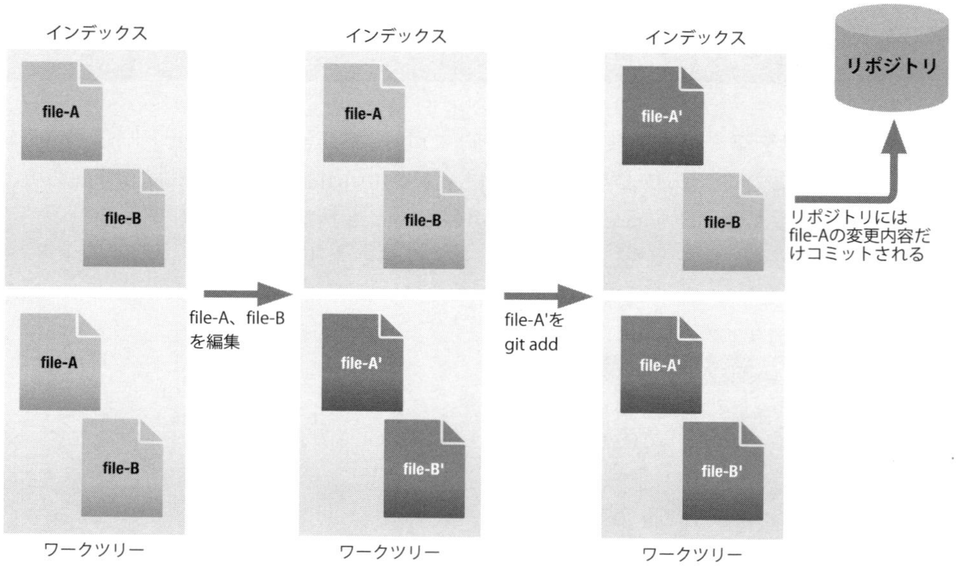


ワークツリーとインデックスは別の領域で、内容が一致していないこともありえます。たとえば、ワークツリーで2つファイルを修正して、そのうち1つのファイルだけをインデックスに登録することもできます。また、いったんgit addコマンドでインデックスに登録した後にワークツリーのファイルを修正した場合は、後の修正はインデックスには含まれません。

git addコマンドは何回かに分けて使用してもよいため、作業が終わったファイルから順にインデックスに登録するという使い方もできます。そして、**git commitコマンドを実行するとインデックスに登録されている内容がリポジトリに登録**されます。

ワークツリー、インデックス、リポジトリと3つの領域の違いをはっきりさせるために、git diffコマンドでそれぞれの差分を確認してみましょう。

まずgit diffコマンドは、特に何も指定しなければワークツリーとインデックスの差分を表示します。

▼ワークツリーとインデックスの差分を表示する

```
$ git diff
diff --git a/findgrep.sh b/findgrep.sh
index 4358329..6bc5648 100755
--- a/findgrep.sh
+++ b/findgrep.sh
@@ -5,4 +5,7 @@ directory=$2
 if [ -z "$directory" ]; then
   directory='.'
 fi
```

```
+
+# -n : print line number
+# -H : print the file name
 find "$directory" -type f | xargs grep -nH "$pattern"
```

続いて、次のようにgit addでファイルをインデックスに登録すると、ワークツリーとインデックスが同じ状態になります。そのため、git diffコマンドを実行しても差分がないため何も表示されません。

▼git addの直後は差分が表示されない

```
$ git add findgrep.sh
$ git diff
```

しかしまだコミットはしていないので、インデックスとリポジトリには差分があります。インデックスとリポジトリの差分を表示するには、git diffコマンドに--cachedオプションを指定します。

▼インデックスとリポジトリの差分を表示する

```
$ git diff --cached
diff --git a/findgrep.sh b/findgrep.sh
index 4358329..6bc5648 100755
--- a/findgrep.sh

+++ b/findgrep.sh
@@ -5,4 +5,7 @@ directory=$2
 if [ -z "$directory" ]; then
   directory='.'
 fi
+
+# -n : print line number
+# -H : print the file name
 find "$directory" -type f | xargs grep -nH "$pattern"
```

別の言い方をすると、git diff --cachedコマンドでは、次にgit commitコマンドを実行したときにリポジトリにコミットされる差分が表示されます。git addしてからgit commitするとき、**実際にコミットされる内容を事前に確認したい**ときにこのコマンドを使います。

git addの後にワークツリーのファイルを編集すると、ワークツリーとインデックスに差分ができます。これでワークツリー、インデックス、リポジトリと3つの領域がそれぞれ異なる状態になりました。ワークツリーとリポジトリとの差分は、git diffコマンドにHEADという引数を指定すると表示できます。つまり、git diffとgit diff --cachedを合わせた差分が表示されます。

▼ワークツリーとリポジトリの差分を表示する

```
$ git diff HEAD
diff --git a/findgrep.sh b/findgrep.sh
index 4358329..0f473cd 100755
--- a/findgrep.sh
+++ b/findgrep.sh
@@ -3,6 +3,10 @@
 pattern=$1
 directory=$2
 if [ -z "$directory" ]; then
+  # current directory
   directory='.'
 fi
+
+# -n : print line number
+# -H : print the file name
 find "$directory" -type f | xargs grep -nH "$pattern"
```

# 05 コミットの単位とインデックス

このように、Gitでワークツリーとインデックスの領域が分かれているのは、コミットの単位を自由に操作できるようにするためです。

バージョン管理システムでは、1つのコミットの中には対応したい問題に関連する修正だけが含まれていることが推奨されています。たとえば、「不具合の修正」と「新機能の追加」という関連していない2つの修正を行っているときに、それらをまとめて1つのコミットにしてしまうと、後から差分を見たときにどこが不具合の修正でどこが新機能の追加なのかわからなくなってしまいます。

このようなとき、インデックスが役に立ちます。インデックスがあれば、ワークツリーでいろいろと修正を行った後でも、**次にコミットしたい内容だけをインデックスに追加する**という使い方ができます。まず不具合の修正をインデックスに登録してコミットしてから、続いて新機能の追加をインデックスに登録してコミットすれば、ワークツリーの作業内容を捨てずにきれいでわかりやすいコミットを作成することができます。

ただし、扱うファイルが増えてくると1つ1つのファイルをgit addで追加するのが大変になってきます。このようなときは、git addコマンドの-uオプションを使います。これは、Gitでバージョン管理しているすべてのファイルをインデックスに登録するためのオプションです。

▼変更したファイルをすべてインデックスに登録する

```
$ git add -u
```

これで、ワークツリーで編集した内容がすべてまとめてインデックスに登録されます。ファイルが多いときはこのオプションを使うと便利です。

ただし-uオプションでは、新規作成してまだ一度もコミットしていないファイルは含まれません。そのようなファイルも含めてインデックスに登録するには、-Aオプションを指定します。

▼すべてのファイルをインデックスに登録する

```
$ git add -A
```

これで、元からGitで管理されていて今回編集したファイルも、新しく作成したファイルも、すべてインデックスに登録されます。

# 06 誤りから復旧する

バージョン管理システムを使うメリットの1つが、**何か誤りが起きたときに過去の状態に巻き戻せる**ということです。Gitには誤りから復旧するためのさまざまな機能があります。ここでは、その中でもよく使う2つの機能を紹介します。

## ワークツリーに対する誤りからの復旧

まずは、ワークツリーに対する誤りから復旧する方法です。よくあるのが、エディタの操作を間違えてファイルの内容を壊してしまった場合です。または、誤って別のファイルで上書きコピーしてしまったり、ファイル自体を削除してしまったということもあります。

このようなときはgit restoreコマンドを使います。git restoreは、ファイルを特定のコミットの状態に巻き戻すコマンドです。主に、最新のコミットの状態に巻き戻すことでコミットしていない変更を取り消すために使われます。

リポジトリ内のすべてのコミットしていない変更を取り消したい場合は、ワークツリーの一番上のディレクトリに移動して次のコマンドを実行してください。

▼ワークツリーを元に戻す

```
$ git restore --worktree .
```

これで、ファイルの編集や削除をしてしまった状態がすべて元に戻ります。--worktreeと同じ意味で別名の-Wというオプションもあるので、そちらを指定してもかまいません。ただし、このオプションではインデックスに追加した内容は変化しません。インデックスに追加した内容を取り消したい場合は、--worktreeの代わりに--stagedオプション(もしくは-Sオプション)を指定します。

▼インデックスを元に戻す

```
$ git restore --staged .
```

これでインデックスの内容が元に戻ります。このときワークツリーの内容は変化しません。つまり、git addコマンドを実行する前の状態に戻ります。間違ってgit addコマンドを実行してしまった場合は、こうしてgit resotreコマンドで元に戻してください。インデックスとワークツリーの両方を元に戻したい場合は、これら2つのオプションを同時に指定してください。

▼ワークツリーとインデックスの両方を元に戻す

```
$ git restore --worktree --staged .
```

これでまだコミットしていない変更がすべて取り除かれ、ワークツリーとインデックスがリポジトリと同じ状態になります。また、--worktreeと--stagedのどちらも指定しなかった場合は--worktreeを指定したものとみなされます。

▼--worktreeオプションを省略する

```
$ git restore .
```

慣れてきたらこちらを使っても良いでしょう。

ただし、git restoreは変更を破棄するコマンドであることに注意してください。もし大切な修正内容があったとしても、まだコミットしていなければこのコマンドによって失われてしまいます。そのため、git diffコマンドなどで本当に現在の状態が無くなってしまってもよいのか、事前に確認するようにしてください。

git restoreは比較的新しいコマンドで、これが実装される前は代わりにgit checkoutやgit resetというコマンドが使われていました。これらのコマンドもまだ使用できるので、そちらを使っても間違いではありません。しかしgit checkoutとgit resetのどちらも、他の用途にも使える複雑なコマンドなので、ファイルの内容を復元したい場合には機能がシンプルなgit restoreを使うことをおすすめします。

## 誤ったコミットの復旧

もう1つは、誤った内容をコミットしてしまった場合の復旧方法です。

Gitのリポジトリの履歴を確認しているときに、誤った内容を過去にコミットしていたことに気がついたとします。このようなときはgit revertコマンドを使用すると、そのコミットを取り消すことができます。

**書式** **コミットを取り消す**

```
git revert <取り消したいコミットのオブジェクト名>
```

▼コミットを取り消す例

```
$ git revert 98bba19
```

コミットを取り消すと言っても、このコマンドによってGitの履歴からコミットがなくなるわけではありません。これは正確に言うと「そのコミットを打ち消す内容のコミットをする」というコマンドです。つまり、差分を見ながら手作業でその修正を取り除いてコミットするのと同じです。

git revertコマンドを実行すると、コミットのログを入力するためにエディタが起動します。そこで通常のコミットと同じようにログを入力すると、新しいコミットが作成されます。これで間違ったコミットを修正できます。特に、誤りが何箇所もあり手作業での修正が難しいときに便利なコマンドです。

このような復旧の方法を知っておけば、大きな変更でも失敗を恐れずに作業できるようになります。いずれ必要になるときが来るでしょうから、いざというときのために覚えておきたい操作です。

# 07 ブランチを使う

ソフトウェアの開発では、並行して作業が行われることがあります。たとえば新しい機能を開発しながら、別の不具合を修正するときなどです。そのようなお互いに関係のない変更は、それぞれ別の領域で作業ができると便利です。

Gitを含む多くのバージョン管理システムでは、1つのリビジョンから複数のコミットを派生させることができます。次の図では、コミットの履歴が2つに分岐している様子を表しています。このように、**枝分かれしたそれぞれの履歴の道筋のことをブランチ（枝）**と呼びます。

図19-02 Gitのブランチ

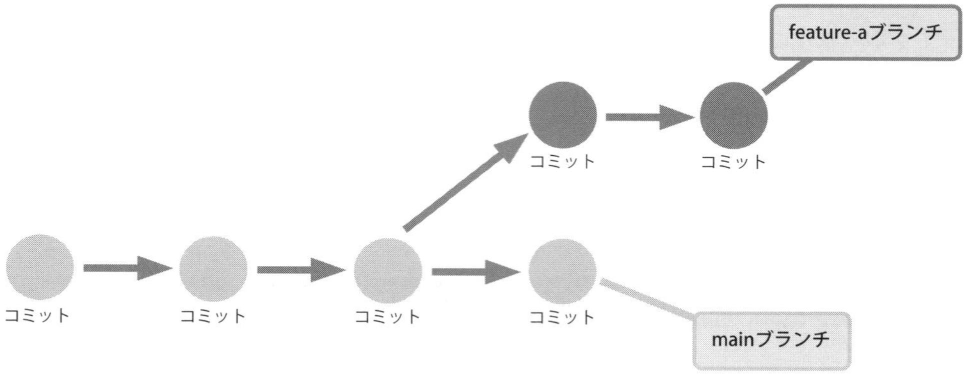


ブランチには名前を付けることができます。先ほどの図では、2つのブランチにそれぞれfeature-aとmainという名前が付けられています。なお正確に言うと、Gitのブランチとは、分岐した履歴の先頭にあるコミットを指し示すラベルのことです。

それでは、ブランチを使ってみましょう。実は皆さんはすでにmainというブランチを使っているはずです。ブランチ一覧を表示するにはgit branchコマンドを使用します。

▼ブランチを一覧表示する

```
$ git branch
* main
```

先頭に*が表示されているブランチが、今いるブランチです。このブランチが現在のワークツリーに展開されています。**mainというのはGitリポジトリを作成したときに自動的に作成されるブランチ**です。通常は、このmainブランチをプロジェクトの本流を表すメインのブランチとして使用します。このブランチの名前はgit configコマンドでinit.defaultBranchとして設定した値が使われます。本書の通りに設定していればmainという名前になっているはずですが、もちろん他の名前を使っても構いません。今はこれ以外にブランチを作成していないので、これまでの修正はすべてmainブランチに対してコミットされています。図で表すと次のとおりです。

図19-03 mainブランチ

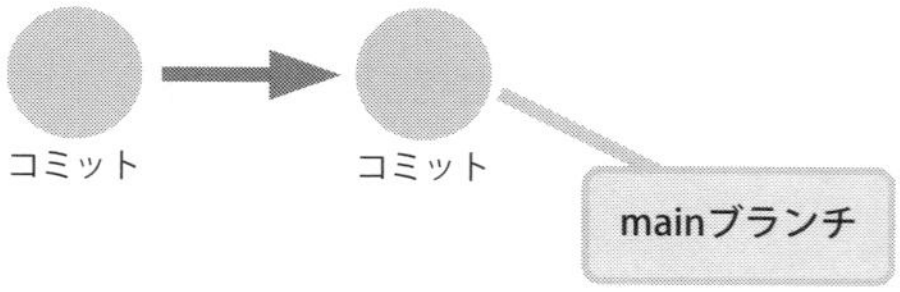

それでは、これまで作成してきたシェルスクリプトfindgrep.shに、検索ファイルを絞り込みできる機能を追加することにしましょう。今まではmainブランチを使っていましたが、新機能の追加ということで、新しいブランチを作ってそこにコミットしてみましょう。

**書式** 新しいブランチを作成する

```
git branch <ブランチ名>
```

ここではfeature-nameというブランチ名にします。

▼新しいブランチを作成する

```
$ git branch feature-name
```

git branchコマンドでブランチ一覧を確認してみると、feature-nameという新しいブランチが作られていることがわかります。

▼feature-nameブランチが作成されていることを確認

```
$ git branch
  feature-name
* main
```

ブランチを作成しただけなので、今はまだmainブランチにいる状態です。ブランチを切り替えるにはgit switchコマンドを使用します。

**書式** ブランチを切り替える

```
git switch <移動先ブランチ名>
```

▼ブランチを切り替える

```
$ git switch feature-name
Switched to branch 'feature-name'
```

本当にブランチが切り替わったのか、念のためgit branchコマンドで確認してみましょう。

▼feature-nameブランチに切り替わったことの確認

```
$ git branch
* feature-name
  main
```

このgit switchは比較的新しいコマンドで、かつては代わりにgit checkoutコマンドが使われていました。git restoreのときにも少し説明しましたが、git checkoutコマンドはできることが多くて分かりにくいところがあったので、役割ごとにコマンドを分けて機能を明確にしようという意図でgit switchとgit restoreという2つのコマンドが追加されました。git checkoutも引き続き使用可能ですが、本書ではgit switchを使うことにします。ただしgit switchとgit restoreはまだ実験的な段階のコマンドで、今後動作が変更される可能性があるとされています。これらのコマンドは多くのGitユーザに受け入れられているので、これから大きく挙動が変わる可能性は低いでしょう。しかしオプションの指定方法など細かな仕様が変わる可能性はあるので、念のため今後のバージョンアップには注意してください。

ここまでの履歴の状態を図で表すと次のとおりです。まだfeature-nameブランチには何もコミットしていないので、feature-nameとmainは同じコミットを指しています。

図19-04　新しいブランチを作成

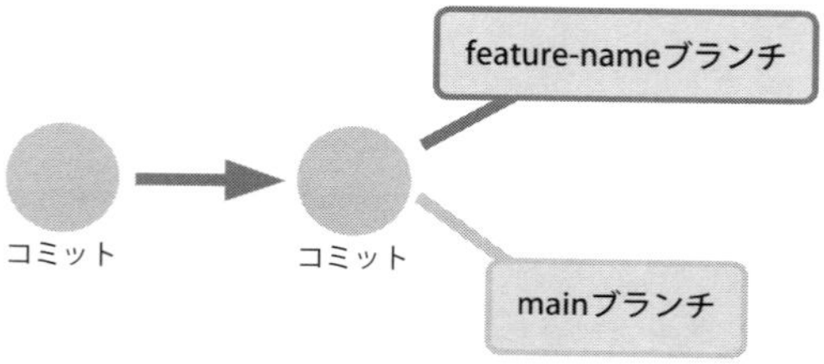


ここでコミットを行うと、現在のブランチが指し示す先が新しいコミットに移ります。言い換えると、現在のブランチのコミットが1つ先に進みます。今はfeature-nameブランチにいるので、図で表すと次のようになります。

図19-05　feature-nameブランチにコミット

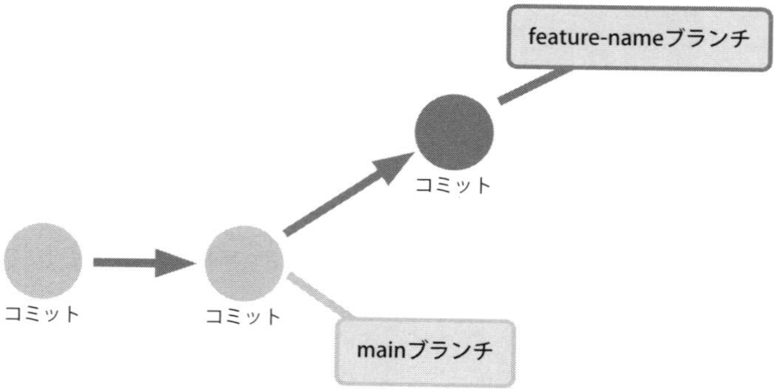


mainブランチは変化していないことに注意してください。これで2つのブランチに分岐しました。分岐したブランチはそれぞれ別物として区別されていますから、いつでも

mainブランチに戻ることができます。

▼mainブランチに戻る

```
$ git switch main
Switched to branch 'main'
```

mainブランチに戻ってからワークツリーのファイルを確認すると、feature-nameブランチで行った修正がなくなっていることがわかります。この状態でコミットをすると、feature-nameブランチはそのままでmainブランチのコミットが1つ進みます。図で表すと次のとおりです。

図19-06 mainブランチにコミット

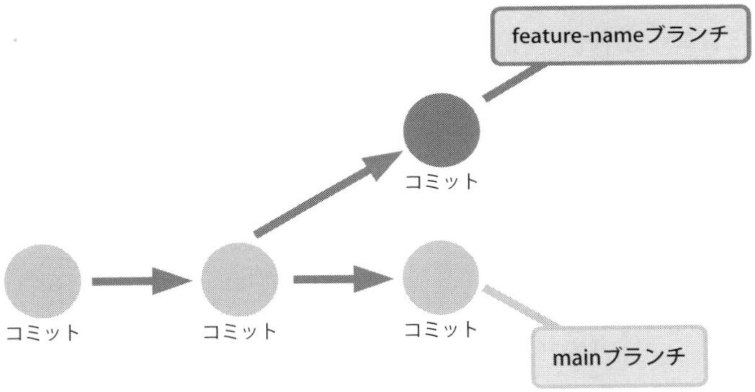


feature-nameブランチで適宜テストを行い問題ないとわかれば、mainブランチに内容を取り込みましょう。**1つのブランチの内容を別のブランチに取り込むことをマージ**と呼びます。

マージをするには、まずマージ先となるブランチに移動します。今回はfeature-nameブランチからmainブランチへマージしたいので、mainブランチに移動します。

▼マージ先ブランチに移動する

```
$ git switch main
```

その後、git mergeでブランチを指定してマージします。

書式 **指定したブランチを現在のブランチにマージする**

```
git merge <マージするブランチ名>
```

▼feature-nameブランチをマージする

```
$ git merge feature-name
```

このとき、次のようにエディタが起動することがあります。

▼マージする際にエディタが起動する

```
Merge branch 'feature-name'
# Please enter a commit message to explain why this merge is
necessary,
# especially if it merges an updated upstream into a topic branch.
#
# Lines starting with '#' will be ignored, and an empty message
aborts
# the commit.
```

これは、2つのコミットを1つにまとめるための新しいコミットを追加するためです。このコミットに対するコミットメッセージが必要なので、Gitがエディタを起動して入力を求めています。コミットメッセージを書いて保存、終了しましょう。このようなコミットのことをマージコミットと呼びます。

これで、feature-nameブランチの内容がmainブランチにマージされました。現在の状態を図で表すと次のとおりです。

図19-07 feature-nameブランチをmainブランチにマージ

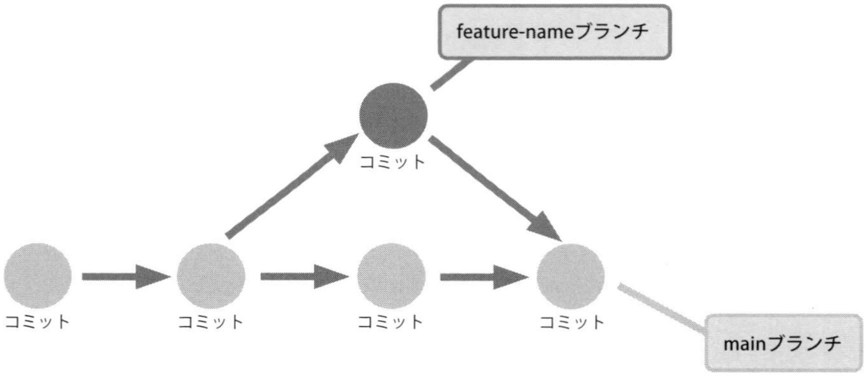


feature-nameブランチはもう必要ないので、削除することができます。ブランチを削除するときは、次のようにします。

書式 ブランチを削除する

```
git branch -d <ブランチ名>
```

▼ブランチを削除する

```
$ git branch -d feature-name
Deleted branch feature-name (was f26c8a3).
```

こうして、作成しているシェルスクリプトに新しい機能が追加できました。このように**ブランチを切り替えることで、異なる作業を並行して行う**ことができます。特に、今回の例のように1つの機能を追加するために作成するブランチのことを、トピックブランチと呼びます。

トピックブランチは、作業途中の状態を一時的に保存しておく場所として使用できます。たとえば、追加したい機能が大規模となり、1回のコミットでは対応しきれない場合があります。そのような変更を直接mainブランチにコミットしてしまうと、mainブランチの内容が中途半端な状態となって正しく動作しなくなるかもしれません。このようなときはトピックブランチを作成して、そのブランチに修正をコミットしていきます。ブランチを派生させているので、mainブランチは元の安定した状態で使用できます。

トピックブランチでは適宜テストを行い、必要があればさらにコミットを追加します。そして、トピックブランチでの修正が完了すれば、それをmainブランチにマージします。このようにすると、mainブランチは常に安定した状態としておけますし、**新しい機能を作成している途中でも機能を追加する前の元の状態にすぐ戻る**ことができます。

また、機能を追加しようとしたものの、開発を進めていくとどうもうまくできそうにないということもあります。そのときはトピックブランチを削除すれば、途中の作業をすべて削除できます。ただしこのケースでは、まだマージしていないブランチを削除するときには注意が必要です。マージしていないということは、削除するとそのブランチで行った変更の履歴が失われてしまいます。そのため、そのようなブランチを削除するときは、事前に本当に失われてもよい内容かどうか十分確認してください。

また、誤って履歴を失ってしまう事故を防ぐため、git branchコマンドの-dオプションではまだマージしていないブランチは削除できないようになっています。そのようなブランチを本当に削除する場合は、-Dオプションを利用して「git branch -D <削除するブランチ名>」と指定してください。

# 08 リポジトリのバックアップを作成する

今まで行った変更の履歴は、すべてリポジトリに保存されています。もしディスクの故障や誤操作などでこのリポジトリがなくなってしまうと、これまでの履歴がすべて失われてしまいます。安全のため、ここでリポジトリのバックアップを作成しておきましょう。

Gitでは複数のリポジトリを作成して、リポジトリ同士で履歴を共有することができます。そこで、バックアップ用のリポジトリを作成してこれまでの履歴をそこに登録することにします。作成する場所はどこでもよいのですが、今回は/home/osumi/share/findgrep.git/という場所に作成します。

▼バックアップ用リポジトリを作成する

```
$ mkdir -p /home/osumi/share/findgrep.git
$ cd /home/osumi/share/findgrep.git
$ git --bare init
Initialized empty Git repository in /home/osumi/share/findgrep.git/
```

バックアップ用のリポジトリを作成するときは、gif initコマンドに--bareオプションを付けることを忘れないでください。なお、--bareオプションを付けてリポジトリを作成するときは慣習として名前の最後に.gitと付けます。

それでは、今まで作業していたリポジトリから、このバックアップ用リポジトリに変更の履歴を送りましょう。まずは元のリポジトリに戻ります。

▼バックアップ元のリポジトリに移動する

```
$ cd ~/git/findgrep
```

変更の履歴を送るには、git pushコマンドを使用します。このコマンドの使用方法は次のとおりです。

書式 変更の履歴を送る

```
git push <送信先リポジトリ> <送信元ブランチ>:<送信先ブランチ>
```

<送信先リポジトリ>には、先ほど作成したバックアップ用リポジトリのパスを指定します。<送信元ブランチ>は、送る元となるブランチ、つまりバックアップしたいブランチを指定します。<送信先ブランチ>は、送信先リポジトリのどのブランチに履歴を送りたいのかを指定します。通常は<送信元ブランチ>と同じ名前を指定しておけばよいでしょう。今回の場合はどちらもmainブランチを指定することにします。

▼変更の履歴を送る

```
$ git push /home/osumi/share/findgrep.git main:main
Counting objects: 18, done.
Delta compression using up to 2 threads.
Compressing objects: 100% (12/12), done.
Writing objects: 100% (18/18), 2.00 KiB | 0 bytes/s, done.
Total 18 (delta 4), reused 0 (delta 0)
To /home/osumi/share/findgrep.git
 * [new branch]      main -> main
```

これで今までの作業内容がバックアップ用リポジトリに送られました。もし元のリポジトリが失われてしまったとしても、このリポジトリから復元することができます。

バックアップ用リポジトリから履歴を復元するには、git cloneコマンドを使用します。

**書式** リポジトリを複製する

```
git clone <複製元リポジトリ>
```

たとえば/home/osumi/workの下に複製したい場合は次のように操作します。

▼リポジトリを複製する

```
$ mkdir -p /home/osumi/work
$ cd /home/osumi/work

$ git clone /home/osumi/share/findgrep.git
Cloning into 'findgrep'...
done.
```

これで/home/osumi/share/findgrep.gitリポジトリの複製が作成されました。

▼複製したリポジトリの確認

```
$ ls /home/osumi/work
findgrep

$ ls -a /home/osumi/work/findgrep
.  ..  .git  findgrep.sh
```

複製したリポジトリには、複製元のコミット履歴がすべて含まれています。このようにすれば、バックアップ用リポジトリが残っている限り履歴を失うことはありません。これ以降、元のリポジトリで作業を行ったら、切りのよい所でgit pushコマンドを使ってバックアップ用リポジトリに履歴を送るようにしましょう。

▼再度変更の履歴を送る

```
$ git push /home/osumi/share/findgrep.git main:main
```

ただし、このコマンドは長いので、毎回入力するのは面倒です。そのため、git pushコマンドはもう少し短い名前で引数を指定できるようになっています。

まず、最後のmain:mainという部分では、送信元と送信先に同じブランチ名を指定しています。このように:の左と右が同じ場合は、省略して単にmainと書くことができます。

▼ブランチ名を省略する

```
$ git push /home/osumi/share/findgrep.git main
```

次に、push先リポジトリのパスには別名を設定できます。

書式 リポジトリパスに別名を設定する

```
git remote add <別名> <リポジトリパス>
```

たとえば/home/osumi/share/findgrep.gitというパスにoriginという名前を割り当てるには、次のようにします。

▼リポジトリパスに別名を割り当てる

```
$ git remote add origin /home/osumi/share/findgrep.git
```

ここで割り当てる名前は何でもよいのですが、**慣習としてoriginという名前**がよく使われます。割り当てた名前はgit remote -vコマンドで確認できます。

▼リポジトリパスの別名を一覧表示する

```
$ git remote -v
origin  /home/osumi/share/findgrep.git (fetch)
origin  /home/osumi/share/findgrep.git (push)
```

このように設定すると、push先リポジトリとしてoriginと指定すると/home/osumi/share/findgrep.gitを表すようになります。こうして、バックアップ用リポジトリへ履歴を送る操作を次のように省略して書けるようになりました。

▼リポジトリパスを別名で指定する

```
$ git push origin main
```

実は「origin」と「main」の部分も省略して書くことができます。しかし、これらの値を省略したときのルールは少々複雑で、またGitのバージョンアップによって動作が変わっているという経緯もあります。そのため本書ではこれ以上省略せずに、push先リポジトリとブランチ名を明示的に指定する方法を採用します。

# 09 2人以上で作業する

ここまではすべて、ひとりのユーザが自分のリポジトリに対して作業を行っていました。しかし、ある程度大きなプロジェクトの場合は複数のユーザで共同作業を行うのが普通です。このような場合に、バージョン管理システムを使っていると変更の履歴をうまく共有できます。

Gitでは、複数ユーザで作業を行う場合にはユーザそれぞれに対して1つのリポジトリを作成します。それぞれのユーザは自分のリポジトリに対してコミットを行い、履歴を進めていきます。ただし、これだけでは共同で開発していることにはなりません。Gitには、共同作業を行うためにリポジトリ間で変更の履歴を送る機能があります。さきほど紹介したgit pushコマンドもそのうちの1つです。

このように、それぞれのリポジトリが独立していて、リポジトリ同士で変更履歴を共有できる機能を持つバージョン管理システムのことを**分散型バージョン管理システム**と呼びます。Gitは代表的な分散型バージョン管理システムの1つです。

## 共有のリポジトリを作成する

共同作業する場合のリポジトリ構成はいろいろと考えられますが、典型的には次のようにします。

図19-08 共同作業でのリポジトリ構成

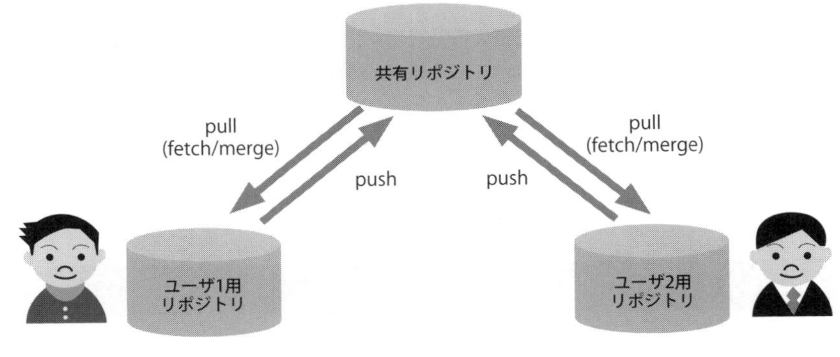


「ユーザ1用リポジトリ」「ユーザ2用リポジトリ」は各ユーザが作業するためのリポジトリで、「共有リポジトリ」は変更の履歴を全員で共有するためのリポジトリです。それぞれのユーザは、まず自分のリポジトリでコミットを行い、変更の履歴を作っていきます。切りのよい所まで進んだら、自分のリポジトリから共有リポジトリに対して変更の履歴を

送ります。また、他のユーザは共有リポジトリから自分のリポジトリに変更の履歴を取り込みます。こうすることによって、**共有リポジトリを経由して全ユーザの間で変更の履歴を共有**できます。

この使い方は、先ほど紹介したバックアップ用リポジトリを使う方法とよく似ています。バックアップ用リポジトリは、作業用のリポジトリと共にひとりのユーザだけで使っていました。これに対して共同作業を行う場合は、複数のユーザが1つのバックアップ用リポジトリを共有すると考えればよいでしょう。

共有リポジトリを作成する手順は、先ほどのバックアップ用リポジトリを作成する方法と同じです。「ユーザ2用リポジトリ」は「共有リポジトリ」をgit cloneコマンドで複製して作ります。これで共同作業の準備ができました。今のところ3つのリポジトリが持っている変更の履歴は同じ内容になっています。また、「ユーザ1用リポジトリ」「ユーザ2用リポジトリ」は、両方ともoriginとして「共有リポジトリ」を指しているものとします。

ここから修正を進めて履歴を共有する手順を見てみましょう。例として、「ユーザ1用リポジトリ」で修正を行って、それを「ユーザ2用リポジトリ」に取り込んでみます。まずは「ユーザ1用リポジトリ」で編集作業を行い、その内容をコミットします。

▼「ユーザ1用リポジトリ」でコミットする

```
$ vim findgrep.sh
....（編集を行う）....
$ git add findgrep.sh
$ git commit -m 'コメントを追加'
```

切りのよい所まで進んだら、この修正を「共有リポジトリ」に送りましょう。これには、先ほど説明したようにgit pushコマンドを使います。

▼変更を送信

```
$ git push origin main
```

それでは、「共有リポジトリ」から「ユーザ2用リポジトリ」に修正を取り込みます。
まず「ユーザ2用リポジトリ」に移動します。

▼ディレクトリを移動

```
$ cd /home/osumi/work
```

他のリポジトリにある修正を取り込むには、git fetchコマンドとgit mergeコマンドを使用します。

書式 他のリポジトリの変更を取り込む

```
git fetch <リポジトリ>
```

<リポジトリ>の部分はgit pushコマンドと同じく、リポジトリパスまたはgit remoteで登録した別名を使用します。そのため、次のようにして「共有リポジトリ」の修正を取得できます。

▼他のリポジトリの履歴を取得する

```
$ git fetch origin
```

git fetchコマンドで取得した履歴は、リモート追跡ブランチと呼ばれるブランチに保存されます。これは自分で作成したブランチとは別に、上流リポジトリの内容を取り込むためのブランチです。これに対して、元々あるmainブランチやgit branchコマンドで明示的に作成したブランチを、ローカルブランチと呼びます。リモート追跡ブランチは「リモート名/ブランチ名」という名前で自動的に作られます。リモート追跡ブランチを表示するには、git branchコマンドに-rオプションを指定します。

▼リモート追跡ブランチを表示する

```
$ git branch -r
  origin/HEAD -> origin/main
  origin/main
```

git fetchコマンドを実行してもリモート追跡ブランチが更新されるだけで、まだワークツリーやローカルブランチには反映されません。取得した変更をローカルブランチに反映するには、前出のgit mergeコマンドを使用します。

今回の場合は、取得した変更はorigin/mainというリモート追跡ブランチに保存されています。これをmainブランチに反映するには、次のようにします。

▼リモート追跡ブランチをマージする

```
$ git switch main  ←—— マージ先ブランチに移動する
$ git merge origin/main
```

これで「ユーザ2用リポジトリ」に「共有リポジトリ」の内容が反映されました。ここまでの手順で、「ユーザ1用リポジトリ」で行った変更が「共有リポジトリ」を経由して「ユーザ2用リポジトリ」に取り込まれたことになります。

また、git fetchとgit mergeコマンドはセットでよく使うため、これを1つにまとめたgit pullというコマンドも用意されています。git pullコマンドは次のように使用します。

▼git pullコマンドで履歴を取得する

```
$ git pull origin main
```

なお、このgit pullコマンドは、次のようにgit fetch/git mergeを行うのと同じです。

```
git fetch origin
git merge origin/main
```

つまり、originで指し示されるリポジトリのmainブランチの内容を、手元のリポジトリの現在のブランチにマージする、という意味になります。Gitの操作に慣れてきたら、このgit pullコマンドを使ってもよいでしょう。

これ以降、開発を進めるには、それぞれのユーザが自分のリポジトリの中で次のように作業を行います。

- ある程度の間隔(1日1回など)で、git fetch/git mergeを使って「共有リポジトリ」の内容を自分のリポジトリに反映させる
- 自分のリポジトリでコミットを行う
- 公開してもよい状態になったら、git pushコマンドを使って「共有リポジトリ」に履歴を送る

これが複数ユーザで共同作業するときの典型的なワークフローです。

実際の運用では、「共有リポジトリ」には全員から読み書きできるようなパーミッションを設定する必要があります。また、本格的に共同作業を行う場合には、通常「共有リポジトリ」は同じファイルシステム内には置かず、HTTPやSSHなどネットワークを経由して参照できるようにします。こうした環境の構築方法は本書の範囲を超えるため、ここでは解説しません。しかし、そのようにリポジトリがネットワークを経由した先にあったとしても、リポジトリを指し示すパスが絶対パスからURLに変わるだけでGitの操作は変わりません。そのため本書で解説した方法はそのまま活用できます。

# 10 競合を解決する

ここまでで何度かgit mergeコマンドを使用してきました。mergeは2つのコミットを1つにまとめる作業のことです。たとえば、「ユーザ1用リポジトリ」で作業をして、コミットを進めていたとします。それとは別に、「ユーザ2用リポジトリ」でも同じファイルを修正し、こちらは「共有リポジトリ」にpushまでしていました。ここでユーザ1用リポジトリにgit fetch/git mergeコマンドで「共有リポジトリ」の内容を反映させようとすると、どうなるでしょうか。

このとき、Gitは自動的にマージを行います。つまり、手元の修正と「共有リポジトリ」から取得した修正で矛盾がない場合は、それらを混ぜた新しいコミットが自動的に作成されます。そのときはエディタが起動するので、コミットメッセージを書いて保存、終了しましょう。これは同じリポジトリのブランチ間でマージを行う場合と同じです。

しかし、自動的にマージできないこともあります。たとえば「共有リポジトリ」に含ま

れるコミットでファイルの5行目を変更していて、手元のファイルでは同じ行を別の内容に編集している場合などです。この場合はgit mergeコマンドを行うとマージに失敗したことが通知されます。これを**競合(CONFLICT)**と呼びます。

▼マージの競合

```
$ git merge origin/main
Auto-merging findgrep.sh
CONFLICT (content): Merge conflict in findgrep.sh
Automatic merge failed; fix conflicts and then commit the result.
```

競合が発生したときは、git diffコマンドで差分を見ると次のように特別な記号が追加されています。

▼競合の差分

```
$ git diff
diff --cc findgrep.sh
index 7bebcc5,2a8ee17..0000000
--- a/findgrep.sh
+++ b/findgrep.sh
@@@ -2,7 -2,7 +2,11 @@@

  usage()
  {
++<<<<<<< HEAD
 +  local script_name=$(basename "$0")
++=======
+   local script_name=$(basename $0)
++>>>>>>> origin
    cat << END
  Usage: $script_name PATTERN [PATH] [NAME_PATTERN]
  Find file in current directory recursively, and print lines which match PATTERN.
```

❶

この例では、❶の部分が競合が発生した箇所です。

これはGitが自動的にマージを行えなかったということを示しています。そのため、エディタで該当のファイルを編集して手動で競合を解決する必要があります。**<<<<<<<**、**=======**、**>>>>>>>**という行も不要なので取り除いてください。

編集が終わったら、通常と同じようにgit add、git commitを行います。

▼競合を解決する

```
$ git add findgrep.sh
$ git commit -m 'ヘルプメッセージを修正'
```

これで競合が解決できました。

慣れないうちはどのように直すのかがわかりにくいこともありますが、差分をよく見て対応してください。また、ワークツリーで何か作業を行う前には、まずgit fetch/git mergeで「共有リポジトリ」の内容を反映させることで、競合が発生する頻度を少なくすることができます。

## 11 Gitのマニュアル

Gitには他のコマンドと同じように、詳細なmanページが用意されています。本書ではGitのすべての機能を紹介することはできないので、本書を超えてGitの詳細を学ぶためにはマニュアルを読んでみてください。

Gitにはcommitやlogなどたくさんのサブコマンドが含まれているため、コマンドごとにマニュアルが分割されています。まず､Git本体のマニュアルはman gitで表示されます。

▼Git本体のマニュアルを表示する

```
$ man git
```

コマンドごとに分割されたmanページを表示するには、「man git-<サブコマンド名>」のように、gitの後ろにハイフンを付けてサブコマンド名を指定します。たとえば、次の例ではgit logコマンドに関するmanページを表示しています。

▼git logのマニュアルを表示する

```
$ man git-log
```

また、git helpコマンドを使うとヘルプメッセージが表示されます。

▼gitのヘルプを表示する

```
$ git help
usage: git [--version] [--help] [-c name=value]
           [--exec-path[=<path>]] [--html-path] [--man-path] [--info-
path]
           [-p|--paginate|--no-pager] [--no-replace-objects] [--bare]
           [--git-dir=<path>] [--work-tree=<path>]
[--namespace=<name>]
           <command> [<args>]

...以下省略...
```

git helpの後にサブコマンド名を指定すると、そのコマンドに関するヘルプが表示されます。たとえば、次の例ではgit logコマンドのヘルプを表示します。

▼git logのヘルプを表示する

```
$ git help log
```

これは「man git-<サブコマンド名>」で表示されるmanページと同じ内容ですから、どちらを使ってもかまいません。

その他に、Gitにはconcept guide（概念の手引き）と呼ばれるマニュアルもあります。これらは特定のコマンドの説明ではなく、Gitの設計や内部構造、および運用方法について解説したマニュアルです。それらの中でも特に参考になるマニュアルを3つ紹介します。

表19-03　主なGitの手引きマニュアル

| マニュアル名 | 内容 |
|---|---|
| gittutorial | Gitのチュートリアル |
| giteveryday | 日常的に使うコマンドの紹介 |
| gitglossary | Git用語集 |

gittutorialはその名の通り、Gitのチュートリアルです。`man gittutorial`で表示できます。

▼gittutorialを表示する

```
$ man gittutorial
GITTUTORIAL(7)         Git Manual         GITTUTORIAL(7)

NAME
       gittutorial - A tutorial introduction to Git

SYNOPSIS
       git *

DESCRIPTION
       This tutorial explains how to import a new project into Git,
make changes to it, and share changes with other developers.

...以下省略...
```

このチュートリアルでコミットの作成や履歴の確認、基本的なブランチ運用や複数人での共同作業まで学べます。Gitの実践的な練習をしたい場合はこちらを試してみてください。

giteverydayは、たくさんあるGitコマンドの中から特によく使うコマンドに絞って解説したマニュアルです。**man giteveryday**で表示できます。典型的な作業の例が書かれているので、コマンドの使い方を忘れてしまった場合はこちらが参考になります。

gitglossaryはGitの用語集です。**man gitglossary**で表示できます。Gitのマニュアルを読んでいて分からない用語があった場合はこちらで調べると良いでしょう。

用意されている手引き(guide)の一覧は、git helpコマンドに-gまたは--guidesオプションをつけて実行すると確認できます。

▼Gitの手引き一覧を表示する

```
$ git help -g

The Git concept guides are:
   attributes          Defining attributes per path
   cli                 Git command-line interface and conventions
   core-tutorial       A Git core tutorial for developers
   credentials         Providing usernames and passwords to Git

...以下省略...
```

ここで表示される手引の名前は、先頭のgitが省略されています。manコマンドで表示したいときは、man git<手引き名>と先頭にgitを付けてください。もしくは、git helpコマンドの後に<手引き名>を指定しても表示できます。たとえばcliという手引きの内容を表示したいときは、**man gitcli**または**git help cli**と実行します。

このようにGitにはたくさんのマニュアルが用意されています。本章で紹介していない便利なコマンドやオプションもまだまだたくさんあるので、ぜひマニュアルを確認してみてください。

**おわりに**

本章では、Gitを例にバージョン管理システムについて解説しました。Gitは非常に多機能ですが、無理にすべての機能を使う必要はありません。履歴を登録、閲覧するという基本的な機能からでよいので、実際に試してみてバージョン管理システムの使い方を理解してください。

# Chapter 20 ソフトウェアパッケージ

Linuxディストリビューションにはさまざまなソフトウェアがプレインストールされており、デフォルトの状態でも多くの作業が行えます。しかし、何らかの目的のために新しいソフトウェアをインストールすることは、Linuxを使う上で避けてはとおれない作業です。

Linuxでは、Windowsと違ってインストーラがソフトウェアに付属していることはあまりありません。そのためLinuxでソフトウェアをインストールするには、主に以下2つの手法が用いられます。

- ソースコードを自分でコンパイルして、指定ディレクトリにコピーしてインストールする。
- パッケージと呼ばれるコンパイル済みバイナリファイルのアーカイブを、パッケージ管理システムを利用してインストールする。

本章では、現在のLinux運用管理で主流である、後者のパッケージ管理システムの使い方を解説します。なお、パッケージ管理システムについてはディストリビューションごとに違いがあるため、ここでは対象のLinuxディストリビューションとしてCentOS StreamとUbuntuの2つを例に挙げて解説します。

# 01 パッケージとリポジトリ

パッケージ管理システムでは、「パッケージ」を単位としてインストール・アンインストールの管理を行います。このパッケージとは、ソフトウェアの実行ファイル・ドキュメントファイル・設定ファイル・インストール時に必要なスクリプトなどをまとめてアーカイブした1つのファイルです。

ディストリビューションにより差がありますが、現在のLinuxで主流のパッケージファイル形式は、**rpmとdebの2種類に大別**されます(表20-1)。

表20-01　パッケージ形式一覧

| パッケージファイル形式 | 採用ディストリビューション |
|---|---|
| Red Hat形式(.rpm) | Red Hat Enterprise Linux, CentOS Stream, Fedora |
| Debian形式(.deb) | Debian GNU/Linux, Ubuntu |

パッケージファイルを集めて配布しているサイトを、リポジトリと呼びます。ここでのリポジトリとは、CHAPTER19で紹介したGitのリポジトリとは違い、単に「ファイルの配布場所」という意味です。パッケージ管理システムは、リポジトリを指定することでパッケージ情報やパッケージファイルを取得し、インストールを行います(図20-01)。

図20-01　CentOS Streamのリポジトリ例

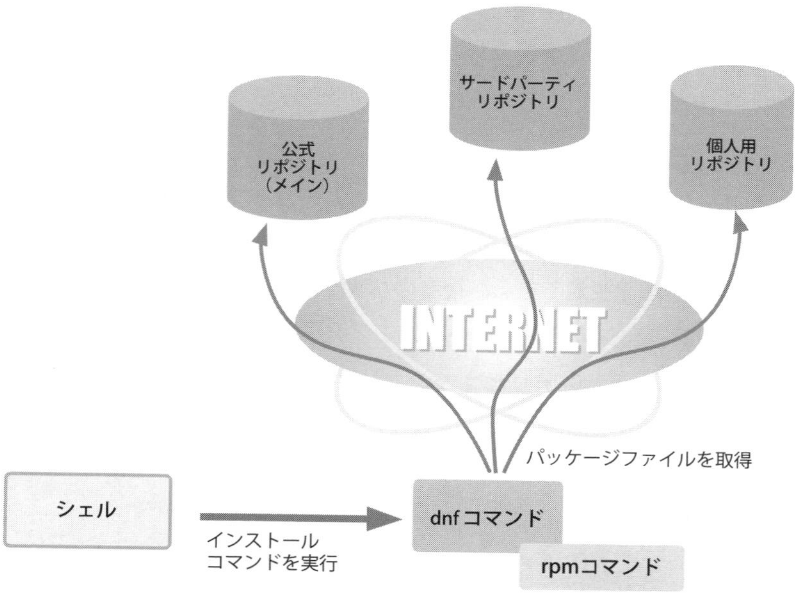

なお、ディストリビューションごとにデフォルトで指定されているリポジトリがあり、そこでは各ディストリビューション自身がパッケージを配布しています。このようなディストリビューション自身が提供しているリポジトリを、公式リポジトリと呼びます。

公式リポジトリの他にも、ソフトウェア開発を行っているプロジェクトなどのサードパーティが多くのリポジトリを提供しています。これらのリポジトリを追加設定することで、ディストリビューションから公式提供されているパッケージとサードパーティ提供のパッケージを、パッケージ管理システムで統一的に管理することができます。

公式リポジトリ以外には、以下のようなプロジェクトのリポジトリがよく使われています。

表20-02　サードパーティリポジトリの例

| ディストリビューション | リポジトリ |
|---|---|
| CentOS Stream | EPEL, Remi |
| Ubuntu | PPA |

サードパーティのリポジトリを追加する詳しい設定方法については、本書では扱いません。各プロジェクトのWebサイトで設定方法が解説されていますから、そちらを参考にしてください。

# 02 dnfコマンド ――パッケージ管理（CentOS Stream）

リポジトリの説明で少し触れましたが、CentOS StreamなどのRed Hat系Linuxディストリビューションでは、rpmというパッケージファイル形式が採用されています。このrpmファイルを管理しているシステムが、RPM(Redhat Package Manager)です。

RPMはCentOS Streamのパッケージ管理の根幹を担うシステムですが、その基本となるrpmコマンドは単純な操作しかできず、実際の運用管理の場面で使うには不便です。そのため現在は、rpmコマンドをラップすることにより高機能な仕組みを提供する、dnfコマンドの方が広く使われています。

本書でも、dnfコマンドの利用方法を解説することにして、直接rpmコマンドを実行する例は省略します。rpmコマンドについても詳しく知りたいという方は、`man rpm`としてrpmコマンドのマニュアルを読んでみてください。

## 基本的な使い方

dnfコマンドは、以下のような書式で実行します。

書式 dnfコマンド

```
dnf [オプション] [コマンド] [パッケージ名 ...]
```

dnfコマンドは多くの機能を持つため、引数の[コマンド]に「install（インストール）」など実行する機能を指示するコマンド指定を行います。以下では、よく使われるコマンドの使い方を、実例を交えながら紹介していきましょう。

なお、ここで一点注意をしておきます。dnfコマンドは実行するたびに、以下のようにパッケージの情報を最後に確認した時刻を出力します。

▼メタデータの最終確認時刻メッセージ

```
# dnf install httpd
メタデータの期限切れの最終確認: 0:16:11 前の 2024年12月03日 18時19分41秒 に実施しました。
```

これは解説には冗長であるため、これより先の実行例ではこの部分の出力は省略しています。

## パッケージのインストール

dnfコマンドでパッケージのインストールを行うには、installコマンドを利用してパッケージ名を指定します。

書式 パッケージのインストール

```
dnf install <パッケージ名>
```

なおインストール作業はroot権限が必要なため、このinstallコマンドもroot権限で実行する必要があります。

次の例ではhttpd.x86_64というパッケージ、つまりWebサーバとして広く使われているApache httpdの64bit版をインストールします。なお、インストールしたいパッケージが持つパッケージ名がわからないときにパッケージ名を検索する方法は、後述する「パッケージを探す」で解説します。

▼httpd.x86_64パッケージをインストール

```
# dnf install httpd.x86_64
```

なおパッケージ名は、以下のようにx86_64というアーキテクチャ部分を省略して指定してもかまいません。長いパッケージ名を書くのは大変ですから、アーキテクチャ部分を表す文字列はこのように省略して指定するのが普通です。

▼アーキテクチャ部分を省略してパッケージ名を指定

```
# dnf install httpd
```

installコマンドを実行すると、実際にインストールが行われる前に、次のような確認プロンプトが表示されます。

▼インストール確認

```
これでよろしいですか？ [y/N]:
```

ここでyキーを押せば、Yesと判断されてインストールが行われます。やはり気が変わってインストールしたくないという場合は、nキーを入力すれば中止できます。

なおinstallコマンドで**-y**オプションを利用すると、途中で聞かれる確認のy/N入力を省略して、すべての問い合わせに自動的にyが入力されます。

▼すべてに「y (Yes)」と入力してインストールする

```
# dnf -y install httpd
```

これは、シェルスクリプトなどでインストール作業を自動化する際によく使われる手法です。

## パッケージ間の依存性

多くのパッケージは、「先にインストールしておかないといけない別のパッケージ」を持つことが普通です。たとえば何かしらのライブラリを必要とするプログラムは、先にそのライブラリのパッケージがインストールされていないと実行することができません。

このように、あるパッケージが自分よりも先にインストールされていることが必要な別のパッケージを持つ状態を、「依存性を持つ」と表現します。そしてdnfコマンドは、この**依存性の解決を自動的に行ってくれる**ことが最大の特長です。

以下の表示は、`dnf install httpd`実行後に依存性解決が行われた例です。

▼パッケージインストール時の依存性解決

```
# dnf install httpd
依存関係が解決しました。
================================================================================
パッケージ アーキテクチャー バージョン リポジトリー サイズ
================================================================================
インストール:
httpd x86_64 2.4.57-5.el9 appstream 47 k
依存関係のインストール:
apr x86_64 1.7.0-11.el9 appstream 123 k
```

```
apr-util x86_64 1.6.1-23.el9 appstream 95 k
apr-util-bdb x86_64 1.6.1-23.el9 appstream 13 k
centos-logos-httpd noarch 90.4-1.el9 appstream 252 k
httpd-core x86_64 2.4.57-5.el9 appstream 1.4 M
httpd-filesystem noarch 2.4.57-5.el9 appstream 14 k
httpd-tools x86_64 2.4.57-5.el9 appstream 81 k
弱い依存関係のインストール:
apr-util-openssl x86_64 1.6.1-23.el9 appstream 15 k
mod_http2 x86_64 1.15.19-5.el9 appstream 149 k
mod_lua x86_64 2.4.57-5.el9 appstream 61 k

トランザクションの概要
=================================================================
インストール 11 パッケージ

...(省略)...

インストール済み:
apr-1.7.0-11.el9.x86_64 apr-util-1.6.1-23.el9.x86_64
apr-util-bdb-1.6.1-23.el9.x86_64 apr-util-openssl-1.6.1-23.el9.x86_64
centos-logos-httpd-90.4-1.el9.noarch httpd-2.4.57-5.el9.x86_64
httpd-core-2.4.57-5.el9.x86_64 httpd-filesystem-2.4.57-5.el9.noarch
httpd-tools-2.4.57-5.el9.x86_64 mod_http2-1.15.19-5.el9.x86_64
mod_lua-2.4.57-5.el9.x86_64

完了しました!
```

ここでは、httpdをインストールする前に入れる必要のあった、apr, apr-utilなどが同時にインストールされています。単体のrpmコマンドでは、これら依存性の解決も手動で行う必要があるため非常に手間がかかります。一方、dnfコマンドならば、自動的に依存性を解決して必要なパッケージも合わせてインストールしてくれるため、依存性解決に煩わされることがありません。

## パッケージの削除

パッケージをアンインストール、すなわち削除するにはremoveコマンドを利用します。

**書 式** パッケージの削除

```
dnf remove <パッケージ名>
```

削除するパッケージに依存しているパッケージがあった場合、削除した後それらは使用できなくなります。また、削除するパッケージの依存性を解決するためにインストールしていたパッケージがあった場合、削除後にそれらパッケージは不要になります。この依存性の解決もdnfが自動でおこなってくれるため、使用できなくなる、もしくは不要になるパッケージも同時に削除されます。

たとえばhttpdパッケージはhttpd-toolsに依存しているため、先にhttpd-toolsを削除しようとすると、依存しているhttpdも自動的に削除されます。それにともなって、httpdのためにインストールされていたaprやapr-utilなどのパッケージも合わせて削除されます。

▼パッケージ削除時の依存性解決

```
# dnf remove httpd-tools
依存関係が解決しました。
================================================================================
パッケージ アーキテクチャー バージョン リポジトリー サイズ
================================================================================
削除中：
httpd-tools x86_64 2.4.57-5.el9 @appstream 198 k
依存関係パッケージの削除：
httpd x86_64 2.4.57-5.el9 @appstream 59 k
未使用の依存関係の削除：
apr x86_64 1.7.0-11.el9 @appstream 289 k
apr-util x86_64 1.6.1-23.el9 @appstream 211 k
apr-util-bdb x86_64 1.6.1-23.el9 @appstream 15 k
apr-util-openssl x86_64 1.6.1-23.el9 @appstream 23 k
centos-logos-httpd noarch 90.4-1.el9 @appstream 450 k
httpd-core x86_64 2.4.57-5.el9 @appstream 4.6 M
httpd-filesystem noarch 2.4.57-5.el9 @appstream 400
mod_http2 x86_64 1.15.19-5.el9 @appstream 385 k
mod_lua x86_64 2.4.57-5.el9 @appstream 142 k

トランザクションの概要
================================================================================
削除 11 パッケージ

...（省略）...

削除しました：
apr-1.7.0-11.el9.x86_64 apr-util-1.6.1-23.el9.x86_64
apr-util-bdb-1.6.1-23.el9.x86_64 apr-util-openssl-1.6.1-23.el9.x86_64
centos-logos-httpd-90.4-1.el9.noarch httpd-2.4.57-5.el9.x86_64
httpd-core-2.4.57-5.el9.x86_64 httpd-filesystem-2.4.57-5.el9.noarch
httpd-tools-2.4.57-5.el9.x86_64 mod_http2-1.15.19-5.el9.x86_64
mod_lua-2.4.57-5.el9.x86_64

完了しました！
```

なお確認メッセージに対して自動的にy (Yes) を入力する**-y**オプションは、removeコマンドでも利用できます。このオプションを利用すると、シェルスクリプトなどでパッケージ削除の自動化処理を記述することができます。

▼すべてに「y (Yes)」と入力して削除する

```
# dnf -y remove httpd-tools
```

## パッケージを探す

パッケージ名は、コマンドの名称そのままとなっていないものも多くあります。そのためパッケージをインストールする際には、まずパッケージ名を調べる必要があります。リポジトリからパッケージ名を検索するには、searchコマンドを使います。

書式 パッケージの検索

```
dnf search <検索ワード>
```

installコマンドとは違い、searchコマンドで検索するにはroot権限は必要ありませんから一般ユーザで実行することができます。

例として、Netcatというネットワーク検査に使われるツールが含まれるパッケージを検索してみましょう。

▼Netcatの検索例

```
$ dnf search netcat
============================== 概要 一致: netcat==============================
nmap-ncat.x86_64 : Nmap's Netcat replacement
socat.x86_64 : Bidirectional data relay between two data channels
('netcat++')
```

nmap-ncatとsocatという2つのパッケージが見つかりました。なお、searchコマンドではパッケージ名とその要約 (Summary) のみが検索対象となります。パッケージの説明文 (Description) までも検索対象としたい場合は、**--all**オプションを追加します。

▼パッケージの説明文まで含めた全文検索例

```
$ dnf search --all netcat
============================== 概要 一致: netcat ==============================
nmap-ncat.x86_64 : Nmap's Netcat replacement
socat.x86_64 : Bidirectional data relay between two data channels
('netcat++')
============================== 説明 一致: netcat ==============================
nmap.x86_64 : Network exploration tool and security scanner
```

このsearch --allでは、先ほどは検索結果に表示されなかったnmapというパッケージも表示されています。これは、netcatという単語がnmapパッケージの要約には含まれないものの、説明文には登場するためです。

なおsearchコマンドは、大文字と小文字を区別しません。そのため、grepコマンドの-iオプションのような、大文字小文字を無視する指定は不要です。

## パッケージの情報表示

パッケージ名だけではその内容がよくわからない場合、infoコマンドで詳細情報を表示することができます。infoコマンドはsearchコマンドと同様に、root権限は必要ありませんから一般ユーザで実行できます。

書　式　パッケージの詳細情報を表示

```
dnf info <パッケージ名>
```

次の例は、httpdパッケージの詳細情報を表示しています。パッケージのバージョンやソフトウェアのURL、説明が表示されています。

▼パッケージ情報の表示例

```
$ dnf info httpd
利用可能なパッケージ
名前          : httpd
バージョン    : 2.4.57
リリース      : 5.el9
Arch          : x86_64
サイズ        : 47 k
ソース        : httpd-2.4.57-5.el9.src.rpm
リポジトリー  : appstream
概要          : Apache HTTP Server
URL           : https://httpd.apache.org/
ライセンス    : ASL 2.0
説明          : The Apache HTTP Server is a powerful, efficient, and extensible
              : web server.
```

なおinfoコマンドでパッケージの情報表示をする際にはリポジトリから情報を取得しますから、そのパッケージがインストールされている必要はありません。

# 03 aptによるパッケージ管理（Ubuntu）

UbuntuなどのDebian系Linuxディストリビューションでは、**debというパッケージファイル形式**が採用されています。

debファイルは、伝統的にはdpkgコマンドを用いてインストールが行えますが、このdpkgコマンドを直接使うことは現在ではあまりありません。一般には、dpkgコマンドよりも高機能な仕組みを提供しているAPT（Advanced Packaging Tool）系コマンドが利用されます。

APT系コマンドではもともと、インストールやアンインストールにはapt-getコマンド、情報表示や検索にはapt-cacheコマンドが利用されていました。その後それら2つを統合した上位のコマンドとして、aptコマンドが作られました。今では対話的に使う際には主にaptコマンドが使用されるので、本書でもaptコマンドの使い方を解説します。apt-getコマンドやapt-cacheコマンド、およびdpkgコマンドについては、それぞれのコマンドマニュアルを参照してください。

## 基本的な使い方

aptコマンドは、以下のような書式で実行します。

**書式** aptコマンド

```
apt [オプション] [コマンド] [パッケージ名...]
```

dnfコマンドと同様に、aptコマンドも多くの機能を持つため、引数の[コマンド]に「install（インストール）」など実行する機能を指示するコマンド指定を行います。以下ではよく使われるコマンドの使い方を、実例を交えながら紹介していきます。

## パッケージのインストール

aptコマンドでパッケージのインストールを行うには、dnfコマンドと同様にinstallコマンドを利用してパッケージ名を指定します。

**書式** パッケージのインストール

```
sudo apt install <パッケージ名>
```

なおインストール作業はroot権限が必要なため、このinstallコマンドは上の例のようにsudoコマンドを利用して実行する必要があります。

次の例では、apache2というApache Webサーバーのパッケージをインストールします。

▼apache2パッケージをインストール

```
$ sudo apt install apache2
```

dnfの場合と同じように、installコマンドでは本当にインストールを行うかどうかの確認プロンプトが表示されます。

▼インストール確認

```
続行しますか? [Y/n] y
```

ここでyキーを押すとインストールが行われます。インストールしたくない場合は、nキーを押すと中断されます。また**-y**オプションを指定すると、確認プロンプトが表示されずに自動的にYesが選ばれます。

▼全てに「y (Yes)」と入力してインストールする

```
$ sudo apt -y install apache2
```

インストールしたいコマンドのパッケージ名がわからないときに、パッケージ名を検索する方法は、後述する「パッケージを探す」で解説します。

## パッケージ間の依存性

dnfコマンドの例でも紹介しましたが、多くのパッケージは、「先にインストールしておかないといけない別のパッケージ」を持ちます。これを「依存性を持つ」と表現します。aptコマンドは、**dnfコマンドと同様に依存性の解決を自動的に行ってくれます**。

次の例は、apache2パッケージのインストール時に依存性解決が行われた例です。

▼パッケージインストール時の依存性解決

```
$ sudo apt install apache2
パッケージリストを読み込んでいます... 完了
依存関係ツリーを作成しています... 完了
状態情報を読み取っています... 完了
以下の追加パッケージがインストールされます:
apache2-bin apache2-data apache2-utils libapr1 libaprutil1
libaprutil1-dbd-sqlite3 libaprutil1-ldap
提案パッケージ:
apache2-doc apache2-suexec-pristine | apache2-suexec-custom
```

```
以下のパッケージが新たにインストールされます:
apache2 apache2-bin apache2-data apache2-utils libapr1 libaprutil1
libaprutil1-dbd-sqlite3 libaprutil1-ldap
アップグレード: 0 個、新規インストール: 8 個、削除: 0 個、保留: 2 個。
1,918 kB のアーカイブを取得する必要があります。
この操作後に追加で 7,706 kB のディスク容量が消費されます。
続行しますか? [Y/n] y

...(省略)...
```

ここでは、apache2をインストールする前に入れる必要のあったapache2-bin, apache2-dataなどが同時にインストールされています。dpkgコマンドでは、これら依存性の解決も手動で行う必要があるため非常に手間がかかります。一方、aptコマンドならば自動的に依存性を解決して必要なパッケージも合わせてインストールしてくれるため、依存性解決に煩わされることがありません。

## パッケージの削除

パッケージをアンインストール、すなわち削除するには、removeコマンドを利用します。

書式 パッケージのアンインストール

```
sudo apt remove <パッケージ名>
```

パッケージ削除の際には、依存性のあるパッケージもremoveコマンドが同時に削除してくれます。以下の例では、apache2-binパッケージを削除しようとした際に、それに依存しているapache2パッケージも自動的に削除されています。

▼パッケージ削除時の依存性解決

```
$ sudo apt remove apache2-bin
パッケージリストを読み込んでいます... 完了
依存関係ツリーを作成しています... 完了
状態情報を読み取っています... 完了
以下のパッケージが自動でインストールされましたが、もう必要とされていません:
apache2-data apache2-utils libapr1 libaprutil1
libaprutil1-dbd-sqlite3 libaprutil1-ldap
これを削除するには 'sudo apt autoremove' を利用してください。
以下のパッケージは「削除」されます:
apache2 apache2-bin
アップグレード: 0 個、新規インストール: 0 個、削除: 2 個、保留: 2 個。
この操作後に 5,738 kB のディスク容量が解放されます。
```

```
続行しますか? [Y/n] y

...(省略)...
```

dnfコマンドと違って、削除するパッケージから依存されているパッケージは自動的には削除されません。先ほどの例の場合、apache2-dataパッケージやapache2-utilsパッケージはもう不要ですが、削除されていません。このように不要になったパッケージを削除したい場合は、autoremoveコマンドを利用します。

▼不要になったパッケージを削除

```
$ sudo apt autoremove
```

autoremoveコマンドを実行すると、不要なパッケージの一覧が表示されます。内容を確認して問題なければ、yキーを押してそれらを削除できます。

▼不要になったパッケージを削除する

```
$ sudo apt autoremove
パッケージリストを読み込んでいます... 完了
依存関係ツリーを作成しています... 完了
状態情報を読み取っています... 完了
以下のパッケージは「削除」されます:
apache2-data apache2-utils libapr1 libaprutil1 libaprutil1-dbd-
sqlite3 libaprutil1-ldap
アップグレード: 0 個、新規インストール: 0 個、削除: 6 個、保留: 2 個。
この操作後に 1,967 kB のディスク容量が解放されます。
続行しますか? [Y/n] y

...(省略)...
```

なおremoveコマンドで削除した場合、設定ファイルなどの一部ファイルは削除されずにシステムに残ったままとなります。これら設定ファイルも含めてすべてのファイルを完全に削除したい場合には、次のようにremoveコマンドの代わりにpurgeコマンドを利用します。

書式 設定ファイルも含めた完全削除

```
sudo apt purge <パッケージ名>
```

## パッケージを探す

パッケージ名はコマンドの名称そのままとなっていないものも多いため、インストールする際には、まずパッケージ名を調べる必要があります。このようなときにリポジトリからパッケージ名を検索するには、文字列で検索を行うsearchコマンドを使います。searchコマンドで検索するにはroot権限は必要ありませんから、一般ユーザでそのまま実行することができます。

書 式 パッケージを検索

```
apt search <検索ワード>
```

例として、Netcatというネットワーク検査に使われるツールが含まれるパッケージを検索してみましょう。

▼Netcatの検索例

```
$ apt search netcat
ソート中... 完了
全文検索... 完了
corkscrew/jammy 2.0-13 amd64
    tunnel TCP connections through HTTP proxies

cryptcat/jammy 20031202-4build2 amd64
    twofish 暗号化の拡張を施された軽量版 netcat

fling/jammy 1.1-3 amd64
    Transfer data from stdin over network to destination quickly

forensics-extra/jammy,jammy 2.35 all
    Forensics Environment - extra console components (metapackage)

gsocket/jammy 1.4.33-2ubuntu1 amd64
    Allows two machines on different networks to communicate with
each other

...(省略)...
```

searchコマンドでは、パッケージの説明文なども含めた全文検索が行われます。パッケージ名だけを検索対象としたい場合は、次のように`--names-only`オプションを利用します。

▼パッケージ名だけを検索対象とする例

```
$ apt search --names-only netcat
ソート中... 完了
全文検索... 完了
netcat/jammy,jammy 1.218-4ubuntu1 all
    TCP/IP スイスアーミーナイフ -- 移行用パッケージ

netcat-openbsd/jammy,now 1.218-4ubuntu1 amd64 [インストール済み、自動]
    TCP/IP スイスアーミーナイフ

netcat-traditional/jammy 1.10-47 amd64
    TCP/IP スイスアーミーナイフ
```

## パッケージの情報表示

パッケージ名だけではその内容がよくわからない場合、showコマンドで詳細情報を表示することができます。これはsearchコマンドと同様にroot権限は必要ありませんから、一般ユーザで実行できます。

次の例では、apache2パッケージの詳細情報を表示しています。

▼パッケージ情報の表示例

```
$ apt show apache2
Package: apache2
Version: 2.4.52-1ubuntu4.6
Priority: optional
Section: web
Origin: Ubuntu
...（省略）...

Description: Apache HTTP サーバ
  Apache HTTP Server Project は、標準準拠のオープンソースソフトウェアとして、
  安全で、効率的で、拡張性のある HTTP サーバを構築することを目的としています。
  その成果は、インターネットで長い間ナンバーワンの web サーバとなっています。
 .
  このパッケージをインストールすれば、設定ファイル、init スクリプト、補助スクリプトを
  含むすべてをインストールできます。

...（省略）...
```

なお先ほど紹介したパッケージを検索するsearchコマンドに--fullオプションを付けると、検索と情報表示が同時に行えます。あるキーワードを含むパッケージをまとめて閲覧したいときには、こちらの方が便利でしょう。

▼パッケージの検索と情報表示を同時に行う

```
$ apt search --full netcat
Sorting... Done
Full Text Search... Done
corkscrew/jammy 2.0-13 amd64
  tunnel TCP connections through HTTP proxies
  corkscrew is a simple tool to tunnel TCP connections through an
HTTP
  proxy supporting the CONNECT method. It reads stdin and writes to
  stdout during the connection, just like netcat.
  .
  It can be used for instance to connect to an SSH server running on
  a remote 443 port through a strict HTTPS proxy.

cryptcat/jammy 20031202-4build2 amd64
  A lightweight version netcat extended with twofish encryption
...(省略)...
```

**おわりに**

パッケージ管理システムは非常に多くの機能を持つ複雑なシステムであるため、この章で紹介した機能はごく一部となります。より詳しく知りたい方は、各コマンドのマニュアルや、ディストリビューション提供の公式ドキュメントを参考にしてください。

# Appendix

# 01 リモートログインとSSH

本書では、ローカルマシンのLinuxに直接ログインする前提でお話ししてきました。しかしLinuxは、実際にマシンが目の前になくても、ネットワークを経由して遠隔ログインすることができます。つまりネットワークさえつながっていれば、隣の部屋に置いたLinuxマシンにも、そして地球の裏側にあるLinuxマシンにもログインして作業が行えるわけです。このように手元のローカルマシンから遠隔地のマシンへログインする操作を、リモートログインと呼びます。

Linuxにリモートログインするにはいくつかの方法がありますが、CLI環境では主にSSHを利用します。ここではリモートログインの方法について、簡単に紹介します。なおこの利用方法はネットワークに対する知識が必要になるため、「IPアドレス」などの基本的な用語についての解説は省略します。

## SSH

SSHとはSecure Shellの略で、リモートマシンと通信するためのプロトコルです。認証・暗号化の機能を持つため、セキュリティを確保してリモートマシンと安全に通信できるという特長を持ちます。通常はTCPの22番ポート(22/tcp)が利用されます。

SSHはさまざまな用途に利用されるプロトコルで、単にリモートログインするためだけではなく、ファイル転送など多くの利用シーンを持ちます。しかしその詳細について1つ1つ述べていると大変な量となってしまうため、本書では、リモートログインの機能のみに絞って紹介します。

WindowsでSSHによるリモートログインを行いたい場合、WindowsのバージョンによってはデフォルトでSSHクライアントソフトが含まれていないことがあります。その場合は追加でアプリケーションをインストールする必要があります。SSHクライアントは、フリーソフトウェアとして「PuTTY」や「Tera Term」が有名で、広く使われています。なお、これらのソフトウェアは本来は「SSHをサポートしているターミナルエミュレータ」という呼び方が正しいのですが、ここでは単にSSHクライアントソフトとして理解してください。ターミナルエミュレータとSSHやシェルとの関係については、P.172で少しだけ紹介しました。

**PuTTY**

URL https://www.chiark.greenend.org.uk/~sgtatham/putty/

**Tera Term**

URL https://teratermproject.github.io/

一方macOSでは、SSHクライアントソフトであるsshコマンドがデフォルトでインストールされています。そのため、Windowsマシンのように追加インストールする必要はありません。「アプリケーション」→「ユーティリティ」内の「ターミナル」を起動し、次のように宛先のIPアドレスを指定してsshコマンドを実行すればリモートログインできます。

**書式** sshコマンドによるリモートログイン

```
ssh <ログインユーザ名>@<宛先IPアドレス>
```

なおこの際、はじめてアクセスするLinuxマシンの場合には、本当にこの接続を開始するかという確認プロンプトが表示されます。これは対象のホストを登録するための処理ですから、**yes**と入力してください。続いてLinuxマシンへのパスワード入力のプロンプト（次の例では**osumi@192.168.2.67's password:**の部分）が表示されます。ここでパスワードを入力すれば、ログインすることができます。

▼Linuxマシン（192.168.2.67）にはじめてsshログインする例

```
macmini:~ user1$ ssh osumi@192.168.2.67
The authenticity of host '192.168.2.67 (192.168.2.67)' can't be
established.
RSA key fingerprint is c3:e3:8d:5e:ea:58:0e:a9:e5:03:34:56:b3:ca
:a3:60.
Are you sure you want to continue connecting (yes/no)? yes  ← yesを入力
Warning: Permanently added '192.168.2.67' (RSA) to the list of known
hosts.
osumi@192.168.2.67's password:  ← パスワードを入力
Last login: Sat Aug 23 18:34:30 2014 from 192.168.2.44
[osumi@localhost ~]$
```

なお、クラウド上など遠隔地にあるLinuxサーバにログインする場合、セキュリティの観点から、ユーザ名とパスワードではログインできないよう設定されている場合があります。このような環境では、公開鍵認証と呼ばれる方法でユーザの認証を行います。鍵認証については、コラム「sshと公開鍵認証」（P.274）で解説しています。

## VirtualBoxとssh接続

VirtualBoxは特殊なネットワーク環境が内部に構築されているため、仮想マシンにssh接続するには少々工夫が必要です。ここでは、VirtualBoxのポートフォワーディング機能を利用してssh接続する手順を紹介しておきます。

### ❖ ポートフォワーディングの設定

VirtualBoxで作成された仮想マシンは、デフォルト状態ではネットワークアダプタが「NAT」モードになっています。これは仮想マシンのネットワークとホストOSのネットワークが別ネットワークとして分離されている設定であり、ホストOS側から直接仮想マシンにアクセスすることはできません。この際にはポートフォワーディングという機能を利用することで、ホストOSの特定ポートへのアクセスを仮想マシンへと向けることができます。ここでは、ホストOSへの2222/tcpへのアクセスを、ゲストOSへの22/tcp（ssh）へのアクセスとして振り向けてみましょう。

|図A1-01| ポートフォワードにより仮想マシンへ通信する

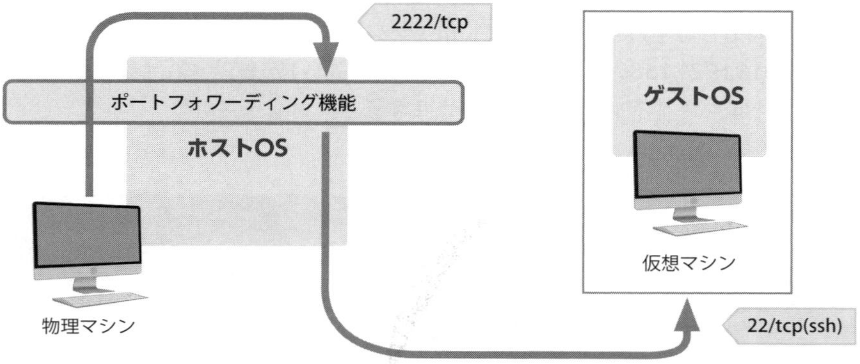


このためには、まず仮想マシンを停止した上で、VirtualBoxマネージャーのメニューから【仮想マシン】→【設定】を選択し、「設定」ダイアログボックスを開きます。

画面左の項目一覧から「ネットワーク」を選択し、「アダプター 1」タブの「高度(D)」を選択し、「ポートフォワーディング(P)」ボタンを押します。

|図A1-02| ポートフォワードの設定1

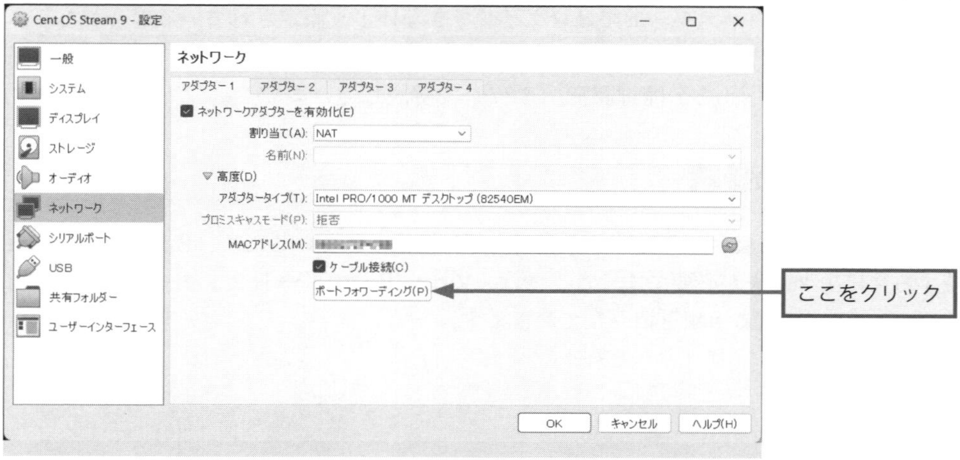

そしてポートフォワードの設定画面で右側の「＋」アイコンをクリックしルールを追加して、次の図のように「ホストポート」に2222、「ゲストポート」に22と設定します。これにより、ホストOSへの2222/tcpへの通信をゲストOSへの22/tcp (ssh) へと振り向けることができます。

|図A1-03| ポートフォワードの設定2

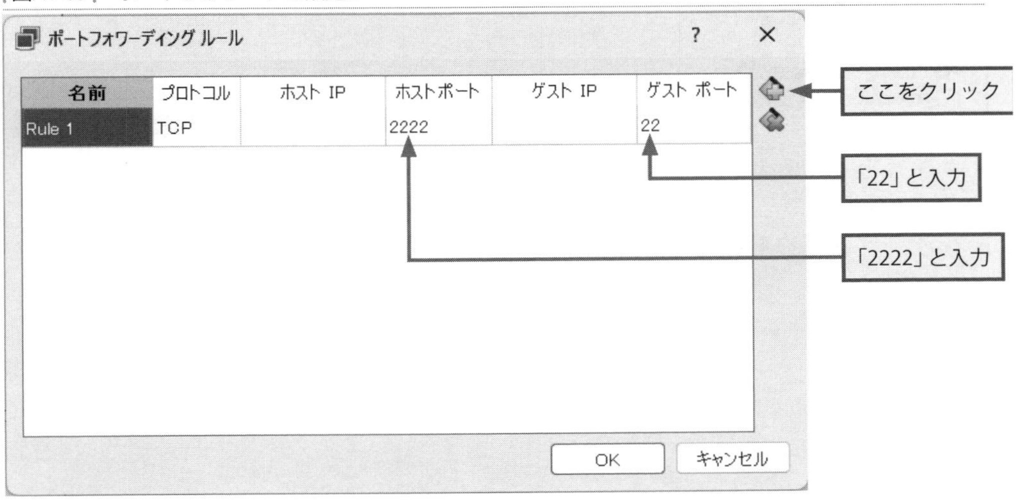


### Tera Termによる接続

実際に利用する際には、sshの宛先としてlocalhost、ポート番号として2222を指定します。次の図はTera Termでの接続例です。

|図A1-04| Tera Termによる接続

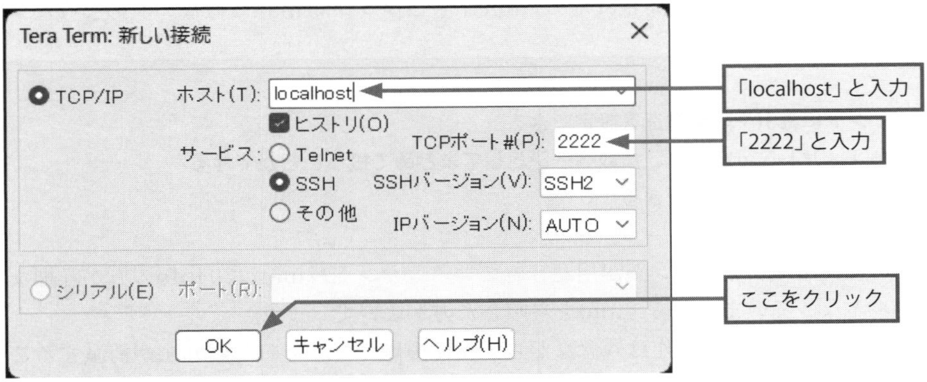


Appendix

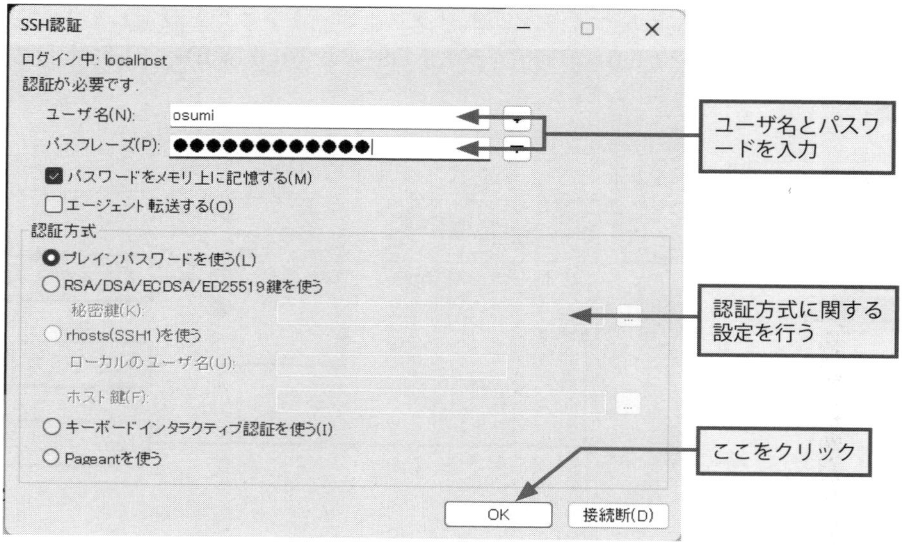


これにより、ゲストOSへssh接続を行うことができます。

## 02 infoドキュメントを読む

infoは、オンラインマニュアルを表示するためのコマンドです。はるか昔から存在したmanコマンドの後継として開発されため、infoドキュメントはmanにはない次のようなメリットを持っています。

- ドキュメントに索引や階層構造を設定できる
- 長いドキュメントを分割して、複数ページとしてまとめて扱うことができる
- ドキュメント間で相互参照できる

一般的には、infoドキュメントが用意されているコマンドはmanよりinfoの方が詳細なマニュアルとなっていますから、infoを参照した方がよいでしょう。

ただし、infoコマンドの操作は残念ながら大変に複雑です。そのためmanが消滅することはなく、現在もmanとinfoは共存しています。ユーザは場合に応じてman/info両方のドキュメントを参照しなくてはいけません。そのため、ここでinfoコマンドの使い方をきちんと覚えておきましょう。

## infoドキュメント形式

infoコマンドは、次の形式で使用します。

書式 コマンドについて調べる

```
info <コマンド名>
```

ここでは、findコマンドのinfoドキュメントを表示してみましょう。

▼findコマンドについて調べる

```
$ info find
```

infoコマンドを実行すると、次のようにfindコマンドのinfoドキュメントが表示されます。manとはずいぶん形式が違いますね。

▼findコマンドのinfoドキュメント

```
Next: Invoking locate, Up: Reference

8.1 Invoking 'find'
===================

     find [-H] [-L] [-P] [-D DEBUGOPTIONS] [-OLEVEL] [FILE...] [EXPRESSION]

   'find' searches the directory tree rooted at each file name FILE by
evaluating the EXPRESSION on each file it finds in the tree.

   The command line may begin with the '-H', '-L', '-P', '-D' and '-O'
options.  These are followed by a list of files or directories that
should be searched.  If no files to search are specified, the current
directory ('.') is used.
....(以下省略)....
```

画面をスクロールするにはスペースキーを、表示を終了するにはqを押します。その他の操作については後で解説します。

### ファイルとノード

infoで表示するドキュメントは「ファイル」と「ノード」という2つの要素で構成されています。

図A2-01　infoドキュメントの構造：ファイルとノード

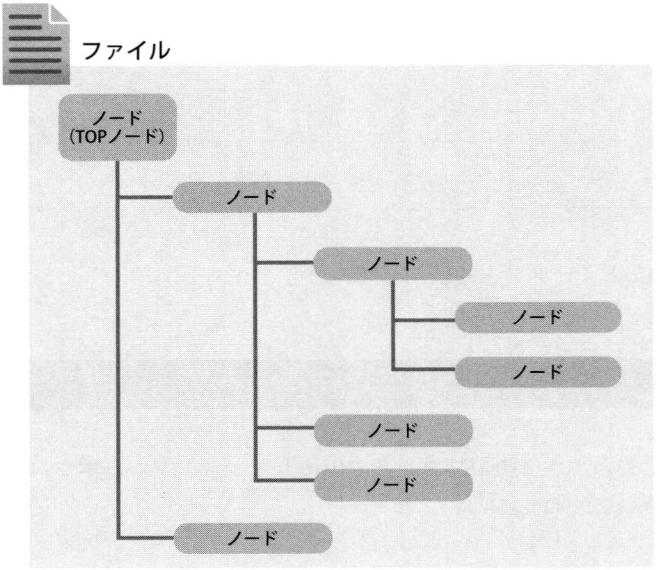


「ファイル」とはその名のとおり文章を記載した物理的なファイルのことで、1つのドキュメントに相当します。先ほど**info find**で表示した、findコマンドのドキュメント全体がファイルです。

「ファイル」は複数の「ノード」に分割されています。「ノード」とはドキュメントを内容によって分割した論理的な単位で、infoコマンドでは1つのページとして表示されます。書籍の例で言えば、ノードとは章や節にあたるものです。

そして、ノードは別のノードへのリンク（参照）を持ち、文章を閲覧しながら別のノードへ移動できるようになっています。これがmanと異なるポイントです。

manでは、異なるドキュメントを表示するには、いったんmanコマンドを終了してから改めて該当のmanを開き直す必要がありました。一方infoでは、コマンド内の操作でノード間を簡単に移動できるようになっています。このようにリンクを移動するやり方は、WebブラウザでHTMLページを閲覧する操作と似ています。

### ノードの階層構造

先ほどの図で見たように、ノードは階層構造を作っています。たとえば、findコマンドのinfoファイルに含まれるノードは、次のような構造になっています。

- Top
  - Reference
    - Invoking find
      - Filesystem Traversal Options
      - Warning Messages
      - Optimisation Options
      - Debug Options
      - Find Expressions
    - Invoking locate
    - Invoking updatedb
    - Invoking xargs
      - xargs options
      - Invoking the shell from xargs
    - Regular Expressions
  - ....（省略）....

先ほどfindコマンドのinfoドキュメントを表示した際、1行目に次のようなノードヘッダが表示されていました。ここで、次のノード名などを確認することができます。

図A2-02 infoコマンドのヘッダ

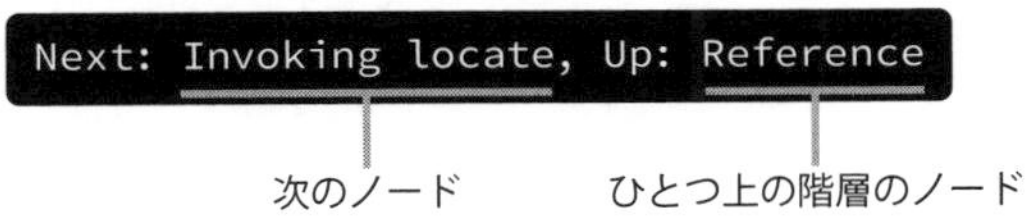


infoドキュメントの一番上のノードは、「Top」という名前を付ける決まりになっています。現在は「Invoking find」のノードにいますから、ノードを2つ上に移動してTopに行ってみましょう。uを押すとノードを1つ上に移動できますから、2回uを押してみてください。

▼Topノードのヘッダ

```
Next: Introduction, Up: (dir)
```

上で示したのが、Topノードにいるときのヘッダです。「Up:」の部分を見ると、Topノードのさらに上には、(dir)というノードがあります。(dir)はdirファイルのTopノードのことで、すべてのドキュメント階層の最上位にあるノードとして定義されています。

次のように、infoコマンドに引数を指定せずに実行した場合も(dir)が表示されます。

▼引数なしで実行すると(dir)が表示される

```
$ info
```

## ノードの移動

infoドキュメントを閲覧するには、キーボードからコマンド入力してノードの移動やスクロールを行います。そこで、まずはノードの移動操作を覚えましょう。

あるノードを閲覧中にnを押すと、同じ階層の次のノードに移動します。逆にpを押すと、同じ階層の前のノードに移動します。`info find`実行直後は「Invoking find」のノードにいますから、一度nキーを押して、「Invoking locate」のノードに移動してみましょう。

図A2-03 同一階層のノード移動

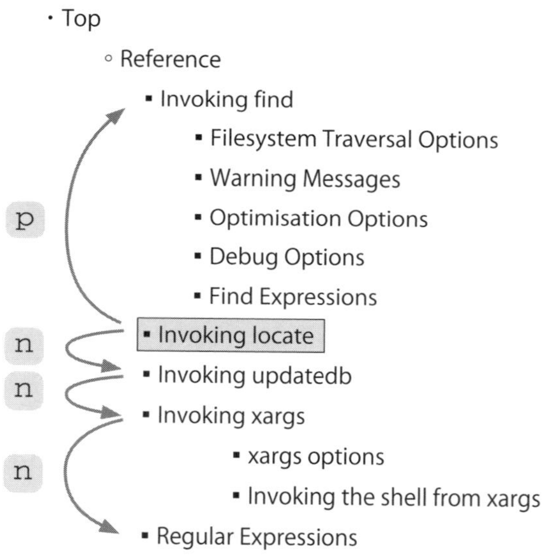


nとpを押すことで、上図のように、下の階層のノードを飛び越してノード間を移動することができます。

これに対して、下の階層のノードを含めて順に移動したい場合には]を使います。]はノードの階層に関係なく、上から順番にノードを移動していきます。これとは逆にノードを下から上にノードを移動したい場合は、[を使います。

図A2-04　階層構造に関係なくノード移動

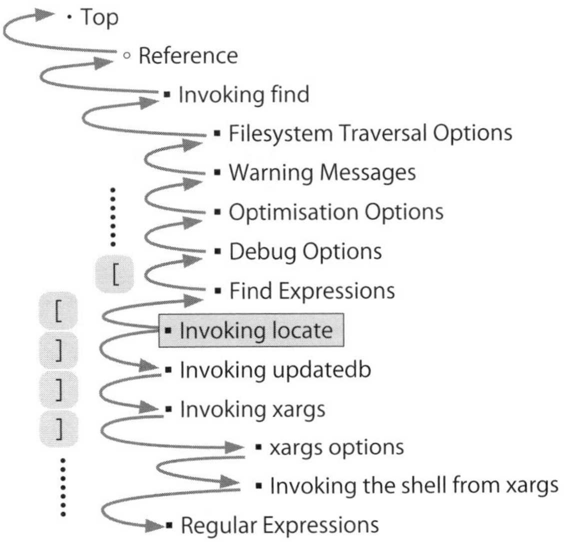


すべてのノードの冒頭をとりあえず見ていきたい場合には、]キーを連続して入力し続ければよいでしょう。

また、先ほど紹介しましたが、uを押すと1つ上の階層のノードに移動します。uを何度か押していけばTopノードに、そしてさらにその上の(dir)に到達します。

ここまでのコマンドを、表にまとめておきましょう。

表A2-01　infoコマンドのノード移動操作

| コマンド | 内容 |
|---|---|
| n | 同じ階層の次のノードへ移動する |
| p | 同じ階層の前のノードへ移動する |
| ] | 文章の中の次のノードへ移動する |
| [ | 文章の中の前のノードへ移動する |
| u | 1つ上のノードに移動する |

## スクロール

infoドキュメントを読む際、スペースキーを押すと1画面ぶん下にスクロールします。ノードの末尾までスクロールした状態でスペースキーを押すと、]キーと同様に次のノードに移動します。そのため、単純にはじめから終わりまでドキュメントを通読したい場合には、単にスペースキーを押し続ければすべてのページを読むことができます。

反対に上にスクロールして戻るには、BackspaceまたはDeleteを押します。この際、ノードの先頭にいる場合は[キーと同様に前のノードに移動します。

スペースキーによるスクロールに似たコマンドとして、Ctrl ＋ vがあります。これは純粋に1画面ぶん下にスクロールさせるだけで、ノードの末尾であったとしても次のノードには移動しません。これとは逆に1画面ぶん上にスクロールさせるには、Meta+vを使用します。
その他、画面スクロールに関するコマンドは次の表のとおりです。

表A2-02 infoコマンドのスクロール操作

| コマンド | 内容 |
| --- | --- |
| スペースキー | 1画面ぶん下にスクロールする。ノードの末尾の場合は次のノードに移動する |
| BackspaceまたはDelete | 1画面ぶん上にスクロールする。ノードの先頭の場合は前のノードに移動する |
| Ctrl + v | 1画面ぶん下にスクロールする |
| Meta + v | 1画面ぶん上にスクロールする |
| b、またはMeta + ＜ | ノードの先頭に移動する |
| Meta + ＞ | ノードの末尾に移動する |

この他に、もう少し細かく行単位で移動するコマンドは次の表のとおりです。

表A2-03 infoコマンドの行移動操作

| コマンド | 内容 |
| --- | --- |
| Ctrl + n | 次の行に移動する |
| Ctrl + p | 前の行に移動する |
| Ctrl + f | 前方に1文字ぶん移動する |
| Ctrl + b | 後方に1文字ぶん移動する |
| Ctrl + a | 行頭に移動する |
| Ctrl + e | 行末に移動する |

これはCHAPTER03で紹介したbashのカーソル移動と全く同じですから、皆さんにとって既に馴染みのある操作でしょう。

## リンク(参照)

infoで表示する文章の中には、リンクが埋め込まれていることがあります。リンクとは他のノードへの参照のことで、行の先頭の*という記号で表されています。
たとえばfind.infoファイルの「Invoking find」ノードの最後には、次のように5つのリンクがあります。

▼infoドキュメントのリンク

```
* Filesystem Traversal Options::
* Warning Messages::
* Optimisation Options::
* Debug Options::
* Find Expressions::
```

Ctrl + nなどでカーソルをリンクへ移動し、Enterキーを押すことでリンク先のノードへ移動することができます。Webブラウザでリンクをマウスでクリックするのと同様のことを、キーボードで行っているわけです。

Ctrl + nなどでリンク先カーソルを持って行くのが大変なときは、Tabキーを押すと次のリンク位置へカーソルを自動的に移動することができます。また、移動後に元のノードへ戻るにはlを押します。

これらリンク移動の操作を次の表にまとめておきます。

表A2-04 infoコマンドのリンク移動操作

| コマンド | 内容 |
|---|---|
| Tab | 次のリンクへカーソルを移動させる |
| Meta + Tab | 前のリンクへカーソルを移動させる |
| Enter | リンク先のノードへ移動する |
| l | ノードの移動履歴を戻る |

また、ここで紹介したlコマンドはリンクを移動した場合だけでなく、nやuコマンドなどでノードを移動した後に戻るためにも利用できます。

### ヘルプとチュートリアルの表示

infoを起動しているときにHを押すと、画面が縦に2分割されて下半分にコマンド一覧のヘルプが表示されます。これを閉じるにはxを押します。

表A2-05 infoコマンドのヘルプ表示

| コマンド | 内容 |
|---|---|
| H | ヘルプウィンドウを開いてinfoのコマンドを一覧表示する |
| x | ヘルプウィンドウを閉じる |

これ以外にもinfoにはさまざまな使い方があります。info自身のinfoドキュメントは、**info info**で閲覧できます。

▼infoコマンドについて調べる

```
$ info info
```

これはinfoを使用するためのチュートリアルになっているので、まずはこのドキュメントで操作を練習してみてください。

infoは癖があって扱いにくい面もありますが、一部のコマンドは既にmanの更新を止めており、infoにしか新機能が記述されていない場合があります。そのため、最新の正確な情報を得たい場合はinfoを参照するようにしてください。

# 03 Linuxでの日本語入力について

本書では、テキストファイルを扱う際には基本的に英数字を用いて、日本語を入力することはほとんどありませんでした。これは、Linuxの基礎知識を身につけるということが本書の目的であり、日本語入力の設定方法というLinuxの本質的ではない部分に、読者の手間を取らせたくなかったためです。

しかしVimなどのテキストエディタを利用している際や、Gitのコミットログを書くときには、日本語を使いたいという読者も多いことでしょう。最近のLinuxでは日本語まわりも随分と便利になっており、比較的簡単に日本語が扱えるようになっています。しかし日本語入力の設定はディストリビューションごとにまだまだ差異があり、つまずくことも多いためここで簡単に解説しておきます。

CentOS Stream 9のGUI環境で日本語を入力するには、まず「設定」→「キーボード」から、日本語の入力ソースとして「日本語 (Anthy)」を追加してください。

|図A3-01| 日本語入力ソースの追加

CentOS Stream 9をGUI環境で利用している場合、通常はSuper + Spaceで日本語入力機能が起動します。または、キーボード入力の代わりにマウスでパネル右上の「ja」という表示をクリックして「日本語 (Anthy)」を選択しても、同じく日本語入力機能が起動します。

図A3-02 CentOS Stream 9でのGUIパネルでの日本語選択

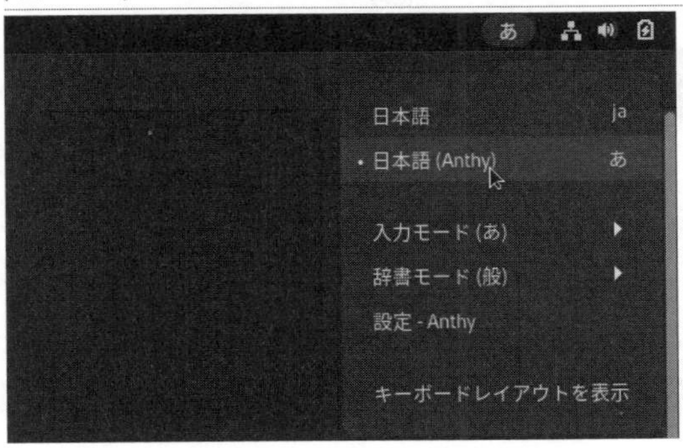


なおここで出てきたSuperというキーは、一般的なキーボードにはありません。これは通常、Windows用キーボードではWindowsキー、macOS用キーボードではCommandキーで代用されます。また、ホストOSをmacOS、ゲストOSをLinuxとしてVirtualBoxを利用している場合には、左CommandキーはVirtualBoxのホストキーに設定されているため利用できません。この場合は右Command + Spaceを押してください。

日本語入力が起動すれば、WindowsやmacOSの日本語入力と同様に、スペースキーで変換、Enterキーで確定という操作を行うことができます。

図A3-03 Vimでの日本語入力

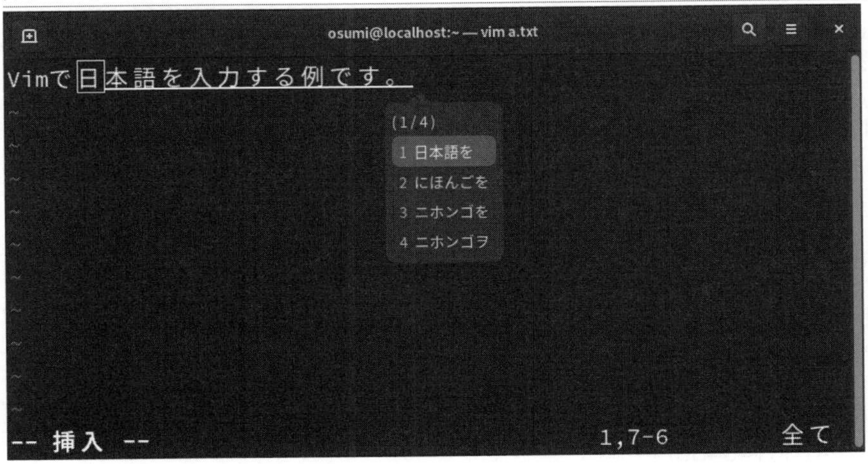


「日本語 (Anthy)」が入力ソースとなっているあいだは、Ctrl + Spaceで半角英数と日本語入力を切り替えることができます。

また、Ubuntuなど他のディストリビューションを使用しているときでも、多くの場合はSuper + SpaceまたはControl + Spaceで日本語入力をオンにすることができます。

# 04 参考文献

本書を執筆するにあたり、以下の書籍を参考にさせていただきました。


- William E. Shotts Jr. 著「The Linux Command Line: A Complete Introduction」No Starch Press, 2012 (ISBN: 978-1593273897)
- Mike Gancarz 著 / 芳尾 桂 訳「UNIXという考え方―その設計思想と哲学」オーム社, 2001 (ISBN: 978-4274064067)
- 小林 準 著「独習Linux」翔泳社, 2007 (ISBN: 978-4798104430)
- Cameron Newham, Bill Rosenblatt 著 / 株式会社クイープ 訳「入門bash 第3版」オライリー・ジャパン, 2005 (ISBN: 978-4873112541)
- ブルース・ブリン 著 / 山下 哲典 訳「入門UNIXシェルプログラミング 改訂第2版―シェルの基礎から学ぶUNIXの世界」SBクリエイティブ, 2003 (ISBN: 978-4797321944)
- 坂本 文 著「たのしいUNIX - UNIXへの招待」アスキー , 1990 (ISBN: 978-4756107855)
- Dale Dougherty, Arnold Robbins 著 / 福崎 俊博 訳「sed & awkプログラミング 改訂版」オライリー・ジャパン, 1997 (ISBN: 978-4900900585)
- 青木 峰郎 著「ふつうのLinuxプログラミング Linuxの仕組みから学べるgccプログラミングの王道」SBクリエイティブ, 2005 (ISBN: 978-4797328356)
- 関根 達夫 著「UNIXシェルスクリプトハンドブック」SBクリエイティブ, 2004 (ISBN: 978-4797326529)
- 山森 丈範 著「[改訂新版] シェルスクリプト基本リファレンス」技術評論社, 2011 (ISBN: 978-4774146430)
- Eric S.Raymond 著 / 長尾 高弘 訳「The Art of UNIX Programming」アスキー , 2007 (ISBN: 978-4756149480)
- 濱野 純 著「入門Git」秀和システム, 2009 (ISBN: 978-4798023809)
- Jeffrey E.F. Friedl 著 / 株式会社ロングテール, 長尾 高弘 訳「詳説 正規表現 第3版」オライリー・ジャパン 2008 (ISBN: 978-4873113593)

# INDEX

**新しいLinuxの教科書　第2版**

URL https://isbn2.sbcr.jp/24316

本書をお読みいただいたご感想、ご意見を上記URLからお寄せください。
本書に関する正誤情報なども上記URLに掲載予定です。


**新《あたら》しいLinux《リナックス》の教《きょう》科《か》書《しょ》　第《だい》2版《はん》**

2015年 6 月20日 初版第 1 刷　発行
2023年 5 月16日 初版第22刷　発行
2024年 4 月29日 第2版第1刷　発行
2024年10月 4 日 第2版第2刷　発行

| | |
|---|---|
| 著　者 | 三《み》宅《やけ》英《ひで》明《あき》・大《おお》角《すみ》祐《ゆう》介《すけ》 |
| 発行者 | 出井　貴完 |
| 発行所 | SBクリエイティブ株式会社 |
| | 〒105-0001 東京都港区虎ノ門2-2-1 |
| | https://www.sbcr.jp/ |
| 印刷・製本 | 株式会社シナノ |

| | |
|---|---|
| 装　丁 | 大島　恵里子 |
| 組　版 | 三門　克二（株式会社コアスタジオ） |

落丁本、乱丁本は小社営業部にてお取り替えいたします。
定価はカバーに記載されています。

Printed in Japan　ISBN 978-4-8156-2431-6